KRATER

DOUGLAS PRESTON

KRATER

UITGEVERIJ LUITINGH

Voor Tony en Petra O'Brien, Kiera, Liam en Brenna

DEEL 1

APRIL

1

De truc was om door de achterdeur naar binnen te sluipen en de doos onhoorbaar de trap op te smokkelen. Het huis was twee eeuwen oud en je kon haast geen stap doen of er brak een kakofonie van gekraak en gekners los. Zachtjes trok Abbey Straw de deur achter zich dicht en liep ze op haar tenen over de vloerbedekking van de gang naar de overloop. In de keuken hoorde ze haar vader rondscharrelen, met op de achtergrond het gemompel van een honkbalwedstrijd op de televisie.

Met beide armen om de doos geslagen zette ze haar voet op de eerste trede, liet er langzaam haar gewicht op neerkomen en klom naar de volgende tree, en de daarna volgende. De vierde tree sloeg ze over: als je daarop stapte, krijste hij als een speenvarken. Ze bracht haar gewicht naar de vijfde, de zesde, de zevende... En net toen ze dacht dat het haar gelukt was, liet de tree een knal als een pistoolschot horen, gevolgd door een langgerekt, tragisch gekreun.

Verdomme.

'Abbey, wat zit er in die doos?'

Haar vader stond op de drempel van de keukendeur, met zijn oranje rubberlaarzen nog aan; zijn geblokte hemd zat onder de vlekken van dieselolie en kreeftenaas. Zijn getaande voorhoofd was in achterdochtige rimpels getrokken.

'Een telescoop.'

'Een telescoop? Wat heeft dat ding gekost?'

'Ik heb hem van mijn eigen geld gekocht.'

'Geweldig,' zei hij, met een gespannen klank in zijn rauwe stem. 'Als jij nooit meer wilt studeren, als jij de rest van je leven in de bediening wilt blijven werken, dan moet je vooral je loon opmaken aan telescopen.'

'Misschien wil ik wel sterrenkundige worden.'

'Heb jij enig idee wat die studie van jou mij gekost heeft?'

Ze draaide zich om en liep verder de trap op. 'Dat vertel je me maar een keer of vijf per dag.'

'Wanneer word jij eindelijk eens verstandig?'

Ze knalde de deur dicht en bleef even in haar kamertje staan na-hijgen. Ze liet zich naast de doos op het bed vallen. Waarom was ze geadopteerd door blanke mensen in Maine, de blankste staat in heel Amerika, in een stadje waar niemand zwart was? Was er dan nergens een zwarte bankier op zoek geweest naar een kind? 'En waar mag jíj dan wel vandaan komen?' werd haar regelmatig gevraagd, alsof ze regelrecht uit Harlem kwam – of uit Kenia.

Ze draaide zich om en keek naar de doos. Ze pakte haar mobiele telefoon en koos een nummer. 'Jackie?' fluisterde ze. 'We zien elkaar om negen uur op de werf. Ik heb een verrassing.'

Een kwartier later opende Abbey, met de in elkaar gezette telescoop in haar armen, de deur van haar kamer om te luisteren. Haar vader liep in de keuken rond, bezig met de afwas die zij die ochtend had zullen doen. De wedstrijd was nog gaande, de radio stond nu harder en Dave Gouchers irritante stemgeluid tetterde door de blikkerige luidsprekers. Zo te horen aan de krachttermen die haar vader af en toe uitte speelden de Boston Red Sox tegen de New York Yankees. Mooi, dan was hij afgeleid. Ze sloop de trap af, voorzichtig om de oude grenen planken niet weer te laten kraken, glipte langs de open keukendeur en stond even later op straat.

Met het statief over haar schouder schoot ze langs de Anchor Inn naar de werf. De haven lag er spiegelglad bij, een grote zwarte watervlakte die zich uitstrekte tot aan de vage omtrekken van Louds Island, met boten die langs de kade afgemeerd lagen als bleke spoken. De boei van het kanaal bij de monding van de smalle haven knipperde regelmatig en boven haar hoofd wervelde het in de lucht van de fosforescentie.

Ze liep schuin het parkeerterrein over, langs de kreeftencoöp, naar de haven. Vanuit een hoop oude kreeftenvallen aan het eind van de pier dreef een doordringende geur van haringaas en zeewier door de lucht. De kreeftbistro was nog niet open, het seizoen was nog niet aangebroken, en de picknicktafels stonden nog ondersteboven aan de reling vastgeketend. Een eind verderop zag ze de lichtjes van de stad en de kerktoren op de heuvel; de zwarte spits tekende zich af tegen de Melkweg.

'Hé.' Jackie stapte de schaduw uit, de rode gloed van haar joint deinde in het donker. 'Wat is dat?'

'Een telescoop.' Abbey nam de joint van haar over en inhaleerde krachtig, met een geknetter van brandende zaadjes. Ze blies uit en gaf de peuk terug.

'Een telescoop?' vroeg Jackie. 'Wat moeten we daarmee?'

'Naar de sterren kijken; wat valt er hier anders te doen?'

Jackie gromde. 'Wat moet zo'n ding kosten?'

'Zevenhonderd pop. Ik heb hem van eBay, een Celestron vijftienhonderd millimeter Cassegrain, automatische uitlijning, camera, noem maar op.'

Jackie floot zachtjes van bewondering. 'Dan moet jij wel fantastische fooien krijgen, daar bij de Landing.'

'Ze lopen er met me weg. Al zou ik gratis pijpen, dan nog kreeg ik niet zulke geweldige fooien.'

Jackie barstte in een ademloos lachen uit en moest meteen hoesten. Ze gaf de joint terug aan Abbey, die nog een lange trek nam.

Jackie dempte haar stem. 'Randy komt binnenkort vrij,' fluisterde ze.

'O god. Randy kan wat mij betreft op een puntboei gaan zitten en zichzelf vastschroeven.'

Jackie gniffelde onderdrukt.

'Wat een prachtige nacht,' zei Abbey, en ze staarde naar de immense kom vol sterren. 'Kom, we maken een paar foto's.'

'In het donker?'

Abbey keek even of het een grap was, maar er viel geen wrange grijns op Jackies lippen te bekennen. Ze voelde een grote genegenheid voor haar dommige, zielsgoeie vriendin opwellen. 'Je gelooft me misschien niet,' zei Abbey, 'maar telescopen doen het het best in het donker.'

'Aha. Dat was inderdaad niet snugger van me.' Jackie klopte even op haar eigen hoofd. 'Hallo?'

Ze liepen naar het einde van de pier. Abbey zette het statief op en controleerde of het stevig op het plankier stond. Ze zag Orion laag aan de hemel staan en richtte de telescoop die kant uit. Op de automatische zoeker toetste ze een vooraf ingestelde locatie in. Met zoemende radertjes draaide de telescoop naar een punt onder aan Orions zwaard.

'Waar gaan we naar kijken?'

'Naar de Andromeda-melkweg.'

Abbey tuurde in het oculair en de Melkweg kwam tot leven, een gloeiende maalstroom van vijfhonderd miljard sterren. Er kwam een brok in haar keel bij de gedachte hoe eindeloos groot dit alles was, en hoe klein zijzelf waren.

'Laat mij eens kijken,' zei Jackie. Ze zwiepte haar lange, wilde haardos naar achteren.

Abbey deed een stap achteruit en gebaarde zwijgend naar het oculair. Jackie legde haar oog ertegenaan. 'Hoe ver is dat hiervandaan?'
'Tweeënkwart miljoen lichtjaren.'
Jackie bleef even zwijgend staan kijken en rechtte toen haar rug.
'Denk je dat daar leven is?'
'Natuurlijk.'
Abbey stelde de telescoop bij, zoomde uit en vergrootte het gezichtsveld tot het zwaard van Orion bijna in zijn geheel zichtbaar was. Andromeda was geslonken tot een pluizig balletje. Ze drukte op de afstandsbediening en hoorde de discrete klik toen de sluiter openging. Het werd een belichtingstijd van twintig minuten.

Er stond een licht briesje vanuit zee, dat de tuigage van een vissersboot deed rinkelen. Alle boten in de haven deinden in koor op en neer. Het voelde aan als de eerste zucht van een storm, hoewel het nog dodelijk rustig was. Vanaf het water riep een onzichtbare ijsduiker en een andere vogel antwoordde, heel in de verte.

'We draaien er nog maar een.' Jackie begon een joint te rollen, likte eraan en stak hem in haar mond. Een klik, en even later werd haar gezicht verlicht door de vlam van de aansteker: bleke huid met sproeten, groene Ierse ogen en zwart haar.

Abbey zag het plotselinge licht nog voordat ze het gevaarte zelf zag. Het kwam van achter de kerk en scheen fel als daglicht over de haven; in volkomen stilte suisde het door de hemel, als een geestverschijning, en even later schudde de pier van een immense dreun als een donderslag, gevolgd door een gebrul als van een hoogoven toen het ding met ongelooflijke snelheid over de oceaan schoot en achter Louds Island verdween. Een laatste lichtflits, en daarna een kanonnade van donderslagen die over zee wegrolde.

Achter haar, verder heuvelopwaarts, begonnen alle honden in de wijde omtrek hysterisch te blaffen.

'Wat was dát...?' begon Jackie.

Abbey zag de complete goegemeente hun huizen uit komen en op straat samendrommen. 'Snel, weg met die wiet,' fluisterde ze dringend.

Op de weg die de heuvel op liep zag het zwart van de mensen; er klonk een paniekerig geroezemoes van mensen die met stemverheffing stonden te praten. Met flakkerende lantaarns kwamen ze naar de pieren toe lopen, hun wijzende vingers hemelwaarts geheven. Nog nooit was er in Round Point, Maine, zó iets opzienbarends gebeurd sinds de dag dat er tijdens de Oorlog van 1812 een verdwaalde kanonskogel door het kerkdak van de Onafhankelijken was gegaan.

Plotseling dacht Abbey aan haar telescoop. De sluiter stond nog open en was nog bezig met de opname. Met een bevende hand tastte ze naar het mechanisme en klikte het uit. Even later verscheen het beeld op het lcd-schermpje van de telescoop.

'O god.' Het ding was midden door het beeld geschoven, een felle streep wit te midden van de verstrooide sterren.

'Je hele foto naar de maan,' zei Jackie, die over haar schouder meekeek.

'Doe niet zo raar! Dit máákt de foto!'

2

De volgende ochtend duwde Abbey met een stapel kranten onder haar arm de deur van Cupboard Café open. Haar bril besloeg van de plotselinge warmte en ze nam hem af, veegde de glazen droog met een punt van haar shirt, zette hem weer op en keek om zich heen. De vrolijke *diner* was gebouwd in de stijl van een blokhut, met geruite gordijntjes en marmeren tafeltjes; er was bijna niemand, maar Jackie zat op haar gebruikelijke plek in de hoek met een kop koffie voor haar neus. Een vochtige ochtendnevel leunde tegen de ruiten aan.

Met haastige passen liep ze erheen. Ze klapte *The New York Times* zo neer op tafel, dat het artikel op de onderste helft van de voorpagina boven lag:

Kust van Maine verlicht door meteoor
Portland, Maine – Om 21.44 uur gisteravond is in het
luchtruim boven Maine een grote meteoor waargenomen die
een van de schitterendste hemeltaferelen opleverde die New
England in tientallen jaren gezien heeft. Ooggetuigen tot in
Boston en Nova Scotia hebben melding gemaakt van een
spectaculaire vuurbal. Inwoners van de kuststrook van Maine
hoorden het voorwerp door de geluidsbarrière breken.
Uit gegevens van het observatorium van de universiteit van
Maine te Orono blijkt dat de meteoor vele malen meer licht

gaf dan de vollemaan en circa vijftig ton gewogen moet hebben op het moment dat hij de aardatmosfeer binnenkwam. Uit de enkelvoudige baan waarvan ooggetuigen melding maken kan voorlopig worden geconcludeerd dat de meteoriet een ijzer-nikkelsamenstelling moet hebben gehad, want dit zijn de elementen die de meeste kans hebben om onbeschadigd te blijven tijdens de val. De meer voorkomende steen-ijzermeteorieten en chondrieten verdampen al tijdens de vlucht. De snelheid wordt volgens wetenschappers geschat op 48 kilometer per seconde oftewel circa 150.000 km per uur – dertig maal sneller dan een normale geweerkogel.

'Dit is geen normale bolide. Het is de helderste en grootste meteoroïde die we in decennia aan de oostkust hebben gezien,' aldus doctor Stephen Chickering, hoogleraar planetaire geologie aan de universiteit van Boston. 'Het traject van de bolide voerde naar zee, waar hij in de oceaan is neergekomen.' Verder legde doctor Chickering uit dat tijdens de vlucht door de atmosfeer het grootste deel van de massa verdampt moet zijn. Het voorwerp dat uiteindelijk in zee neerkwam zal waarschijnlijk hoogstens vijftig kilo gewogen hebben.

Abbey onderbrak zichzelf om naar Jackie te grijnzen. 'Hoor je dat? "In de oceaan neergekomen." Dat staat in alle kranten.' Ze leunde met over elkaar geslagen armen achterover en koesterde zich in Jackies vragende blik.

'Oké,' zei Jackie. 'Je hebt een plannetje. Ik zie het aan je.'

Abbey dempte haar stem. 'Binnenkort zijn we rijk.'

Jackie rolde theatraal met haar ogen. 'Waar heb ik dat eerder gehoord?'

'Maar ditmaal is het menens.' Abbey keek om zich heen. Ze haalde een vel papier uit haar zak en vouwde het op tafel open.

'Wat is dat?'

'De dataprint-out van weerboei GoMOOS 44032, metingen tussen 04.40 en 05.40 uur. Dat is de instrumentenboei net buiten Weber Sunken Ledge.'

Met rimpels in haar sproetige voorhoofd keek Jackie naar de uitdraai. 'Klinkt bekend.'

'Kijk eens naar de hoogte van de golven. Glad als een spiegel. Geen verandering te bekennen.'

'Nou, en?'

'Een meteoriet van vijftig kilo slaat met een snelheid van honderdvijftigduizend kilometer per uur in zee in en dan komen er geen golven?'

Jackie schokschouderde. 'Nou, als hij dan niet in zee is neergekomen, waar dan wel?'

Abbey leunde voorover, klemde haar handen ineen en dempte haar stem tot een dringend gefluister. Met een triomfantelijke uitdrukking op haar blozende gezicht antwoordde ze: 'Op een eiland.'

'En dus...?'

'En dus lenen we mijn vaders boot, gaan op die eilanden op zoek en pikken die meteoriet in.'

'Lenen? Jatten zul je bedoelen. Jouw vader geeft je die boot van zijn levensdagen niet te léén.'

'Lenen, jatten, confisqueren, wat maakt het uit.'

Jackies gezicht betrok. 'Alsjeblieft, niet weer zo'n onbekookte speurtocht. Weet je nog van die keer dat we op zoek gingen naar de schat van Dixie Bull? De problemen die we toen kregen omdat we in die indiaanse grafheuvels hadden zitten graven?'

'Toen waren we nog klein.'

'Muscongus Bay telt tientallen eilanden, duizenden hectares om te doorzoeken. Dat redden we simpelweg niet.'

'Dat hoeft ook niet. Want ik heb dít.' Ze haalde de foto van de meteoriet tevoorschijn en legde die op een kaart van Muscongus Bay. 'Met die foto kunnen we een lijn naar de horizon trekken en dan vanuit dat punt een tweede lijn naar de plek waar de foto is gemaakt. De meteoriet moet ergens langs die tweede lijn neergekomen zijn.'

'Dat zal ik dan maar van je aannemen.'

Abbey schoof de kaart naar haar toe. 'Daar is die lijn.' Met haar vinger priemde ze naar een lijn die ze met potlood over de kaart had getrokken. 'Kijk maar. Hij snijdt vijf eilandjes, meer niet.'

De dienster kwam aan met twee enorme pecan-suikerbollen. Snel legde Abbey iets over de kaart en de foto heen. Ze leunde met een glimlach achterover en zei: 'Bedankt.'

Zodra de dienster weg was haalde Abbey de kaart weer tevoorschijn. 'Zo eenvoudig is het. De meteoriet ligt op een van die eilandjes. Met haar vinger prikte ze naar elk van de vijf punten op de kaart, en noemde ze op: 'Louds, Marsh, Ripp, Egg Rock en Shark. Die hebben we binnen een week uitgekamd.'

'Wanneer dan? Nu?'

'We moeten wachten tot eind mei, als mijn vader weg is.'

Jackie sloeg haar armen over elkaar. 'Wat moeten we in vredesnaam met een meteoriet?'

'Verpatsen.'

Jackie keek haar ongelovig aan. 'Is dat ding dan iets waard?'

'Drie ton, een half miljoen. Zo'n beetje.'

'Dat meen je niet.'

Abbey knikte energiek. 'Ik heb op eBay gekeken en een handelaar in meteorieten gebeld.'

Jackie leunde achterover. Langzaam streek er een grijns over haar sproetige gezicht. 'Ik doe mee.'

MEI

3

Dolores Muñoz klom de stenen trap naar de bungalow van de professor in Glendale, Californië, op en bleef even met zwoegende boezem op het bordes staan voordat ze de sleutel in het slot stak. Zodra het geluid van haar sleutel klonk, wist ze, kwam er een explosie van gekef als Stamp, de jackrussellterriër van de professor, helemaal dol werd van vreugde over haar komst. Zodra ze de deur opendeed, zou het bontballetje onder uitzinnig geblaf als een kogel naar buiten schieten en over het grasveldje gaan hollen alsof daar massa's wilde beesten en inbrekers verjaagd moesten worden. En dan zou hij de ronde doen en zijn achterpootje optillen bij iedere half verdorde struik en uitgebloeide plant. Tot slot, als die plicht vervuld was, zou hij op haar af stormen, voor haar neervallen, zich op zijn rug laten rollen en met opgevouwen pootjes en neerbungelende tong gaan liggen wachten tot ze hem over zijn buik krieuwde.

Ja, Dolores Muñoz was gek op die hond.

Met een glimlachje van blijde verwachting stak ze de sleutel in het slot, ratelde er even mee en wachtte op de uitbarsting van vreugde.

Niets.

Met gespitste oren bleef ze staan en draaide toen de sleutel om in afwachting van het blijde gekef, dat ieder moment kon losbarsten. Maar nog steeds viel er niets te horen. Verbaasd stapte ze het gangetje in. Het eerste dat haar opviel was dat de lade van het gangkastje openstond en dat er enveloppen over de grond verspreid lagen.

'Professor?' riep ze. Haar stem weergalmde in de gang. 'Stamp?' riep ze even later.

Geen antwoord. De laatste tijd kwam de professor steeds later uit bed. Hij was zo iemand die een sloot wijn bij het eten dronk, en cognac daarna, en dat was erger geworden sinds hij niet meer naar zijn werk ging. En dan die vrouwen. Dolores was heus niet preuts en ze had het niet erg gevonden als het steeds dezelfde was geweest. Maar dat was nooit het geval, en soms waren ze wel tien, twintig jaar jonger dan hij. Evenzogoed was de professor een knappe, atletische man in de kracht van zijn leven die haar in uitstekend Spaans aansprak met de beleefdheidsvorm 'Usted', wat ze zeer in hem waardeerde.

'Stamp?'

Misschien waren ze even uit. Ze liep de gang in en keek naar de woonkamer. Plotseling stokte haar adem: de vloer was bezaaid met papieren en boeken, er lag een lamp omver en de planken tegen de achterwand waren leeggehaald; de boeken lagen in hopen op de grond.

'Professor!'

Haar nekharen gingen overeind staan. De auto van de professor stond op de oprit en hij moest dus thuis zijn – waarom gaf hij dan geen teken van leven? En waar zat Stamp? Bijna zonder erbij na te denken tastte haar mollige hand naar de mobiele telefoon in de zak van haar groene jasschort om het alarmnummer te bellen. Maar als verlamd bleef ze naar het nummerblokje staan kijken. Moest ze hier nu echt bij betrokken raken? Als de politie kwam, zouden ze haar naam en adres willen weten en haar gegevens natrekken en dan werd ze eer ze het wist het land uit gezet, terug naar El Salvador. Ook als ze met haar mobiel anoniem belde, zouden ze haar nog opsporen als getuige van... die gedachte wilde ze niet afmaken.

Ze werd gegrepen door een gevoel van onzekerheid. Misschien zat de professor wel boven: bestolen, in elkaar geslagen, gewond, misschien halfdood. En Stamp, wat hadden ze Stamp aangedaan?

Paniek maakte zich van haar meester. Hijgend en met verwilderde blik keek ze om zich heen. De tranen sprongen haar in de ogen. Ze moest iets doen, ze moest de politie bellen, ze kon niet zomaar weglopen – wat had haar bezield? Hij kon wel gewond zijn, hij kon wel op sterven liggen. Ze moest op zijn minst even rondkijken, zien of hij hulp nodig had, bedenken wat ze doen moest.

Ze liep naar de woonkamer en zag iets op de vloer liggen. Het leek wel een kussen dat moest worden opgeschud. Vervuld van afgrijzen deed ze een stap in die richting, en nog een. Ze zette haar voeten met oneindige zorg op het zachte tapijt en kreunde even. Het was Stamp, die met zijn rug naar haar toe op het Perzische kleed lag. Hij had kunnen slapen, zijn roze tongetje hing uit zijn bek, maar zijn ogen waren wijd open en hadden een melkwit waas, en op het kleed onder hem was een donkere vlek te zien.

'O, oohh,' zei ze onwillekeurig, en ze bleef met open mond staan.

Achter het hondje lag de professor op zijn knieën, bijna alsof hij aan het bidden was, in een vreemd evenwicht alsof hij ieder moment kon omvallen. Alleen hing zijn hoofd scheef opzij, half afgezaagd als de kapotte kop van een pop. Langs de halve stomp van zijn hals hing een streng ijzerdraad, rond twee houten deuvels gewikkeld. De muren en het plafond waren ondergespoten met bloed, alsof iemand een tuinslang had gebruikt.

Dolores Muñoz gilde, en bleef gillen. Diep in haar hart wist ze dat haar gillen haar duur zou komen te staan, dat ze het land uit gezet zou worden, maar ze kon er onmogelijk mee ophouden. En het kon haar niet meer schelen ook.

4

Wyman Ford liep het fraaie kantoor aan Seventeenth Street binnen. Hier resideerde Stanton Lockwood III, wetenschappelijk adviseur van de president der Verenigde Staten. Hij herinnerde zich het vertrek van zijn vorige opdracht: de knuffelmuur vol diploma's en foto's, de portretten van Lockwoods eega en stroblonde koters, het antieke meubilair van een regerings-vip.

Lockwood kwam om het bureau heen lopen. Zijn ogen waren gerimpeld in een vriendelijke glimlach, zijn voetstappen klonken gedempt op het Sultana-badkleed. Hij omknelde Fords hand in de oprechte greep van een politicus. 'Goed je weer eens te zien, Wyman.' Hij deed Ford denken aan Peter Graves, de zilverharige acteur die de leider was geweest van het *Mission Impossible*-team in de gelijknamige tv-serie van jaren geleden.

'Insgelijks, Stan,' antwoordde hij.

'Hier zitten we beter,' zei Lockwood met een gebaar naar een tweetal leren fauteuils aan weerszijden van een salontafel in Louis Quatorze-stijl. Ford installeerde zich, en Lockwood nam tegenover hem plaats. Hij plukte even aan de messcherpe plooi in zijn gabardine broek voordat hij ging zitten. 'Hoe lang is dat alweer geleden? Een jaar?'

'Zo'n beetje.'

'Koffie? Pellegrino?'

'Koffie graag.'

Lockwood gebaarde naar zijn secretaresse en leunde achterover in zijn stoel. Hij had zijn geliefde gladde trilobiet gepakt, en rolde het fossiel net als bij vorige ontmoetingen bedachtzaam tussen duim en wijsvinger heen en weer. Hij schonk Ford de glimlach van een professioneel politicus. 'Nog interessante zaken gehad, de afgelopen tijd?'

'Een paar.'

'Tijd voor een nieuwe klus?'

'Als je iets hebt dat ook maar in de verste verte op de vorige lijkt: nee, dank je.'

Lockwood glimlachte. 'Geloof me, dit kan leuk worden.' Hij knikte naar een metalen kistje op de tafel. 'Die noemen ze melliet. Honingsteen. Ooit van gehoord?'

Ford leunde voorover en keek door een dik glazen ruitje in het deksel van de doos. Daarin lag een aantal dieporanje edelstenen te fonkelen. 'Volgens mij niet.'

'Die zijn een week of twee geleden op de beurs in Bangkok opgedoken. Voor kapitálen – zowat duizend dollar per karaat geslepen.'

Er kwam een cateringmedewerker binnen met een ratelend en knersend serveerwagentje waarop een zilveren koffiepot, klontjes rietsuiker, een kannetje room en een kannetje melk, en een tweetal porseleinen kopjes stonden. Het karretje werd naast Ford neergezet.

'Meneer?'

'Zwart graag, zonder suiker.'

De man schonk in. Ford leunde met het dampende kopje achterover en nam een slok.

'Ik laat de pot hier staan voor het geval meneer nog een kopje wenst.'

Dat wenste meneer inderdaad, dacht Ford, terwijl hij het poppenkopje in één teug leegdronk en opnieuw volschonk.

Lockwood zat weer met zijn trilobiet te spelen. 'Ik heb een stel geofysici van Lamont-Doherty in New York aan het werk gezet om te achterhalen wat dit zijn. Ze hebben een hoogst ongebruikelijke samenstelling, met een brekingsindex hoger dan diamant, een soortelijk gewicht van 13,2 en hardheid 9. Die diepe honingkleur is vrijwel uniek. Een schitterende steen, maar gevaarlijk. Ze zitten vol americium 241.'

'En dat is radioactief.'

'Ja, met een halfwaardetijd van 433 jaar. Niet zo veel straling dat je er meteen van doodgaat, maar wel genoeg om op de lange termijn problemen te veroorzaken. Als je een ketting van dat spul draagt, zal met een paar weken je haar uitvallen. Stop er een paar in je broekzak en na een paar maanden verwek je een baarlijk monster.'

'Geweldig.'

'Het zijn harde stenen, maar broos en gemakkelijk te verpulveren. Je kunt er een kilo of wat van nemen, tot poeder stampen, in een zelfmoordriem met C4 stoppen en in Battery Park tot ontploffing brengen, en als er op dat moment een zuiderwind staat, krijg je een fijne radioactieve wolk over het hele financiële district heen. Dan vaag je binnen een halfuur een paar biljoen dollar van de aardbodem weg en is Lower Manhattan de komende paar eeuwen onbewoonbaar.'

'Toe maar.'

'Bij Binnenlandse Veiligheid gaan ze helemaal over de rooie.'

'Weten de dealers in Bangkok dat dat spul radioactief is?'

'Respectabele handelaars willen er niet aan. Ze worden in het grijze circuit verhandeld.'

'Enig idee hoe die stenen gevormd zijn?'

'Daar wordt aan gewerkt. Americium 241 komt van nature niet voor op aarde. Er is maar één manier bekend om het te maken: als nevenproduct van een kernreactor die hoogwaardig plutonium fabriceert. Deze honingstenen hier konden wel eens het bewijs zijn dat er ergens een reactor is waar illegale activiteiten plaatsvinden.'

Ford dronk zijn tweede kopje koffie en schonk zich een derde in.

'Alles wijst erop dat de stenen afkomstig zijn van een en dezelfde bron, ergens in Zuidoost-Azië, waarschijnlijk Cambodja,' zei Lockwood.

Ford ledigde zijn derde kop en leunde achterover. 'Dus wat is de opdracht?'

'Ik wil jou undercover in Bangkok hebben. Daar volg je het spoor van die radioactieve mellieten tot aan de bron; bij die bron ga je een kijkje nemen, je schrijft een rapport en dat is het dan.'

'En dan?'

'Dan doen wij er iets aan.'

'Waarom ik? Waarom niet de CIA?'

'Dit is een heikele situatie: Cambodja is een bondgenoot. Als je betrapt wordt, moeten we alles kunnen ontkennen. Dit is niet het soort operatie waar de CIA goed in is: klein en snel, erin en eruit. Een eenmansklus. Ik vrees dat we je geen back-up kunnen geven.'

'Bedankt voor het aanbod.' Ford zette zijn kopje neer en stond op om weg te gaan.

'De president heeft de operatie persoonlijk goedgekeurd.'
'Uitstekende koffie.' Hij liep naar de deur.
'Ik beloof je, we zullen je niet laten stikken.'
Ford bleef staan.
'Simpel: je gaat erheen, je vindt die mijn en je vertrekt weer. Je doet helemaal niets. Je bemoeit je niet met die mijn,' zei Wyman. 'We zijn nog bezig de stenen te onderzoeken – die konden wel eens uitermate belangrijk zijn.'
'Ik heb absoluut geen zin om terug te gaan naar Cambodja,' zei Ford met zijn hand op de klink.
'Als je ooit over het verlies van je vrouw heen wilt komen, mag je niet voor je verleden op de vlucht blijven.'
Ford stond versteld van dat onverwachte, pijnlijke inzicht van Lockwood. Met een zucht sloeg hij zijn armen over elkaar.
'Het honorarium is niet mis,' zei Lockwood. 'De CIA zal zich er niet mee bemoeien, jij bent de baas, je kiest je eigen mensen, je hebt de goedkeuring van het Witte Huis. Wat wil je nog meer?'
'Wat is mijn identiteit?'
'Onbetrouwbare Amerikaanse zwartemarktgrossier in edelstenen.'
Ford schudde zijn hoofd. 'Dat wordt niks. Een groothandelaar maakt zich er niet druk om waar de spullen vandaan komen – die koopt net zo lief van tussenpersonen. Ik ga als iemand die snel rijk wil worden, op zoek naar iets waarmee ik in één klap binnen ben. Het soort dat denkt dat hij minder betaalt als hij de groothandelaars passeert en regelrecht naar de bron gaat.'
'Dus je doet het?'
'Geef me een strafblad met een arrestatie wegens cocaïnesmokkel, vrijgesproken vanwege een vormfout.'
'Ben je soms levensmoe?'
'En tweemaal verdacht van moord, vrijgesproken. Dan bedenken ze zich wel tweemaal.'
'Als je het zo wilt spelen: prima.'
'En ik heb wat goud nodig om hier en daar uit te delen. Munten.'
'Oké.'
'Ik moet continu kunnen terugvallen op tolken die de meest voorkomende plaatselijke talen vloeiend spreken, met name Thai. En ik heb het een en ander aan hightechapparatuur nodig.'
'Geen probleem.'
'Mocht ik falen, begraaf me dan op Arlington, met eenentwintig saluutschoten en alles erop en eraan.'

'Dat zal vast niet nodig zijn,' merkte Lockwood op, en zijn smalle lippen trokken strak in een vreugdeloze glimlach. 'Dus je doet het?'

'Wat schuift het?'

'Een ton. Net als vorige keer.'

'Maak daar twee van, zodat ik de ziektekostenverzekering van mijn secretaresse kan betalen.'

Lockwood stak zijn hand uit. 'Twee ton.'

Ze schudden elkaar de hand. Vlak voordat Ford het kantoor uit liep zag hij de trilobiet met razende vaart ronddraaien in Lockwoods zorgvuldig gemanicuurde hand.

5

Mark Corso liep zijn bescheiden flat in en deed de deur dicht. Hij bleef even staan alsof hij zijn woning voor het eerst zag. Bij de buren klonk het gejank van een baby, en er hing een zware geur van gebakken spek. De airconditioning, een apparaat dat een derde van het raam in beslag nam, stootte dreunend en huiverend een zwak briesje uit. Buiten waren sirenes te horen. Recht tegenover hem was een raam met uitzicht op een druk kruispunt met een autowasstraat, een drive-inhamburgertent en het parkeerterrein van een handel in tweedehands auto's.

Voor het eerst schepte Corso een grimmig genoegen in de algehele sjofelheid van zijn flat, de flinterdunne muren, de vlekken in de vloerbedekking, de dode ficus in de hoek, het deprimerende uitzicht. Een jaar geleden had hij de woning via het internet gehuurd, aangelokt door de enthousiaste beschrijving op een website en een reeks knap geschoten foto's. Vanuit Greenpoint, Brooklyn, had het er allemaal uitgezien als de Californische droom: een groot tweekamerappartement, 'badend' in het zonlicht, met een tuin en zwembad voor gemeenschappelijk gebruik, palmen en (dat was nog het mooiste) een parkeergarage met een plek voor hemzelf.

En nu kon hij eindelijk weg uit dat krot.

De afgelopen paar maanden was het een gekkenhuis geweest bij de National Propulsion Facility, het nationale centrum voor ruimtevaarttechnologie; eerst was zijn voormalige professor en mentor Jason Freeman ontslagen, en bijna meteen daarop was hij op monsterlijke wijze vermoord tijdens een inbraak. Sinds de dood van zijn vader was Corso niet zo geschokt geweest. Het ging al een tijdje niet goed met Freeman: hij kwam te laat op zijn werk, hij zegde vergaderingen af, hij ruziede met collega's. Corso had geruchten gehoord over vrouwen en drank. Dat had hij zich sterk aangetrokken, want Freeman was zijn scriptiebegeleider aan het Massachusetts Institute of Technology geweest en had hem deze aanstelling bij de Marsmissie van de NPF bezorgd.

Die ochtend had Corso gehoord dat hij promotie kreeg: hij werd Freemans opvolger. Een enorme stap in de goede richting met een nieuwe titel, meer geld en meer prestige. Hij was nog geen dertig, jonger dan de meesten van zijn collega's, een aanstormend talent. Het zat hem alleen niet lekker dat deze meevaller een rechtstreeks gevolg was van het falen van zijn gewaardeerde mentor.

Hij wendde zich van het raam af en probeerde niet meer aan die schuldgevoelens te denken. Freeman was getroffen door een tragisch lot, maar dat was pure willekeur, zoals wanneer iemand getroffen wordt door de bliksem, en Corso had gedaan wat hij kon. Hij had Freeman tegenover zijn collega's de hand boven het hoofd gehouden en had geprobeerd hem te waarschuwen voor wat er komen ging. Maar Freeman leek in de greep te verkeren van iets meer dan levensgroots, iets wat hem ondanks al Corso's inspanningen meetrok, de diepte in.

De promotie betekende dat hij eindelijk geld genoeg had om zijn huurcontract af te kopen, zich ermee te verzoenen dat hij zijn borgsom kwijt was en op zoek te gaan naar iets beters. Dat was hier geen probleem: Pasadena leek van geen kanten op Brooklyn en er stonden hier duizenden andere flats te huur. Nu hij hier een jaar zat, wist hij precies waar hij moest zoeken en welke wijken hij mijden moest.

Zijn gedachten werden onderbroken door een timide klop op de deur. Corso wendde zich van het raam af, keek door het spionnetje en zag de conciërge van het gebouw met iets in zijn handen staan. Hij opende de deur en het gezette mannetje reikte hem met zijn harige arm een kartonnen doosje aan. 'Pakketje.'

Hij nam het aan, bedankte de man en deed de deur dicht. Iets van Amazon, zo te zien… maar toen hij nog eens goed keek, voelde hij de koude rillingen over zijn rug lopen. Het doosje was hergebruikt; het pakket was afkomstig van Jason J. Freeman.

Eén krankzinnig moment lang dacht Corso dat Freeman misschien wel helemaal niet dood was, dat die oude schavuit naar Mexico was of zo, maar toen zag hij de datum van het poststempel en de plakker van MEDIA MAIL op de verpakking. Tien dagen... Freeman had het pakket dus twee dagen voordat hij vermoord was op de post gedaan, en sindsdien was het onderweg geweest.

Met bonzend hart pakte Corso een aardappelmesje uit de keuken en sneed de doos open. Hij haalde er een prop opgefrommeld krantenpapier uit en zag een brief met daaronder een externe HD-computerschijf met het logo van de Marsmissie. Toen hij die uit het doosje haalde, zag hij met een plotseling misselijk gevoel dat de schijf vertrouwelijke gegevens bevatte:

#785A56H6T 160Tb
VERTROUWELIJK: VERBODEN TE KOPIËREN
EIGENDOM VAN DE NATIONAL PROPULSION FACILITY
CALIFORNIA INSTITUTE OF TECHNOLOGY
NATIONAL AERONAUTICS AND SPACE ADMINISTRATION

Met trillende handen legde Corso de schijf op de salontafel, en daarna riste hij met zijn nagel de envelop open. Er zat een met de hand geschreven brief in.

Beste Mark,
Sorry dat ik je hiermee belast, maar ik kan niet anders. Ik heb niet veel tijd voor deze brief, dus ik val meteen met de deur in huis. Chaudry en Derkweiler zijn een stel arrogante zakken, continu in de weer met politieke spelletjes en niet in staat het belang te begrijpen van mijn ontdekking. Dit is iets gigantisch, iets ongelooflijks. En dat ga ik niet aan die hufters geven, zeker niet nu ze me zo als oud vuil behandeld hebben. Het is daar bij de NPF een stelletje slangengebroed met die zelfgenoegzame aambeienföhners aan het roer. Stelletje schijtlaarzen. Alles draait om politiek, niemand denkt nog aan de wetenschap. Ik kan er niet meer tegen. Je kunt daar niet meer normaal werken.

Maar goed. Ik zag het aankomen, dus voordat ze me ontsloegen heb ik deze computerschijf naar buiten gesmokkeld.

Ooit zal ik je het hele verhaal uit de doeken doen, met een

stevige martini erbij, maar momenteel heb ik je voor iets anders nodig. Mijn laatste week bij de NPF heb ik iets superstoms gedaan, iets gevaarlijks, en daarom moet ik deze schijf even bij jou onderbrengen. Gewoon een tijdje, uit voorzorg, tot de zaken weer wat afgekoeld zijn. Wil je dat voor me doen, Mark? Jij bent de enige die ik vertrouwen kan.

Neem geen contact met me op, blijf gewoon zitten waar je zit. Vroeg of laat hoor je van me. Intussen zou ik graag weten wat jij vindt van de gammastralingsgegevens die hierop staan, mocht je de kans krijgen om daarnaar te kijken.

Jason

En onderaan, bijna alsof hij daar pas op het allerlaatste moment aan gedacht had, stond het wachtwoord om de bestanden te kunnen lezen.

Even was Corso's hele hoofd leeg terwijl hij naar de brief stond te kijken. Hij merkte dat het papier knisperde in zijn bevende hand.

Dit was een ramp. Een onvoorstelbare catastrofe. Dit druiste tegen alle veiligheidsvoorschriften in en zou iedereen besmetten die ermee te maken kreeg. Dit zou alles verpesten. Niet alleen was het volkomen onwettig dat zo'n schijf met vertrouwelijke gegevens zich buiten het gebouw bevond, maar ook zou het simpele feit dat Freeman kans gezien had hem naar buiten te smokkelen voor enorme ophef zorgen. Zero tolerance beveiliging. Hij herinnerde zich het schandaal in Los Alamos in de jaren negentig toen er één vaste schijf was kwijtgeraakt. Dat was voorpaginanieuws geweest, de directeur was verzocht op te stappen en er waren tientallen wetenschappers ontslagen. Een bloedbad.

Hij ging zitten en drukte zijn handpalmen tegen zijn gezicht. Hoe had Freeman dat ding de deur uit gekregen? Die schijven werden iedere avond beveiligd, gelogd en in een kluis opgeslagen. Ze waren gecodeerd tot je er scheel van zag en voorzien van een fysiek alarm. Telkens wanneer een schijf gebruikt werd, kwam dat in het permanente beveiligingsdossier van de gebruiker te staan. Als de schijf meer dan een bepaald aantal meters van zijn eigen server werd verwijderd, ging het ingebouwde alarm af.

En op de een of andere manier had Freeman dat allemaal omzeild.

Corso wreef in zijn ogen en probeerde rustig te blijven. Als hij dit meldde bij de NPF, zou er een schandaal van komen, kwam de hele Marsmissie in een kwaad daglicht te staan en was iedereen meteen in meerdere of mindere mate verdacht – hijzelf wel het allereerst. Freeman en hij kenden elkaar al jaren. Freeman had hem aangenomen, hem begeleid; hij stond bekend als Freemans protegé. Hij had geprobeerd Freeman tijdens diens vrije val van de afgelopen paar maanden tegen zichzelf te beschermen. En wat was zijn dank? Die schijf die Freeman hem gestuurd had. Nondeju.

Maar uiteraard zou hij de juiste keuze maken en de diefstal melden. Hij had geen keus. Hij moest wel.

Hoewel...? Wat was beter: de juiste keuze, of de verstandige keuze?

Hij begon in te zien waarom Freeman hem de schijf per post had gestuurd, en niet via andere wegen. Dit was nooit na te gaan. Geen handtekening, geen volgnummer.

Als Corso de schijf vernietigde en deed alsof hij hem nooit ontvangen had, zou er geen haan naar kraaien. Uiteindelijk kwamen ze er misschien achter dat die schijf er niet was en dat Freeman hem had gejat, maar Freeman was dood en dat was dat. Ze zouden er nooit achter komen dat het ding bij hem lag.

Corso begon op adem te komen. Dit probleem kon hij aan. Hij zou de verstandige weg bewandelen, de schijf vernietigen en er met geen woord over reppen. Morgen zou hij de bergen in gaan, een flink stuk wandelen, het ding in stukken breken, verbranden, verspreiden en begraven.

Meteen maakte een gevoel van opluchting zich van hem meester. Dit was natuurlijk de beste oplossing voor de hele kwestie.

Hij stond op, liep naar de keuken om een biertje te halen, nam een koude slok en liep de kamer weer binnen. Daar bleef hij even naar de schijf op het lage tafeltje staan kijken. Freeman was licht ontvlambaar geweest, min of meer geschift, maar wel briljant. Wat was er zo belangrijk aan die gammastraling? Corso begon nieuwsgierig te worden.

Voordat hij zich van de schijf ontdeed, zou hij er een snelle blik op werpen – gewoon om te kijken waar Freeman het in vredesnaam over had.

6

Abbey stond aan het roer. Ze stuurde de kreeftenboot naar het drijvende dok, gooide een stootkussen naar buiten en meerde keurig af. Zie je nou wel, pap, dacht ze. Ik kan die boot van jou makkelijk aan. Haar vader was naar Californië voor de jaarlijkse logeerpartij bij zijn oudere zus, die weduwe was, en zou een week wegblijven. Zij had beloofd voor de boot te zullen zorgen, ernaar om te kijken, iedere dag het ruim te controleren op buiswater.

En dat zou ze doen ook – maar dan op zee.

Ze dacht terug aan de zomers toen ze dertien, veertien jaar oud was, toen haar moeder nog leefde. Aan de ochtenden waarop ze met haar vader mee was gegaan om kreeft te vangen. Zij was zijn knechtje geweest: aas in de vallen doen, de kreeften meten en sorteren en de ondermaatse teruggooien. Ze had er alleen wel van gebaald dat hij haar nooit aan het roer had gelaten, niet één keer. En na de dood van haar moeder was zij naar *college* gegaan en had hij een nieuwe knecht aangenomen. Toen ze terug was had hij haar niet teruggenomen. 'Dat zou niet eerlijk zijn tegenover Jack,' had hij gezegd. 'Hij moet er zijn brood mee verdienen. Jij gaat naar de universiteit.'

Die gedachten zette ze van zich af. Zo vlak voor zonsopgang was de oceaan spiegelglad, en omdat het zondag was en dus verboden te vissen, waren er geen kreeftenboten te zien. Het was rustig in de haven en stil in het stadje.

Ze gooide een paar lijnen naar Jackie, die de boot vastlegde. Hun spullen waren aan dek opgestapeld: koelboxen, een propaantankje, een paar flessen Jim Beam, twee weekendtassen, pakken gedroogd voedsel, regenkleding, slaapzakken en kussens. Ze begonnen de bagage in de kajuit te stouwen. Terwijl ze daarmee bezig waren, kwam de zon op boven zee, zodat het water leek te fonkelen van het goud.

Toen Abbey de stuurhut uit kwam, hoorde ze een eind verderop, op de pier, de knalpijp van een auto, gevolgd door een knersende versnellingsbak. Even later verscheen er een gestalte boven aan de steiger.

'O nee, moet je nou kijken,' zei Jackie.

Randall Worth kwam de steiger af slenteren; hij had ondanks de kilte van de ochtend alleen een mouwloos hemd aan, zodat de afzichtelijke gevangenistatoeages op zijn armen te zien waren. 'Nee maar. Als dat Thelma en Louise niet zijn.'

Hij was lang en tanig, met vettig haar tot op zijn schouders, een gezicht vol korstjes en hier en daar een paar losse haren op zijn kin; hij had stoere leren motorlaarzen met bungelende kettinkjes aan hoewel hij van zijn levensdagen niet op een echte motor had gezeten, en hij grijnsde twee rijen bruine, rotte tanden bloot.

Abbey negeerde hem en ging door met inladen. Ze kende hem al bijna haar hele leven en ze kon nog steeds niet geloven wat hem overkomen was. Die opgewekte, ietwat dommige knul met sproeten, die geen enkel talent voor honkbal had maar het keer op keer weer probeerde. En hij had het helemaal aan zichzelf te danken. Misschien kwam het door de onvermijdelijke bijnaam waarin ze zijn achternaam veranderd hadden. *Worthless. Worth-less.* Waardeloos.

'Ga je op vakantie?' vroeg Worth.

Abbey slingerde een weekendtas over de reling en Jackie duwde hem de hoek van de stuurhut in.

'Je bent me niet één keer komen opzoeken sinds ik vrij ben. Ik voel me gekwetst.'

Abbey hees de tweede tas omhoog. Bijna klaar. En dan was ze van hem af.

'Ik heb het tegen jou.'

'Jackie,' zei Abbey, 'pak jij het andere handvat van de koelbox even?'

'Tuurlijk.'

Ze pakten de koelbox op en wilden hem net over de reling tillen toen Worth zich pal voor hen opstelde. 'Ik heb het tegen jou, zeg ik.' Hij bolde zijn bicepsen even op, maar dat stond bespottelijk bij dat magere lijf van hem. Abbey zette de koelbox neer en keek hem aan. Plotseling voelde ze een diepe melancholie opwellen.

'Ik sta toch niet in de weg, hoop ik?' vroeg Worth met een grijns.

Abbey sloeg haar armen over elkaar, wendde haar blik af en ging staan wachten.

Worth kwam vlak voor haar staan en boog zich naar haar over, zijn gezicht bijna tegen het hare aan. Ze rook zijn ranzige, ongewassen geur. Hij plooide zijn gebarsten lippen in een scheve grijns. 'Wou je het soms uitmaken?'

'Dat zal niet gaan, want het is nooit áán geweest,' antwoordde Abbey.

'O ja? En dit dan?' Hij maakte obscene, stotende bewegingen met zijn heupen en kreunde met falsetstem: 'Dieper, diéper.'

'O, dat. Die moeite had ik me kunnen besparen, het haalde niets uit.'

Jackie barstte in lachen uit.

Stilte. 'Wat wou je daarmee zeggen?'

Abbey wendde zich af; ieder sprankje mededogen was verdwenen. 'Niks. Ga nou maar opzij.'

'Als ik een meid neuk, dan is ze van míj. Begrepen, nikker?'

'Hé, hou je bek, smerige racist,' zei Jackie.

Hoe had ze in godsnaam ooit zo stom kunnen zijn iets met hem te beginnen? Abbey greep het handvat van de koelbox. 'Ga je nog opzij of moet ik de politie bellen? Je zit nog in je proeftijd, dus als je de fout in gaat zit je zo weer vast.'

Worth bleef staan.

'Jackie, pak de radio. Kanaal 16. Bel de politie.'

Jackie sprong aan boord, dook de stuurhut in en greep de microfoon.

'Verdomme,' zei Worth, terwijl hij een stap opzij deed. 'Laat maar. Ga je gang, ik hou je niet tegen. Maar één ding zal ik je zeggen: jij dumpt mij niet.' Met geheven arm priemde hij een vinger in haar richting. 'Achterlijke roetmop. Je weet wat ze zeggen: een goeie mop is nooit weg. Denk daar maar eens over na.'

'Doe normaal, zeg.' Met gloeiende wangen liep Abbey hem voorbij en hees de laatste koelbox over de reling om hem in de stuurhut te zetten. Ze pakte het roer en legde haar hand op de versnellingshendel.

'Trossen los, Jackie.'

Jackie maakte de lijnen los van de meerpalen, gooide ze aan dek en sprong aan boord. Abbey zette de boot in zijn vooruit, richtte de achtersteven van de steiger af en manoeuvreerde de boot achteruit de vaargeul in.

Worth bleef op de kade staan, klein en mager als een vogelverschrikker, en probeerde stoer te doen. 'Ik weet wel wat jullie van plan zijn,' riep hij. 'Jullie gaan weer op zoek naar die oude piratenschat. Dat weet een kind. Mij hou je niet voor de gek.'

Zodra de *Marea* de boei aan het begin van de haven voorbij was, maakte Abbey een bocht naar rechts, gaf gas en voer de zee op.

'Wat een lamlul,' zei Jackie. 'Heb je die tanden van hem gezien?'

Abbey zweeg.

'Racistische hufter. Ongelooflijk dat hij je een nikker noemde. Achterlijk stuk vreten.'

'Ik wou... ik wou maar dat ik een nikker was.'

'Waar heb je het nou over?'

'Ik weet niet. Ik voel me zo... blank.'

'Nou, ergens ben je ook best blank. Om maar eens wat te noemen: je kan van geen kanten dansen.' Jackie lachte onbehaaglijk.

Abbey rolde met haar ogen.

'Ik meen het. Je hebt niets zwarts: niet je manier van praten, niet je achtergrond of je vrienden... Het is niet rot bedoeld, maar...' Haar stem stierf weg.

'Dat is het nu juist,' zei Abbey. 'Ik heb helemaal niets wat echt eigen is. Ik ben qua fenotype zwart, maar in alle andere opzichten ben ik blank.'

'Nou en? Je bent wat je bent, en de rest kan opzouten.'

Na een onbehaaglijke stilte vroeg Jackie: 'Heb je het echt met hem gedaan?'

'Laten we het daar maar niet meer over hebben.'

'Wanneer?'

'Bij dat afscheidsfeestje van Lawler, twee jaar geleden. Voordat hij aan de speed ging.'

'Waarom?'

'Ik was dronken.'

'Ja, maar met hém?'

Abbey haalde haar schouders op. 'Met hem heb ik voor het eerst gezoend, nog op de basisschool...' Ze keek naar Jackies grijns. 'Oké, dat was stom.'

'Nou nee, je hebt alleen een slechte smaak als het om mannen gaat. Maar dan ook écht slecht.'

'Bedankt.' Abbey opende het raam van de stuurhut en de zeelucht stroomde over haar gezicht. De boot doorkliefde de glasheldere oceaan. Even later voelde ze haar opgewekte humeur terugkeren. Dit was een avontuur, en ze werden rijk. 'Hé, eerste stuurvrouw!' Ze hield haar hand op. 'High five!'

Ze sloegen hun handen tegen elkaar en Abbey slaakte een vreugdekreet. 'Romeo Foxtrot, zullen we dansen?' Ze prikte haar iPod in de aansluiting van haar vaders Bose-stereo en zette 'Der Ritt der Walküren' zo hard mogelijk op. De boot scheurde over Muscongus Sound en Wagner schalde over het water.

'Eerste stuurvrouw?' riep ze. 'Noteer in het logboek. *Marea*, 15 mei, 06.25 uur, brandstof 100%, water 100%, whisky 100%, wiet 100%, motoruren 9114,4, wind verwaarloosbaar, zeegang één, alle systemen operationeel, koers zestig graden pal noord, snelheid twaalf knopen op weg naar Louds Island op zoek naar de meteoriet van Muscongus Bay!'

. 'Aye, aye, captain. Zal ik eerst een joint draaien?'

'Puik idee, eerste stuurvrouw!' Abbey slaakte nog een vreugdekreet; alle gedachten aan Worth waren uit haar hoofd verdreven. 'Dit is pas leven.'

7

Ford betaalde de taxichauffeur en slenterde de stoep over. De wijk waar in Bangkok edelstenen verhandeld werden lag in een wirwar van steegjes rond Silom Road, niet ver van de rivier. Het was er een combinatie van enorme groothandels, gevestigd in een soort magazijnen, en de goedkope winkeltjes van oplichters en zwarthandelaars. Het verkeer reed er bumper aan bumper en de smalle trottoirs stonden vol foutgeparkeerde auto's. De gebouwen waren goedkoop, modern en lelijk. Bangkok was een van Fords minst favoriete steden op de hele wereld.

Op de hoek van Bamroonmuang Road kwam hij bij een laag gebouw van donkergrijze baksteen aan. PIYAMANEE LTD. stond op een bord boven de deur, en hij zag zijn evenbeeld weerspiegeld in de donkere etalageruiten.

Met een snel gebaar streek Ford zijn haar achterover en trok de schouders van zijn ruwzijden jasje recht. Hij droeg de outfit van een drugshandelaar: een zijden hemd tot aan het middenrif opengeknoopt, gouden kettingen, een Bollé-zonnebril en een baard van drie dagen. Hij duwde zijn handen in zijn zakken, liep door de open deur naar binnen en bleef om zich heen staan kijken. Het was er schemerig, zodat de edelstenen niet al te goed bekeken konden worden, en er hing een vage chloorlucht. Glazen vitrines met bloedeloze verlichting vormden een reusachtig open plein. Een jong Amerikaans stel, onmiskenbaar op huwelijksreis, stond te kijken naar een stel slechte saffieren op een lap zwart fluweel.

Meteen werd hij aangeklampt door twee verkoopsters, die er geen van beiden ouder uitzagen dan zestien.

'*Sawasdee!* Welkom, speciale vriend!' Een van hen bood hem een

34

glas mangosap aan, met een bloem en een parasolletje. 'U komt voor de laatste dag van de bijzondere exportuitverkoop van de Thaise regering, u komt edelstenen kopen?'

Ford negeerde hen.

'Meneer?'

'Ik wil de eigenaar spreken.' Met zijn handen nog in zijn zakken en zonder de zonnebril af te zetten richtte hij zich tot de lucht, een paar decimeter boven hun hoofd.

'Meneer wenst welkomstdrankje?'

'Meneer wenst géén welkomstdrankje.'

De meisjes dropen teleurgesteld af en even later dook vanuit een kamertje achter de toonzaal een man op, gehuld in een keurig zwart pak met een wit overhemd en grijze das. Met ineengeklemde handen maakte hij een paar kruiperige halve buiginkjes terwijl hij op Ford af liep. 'Welkom, speciale vriend. Welkom. Waar komt u vandaan? Amerika?'

Ford keek hem strak aan. 'Ik kom voor de eigenaar.'

'Thaksin, Thaksin, tot uw dienst, meneer!'

'O, nee. Ik praat niet met bedienden.' Ford draaide zich om en liep naar de uitgang.

'Momentje, meneer.' Er verstreken een paar minuten, en toen verscheen er een kleine, moe ogende man uit het kantoortje. Hij had een trainingspak aan en liep krom, zonder ook maar een spoor van de haast die de anderen getoond hadden. Onder zijn ogen waren enorme wallen te zien. Bij Ford aangekomen bleef hij staan en nam hem met ondoorgrondelijke kalmte van top tot teen op. 'Uw naam?'

Zonder te antwoorden haalde Ford een oranje steen uit zijn zak en liet die aan de man zien.

Die deed als terloops een stap achteruit. 'Kom, we gaan naar mijn kantoor.'

Het kantoor was klein, met een lambrisering van laminaat die in de vochtige atmosfeer kromgetrokken was en half losgelaten had. Het stonk er naar sigaretten. Ford had wel vaker zaken gedaan in Zuidoost-Azië en wist dat een armoedig kantoor of beroerde kleding niets zei over iemands status; het sjofelste hokje kon de werkplek van een miljardair zijn.

'Ik ben Adirake Boonmee.' De man stak een smalle hand uit en schudde even die van Ford.

'Kirk Mandrake.'

'Mag ik die steen nog eens zien, meneer Mandrake?'

Ford pakte de steen, maar de man nam hem niet aan.

'Legt u hem maar op tafel.'

Ford legde de steen neer. Boonmee bleef er een tijdje naar zitten kijken, kwam dichterbij, pakte uiteindelijk de steen op en hield hem bij een sterke lichtbron in de hoek van het vertrek.

'Namaak,' zei hij. 'Een topaas met coating.'

Ford deed alsof hij even in verwarring gebracht was maar zich snel herstelde. 'Uiteraard. Dat wist ik,' zei hij.

'Uiteraard.' Boonmee legde de steen op een met vilt beklede ondergrond op zijn bureau. 'Waarmee kan ik u van dienst zijn?'

'Ik heb een grote klant die een massa van dit soort stenen wil. Mellieten. Echte. En hij betaalt goed. In baar goud.'

'En waarom denkt u dat wij dit soort stenen verkopen?'

Ford stak zijn hand in zijn zak en haalde er een handvol Amerikaanse gouden dollars uit. Die liet hij, een voor een en met een dof gerinkel, op het vilt vallen. Boonmee leek niet eens naar het geld te kijken, maar Ford zag de ader in zijn hals sneller kloppen. Grappig, dat hadden mensen wel vaker bij de aanblik van goud.

'Om het gesprek op gang te helpen.'

Boonmee glimlachte; het was een vreemd onschuldige, vriendelijke uitdrukking die zijn smalle gezicht verlichtte. Hij pakte de munten op en liet ze in zijn zak glijden. Hij leunde achterover in zijn stoel en zei: 'Volgens mij, meneer Mandrake, wordt dit een goed gesprek.'

'Mijn cliënt is groothandelaar in de Verenigde Staten. Hij is op zoek naar minimaal tienduizend karaat ruwe steen om te slijpen en te verkopen. Ikzelf ben geen handelaar in edelstenen. Ik kan nog geen diamant van een stuk glas onderscheiden. Ik ben, zeg maar een "importbegeleider", mijn specialiteit is het om eh... invoer buiten de Amerikaanse douanecontroles om te faciliteren.' Ford liet een zekere bravoure in zijn stem doorklinken.

'Aha. Maar tienduizend karaat is ondoenlijk. Althans, op korte termijn.'

'Hoezo?'

'Dit zijn zeldzame stenen. Ze duiken mondjesmaat op. En ik ben niet de enige handelaar in Bangkok. We kunnen beginnen met een paar honderd karaat, en dan zien we verder.'

Ford ging verzitten en trok zijn voorhoofd in rimpels. 'We kunnen helemaal niet "verder zien", meneer Boonmee. Dit is eenmalig. Tienduizend karaat, of ik ben hier weg.'

'Wat is uw prijs, meneer Mandrake?'

'Twintig procent boven de gangbare tarieven: zeshonderd Amerikaanse dollars per ongeslepen karaat. Dat is zes miljoen dollar, voor het geval rekenen niet uw sterkste kant is,' voegde Ford er met een stupide grijns aan toe.

'Ik zal even bellen. Hebt u een visitekaartje, meneer Mandrake?'

Ford haalde een indrukwekkend kaartje in Aziatische stijl tevoorschijn, op zwaar papier met gouden opdruk. Op de voorkant stond de tekst in het Engels, op de achterkant in het Thai. Met een zwierig gebaar overhandigde hij het aan Boonmee. 'Eén uur, meneer Boonmee.'

Boonmee neeg het hoofd.

Ford schudde hem de hand, liep de winkel uit en bleef op de hoek staan wachten op een taxi. De tuktuks wenkte hij weg. Er kwamen twee illegale taxi's langs, maar ook die wuifde hij voorbij. Toen hij een minuut of tien gefrustreerd had lopen ijsberen, pakte hij zijn portefeuille, keek erin en liep de winkel weer binnen.

Meteen werd hij weer bestormd door de verkoopsters. Hij negeerde hen en liep de winkel door. Hij klopte op de deur, en even later verscheen het mannetje.

'Meneer Boonmee?'

Die keek hem verbaasd aan. 'Problemen?'

Ford glimlachte onnozel. 'Ik heb u het verkeerde kaartje gegeven. Een oud. Mag ik...?'

Boonmee liep naar zijn bureau, pakte het oude kaartje en gaf het hem.

'Mijn verontschuldigingen.' Ford bood hem een nieuw kaartje aan, stak het oude in de zak van zijn overhemd en liep weer terug, de hete zon in.

Ditmaal vond hij meteen een taxi.

8

Raar eigenlijk dat dit soort instellingen er altijd en overal hetzelfde uitzag, dacht Mark Corso terwijl hij door de lange, glimmende gangen van de National Propulsion Facility liep. Hoewel hij aan de andere kant van het continent zat, rook het in de gangen van de NPF net als bij het MIT, en net als in Los Alamos; of bij Fermilab, nu hij erbij stilstond. Diezelfde mengeling van vloerwas, warme elektronica en stoffige boeken. En dan die inrichting: overal hetzelfde sleetse linoleum, dezelfde goedkope grenen schroten, dezelfde gonzende tl-lampen in hetzelfde systeemplafond.

Corso tastte even, bijna alsof het een talisman betrof, naar de glanzende nieuwe badge die aan een plastic koord om zijn nek hing. Als jongetje had hij astronaut willen worden. De maan was al bezet, maar Mars was nog te vergeven. En Mars was nog beter. En hier was hij dan, op zijn dertigste, het jongste lid van het technische kaderteam van de hele Marsmissie, op een volslagen uniek moment in de geschiedenis van de mensheid. Binnen twee decennia, nog voordat hij vijftig werd, zou hij deel uitmaken van de grootste gebeurtenis in de annalen der ontdekkingsreizen: ze zouden de eerste mens op een buitenaardse planeet zetten. En als hij het slim aanpakte, was hij tegen die tijd misschien wel directeur van de hele missie.

Voor een lege glazen vitrine in de gang bleef Corso even staan om zijn spiegelbeeld te inspecteren: smetteloze witte laboratoriumjas, nonchalant openhangend; keurig gestreken wit overhemd met zijden das; gabardine broek. Hij kleedde zich altijd zorgvuldig; hij wilde beslist geen nerd lijken. Hij had kort haar (betrouwbaar type), een baard (onconventioneel), maar dan wel een die keurig geknipt was (niet té onconventioneel). Zijn lichaam was slank en atletisch (niet verwijfd). Hij zag er goed uit, donker als een Italiaan, met gebeeldhouwde trekken en grote, bruine ogen. De dure Armani-bril en de stijlvolle kleding versterkten die indruk nog: dit was allesbehalve een *geek*.

Corso haalde diep adem en klopte vol vertrouwen op de gesloten kantoordeur.

'*Entrez*,' klonk de stem.

Corso duwde de deur open en liep de drempel over. Voor het bureau bleef hij staan. Er was geen plek om te gaan zitten: zijn nieuwe supervisor, Winston Derkweiler, had een klein en helemaal volgestouwd kantoortje, hoewel hij als teamleider een veel grotere ruimte had kunnen krijgen. Maar Derkweiler was zo'n wetenschapper die grote minachting koesterde voor uiterlijke schijn en voor de prerogatieven van de macht. Zijn botte optreden en slonzige uiterlijk waren tekenen van zijn compromisloze toewijding aan de wetenschap.

Derkweiler zakte onderuit op zijn bureaustoel. Zijn weke lichaam vormde zich naar de omtrekken van de stoel. 'Al een beetje gewend aan het gekkenhuis, Corso? Met die fraaie nieuwe titel van je, en al die nieuwe verantwoordelijkheden.'

Hij vond het niet prettig om Corso genoemd te worden, maar hij was eraan gewend geraakt. 'Heel behoorlijk.'

'Mooi zo. Wat kan ik voor je betekenen?'

Corso haalde diep adem. 'Ik heb eens naar die gammastralingsdata van Mars gekeken...'

Plotseling fronste Derkweiler zijn voorhoofd. 'Gammastraling?'

'Eh, ja. Ik wilde me vertrouwd maken met de nieuwe verantwoordelijkheden en toen ik de oude gegevens doornam...' Hij zweeg toen Derkweiler hem nadrukkelijk bleef aanstaren. 'Sorry, doctor Derkweiler, is er iets niet in orde?'

De projectleider keek niet naar de uitdraai die Corso op het bureau had gelegd, maar naar hem. Hij had zijn handen peinzend voor zich gevouwen. 'Hoe lang heb je naar die oude gammadata zitten kijken?'

'De afgelopen week.' Plotseling begon Corso ongerust te worden; misschien had Derkweiler wel een aanvaring gehad met Freeman vanwege die data.

'Iedere week komt er hier een halve terabyte aan radargegevens en visuele data binnen. En dat blijft allemaal ongezien op grote stapels liggen. Die gammastraling is het minst belangrijk van allemaal.'

'Dat snap ik, maar ziet u...' Corso voelde zich ongemakkelijk. 'Doctor Freeman was ehm, voordat hij hier eh... wegging, bezig met een analyse van die gammastralingsgegevens. Ik heb zijn werk overgenomen en toen ik hiernaar zat te kijken vielen me een paar eigenaardige resultaten op...'

Derkweiler klemde zijn handen ineen en leunde voorover. 'Corso, heb jij enig idee wat onze missie hier is?'

'Missie? U bedoelt...?' Corso voelde een blos opkomen alsof hij weer op school zat en zijn huiswerk niet gemaakt had. Dit was bespottelijk, zo ging je niet met een hooggekwalificeerde specialist om. Freeman had zich herhaalde malen over Derkweiler beklaagd.

'Ik bedoel,' zei Derkweiler, terwijl hij zijn armen spreidde en met een brede grins om zich heen keek. 'Hier zitten we, in een schitterende voorstad van Pasadena, Californië, bij een fantastisch ruimtevaartbedrijf, de National Propulsion Facility. Zijn we hier op vakantie? Nee, we zijn hier niet op vakantie. Dus wat doen we hier, Corso? Wat is onze missie?'

'Van Mars Mapping Orbiter of van NPF in het algemeen?' Corso probeerde neutraal te blijven kijken.

'Van de MMO! We fokken hier geen scharrelkippen, Corso!' Derk-weiler grinnikte om zijn eigen bon mot.

'Het oppervlak van Mars observeren, zoeken naar water onder de oppervlakte, mineralen analyseren, het terrein in kaart bren-gen...'

'Uitstekend. Als voorbereiding op toekomstige landingen. Mis-schien wist je nog niet dat we aan een nieuwe ruimterace begonnen zijn, ditmaal tegen de Chinezen?'

Corso was verbaasd over deze kale koudeoorlogsterminologie. 'China staat nog niet eens in de buurt van de startblokken.'

'Wat?' Derkweiler sprong bijna zijn stoel uit. 'Nog even en dan zit hun Hu Jintao-satelliet in een baan rond Mars!'

'Wij hebben al tientallen jaren satellieten in een baan rond Mars, we hebben landingen gemaakt, we hebben met rijdende laboratoria het oppervlak verkend...'

Derkweiler legde hem met een handgebaar het zwijgen op. 'Ik heb het over het beeld op de lange termijn. China heeft de complete maan-fase overgeslagen en gaat linea recta naar Mars. Je moet die lui niet onderschatten; zeker niet nu de VS zo aan het rondlummelen zijn met hun ruimtevaartprogramma.'

Corso knikte instemmend.

'En dan ga jij zitten rondkloten met gammastraling. Wat hebben gammastralen te maken met de Marsmissie?'

'De MMO heeft een gammastralingdetector aan boord,' zei Corso. 'De analyse van die gegevens behoort tot mijn takenpakket.'

'Die detector is er op het allerlaatste moment op gezet,' zei Derk-weiler. 'Dat was het werk van doctor Freeman, in strijd met mijn te-genwerpingen en zonder enige aanwijsbare reden. Gammastraling was doctor Freemans stokpaardje. Luister, ik neem je niets kwalijk. Je moet het puin ruimen dat Freeman heeft achtergelaten, en je weet nog niet waar je prioriteiten liggen. Mag ik dus voorstellen dat je je aan de missie houdt: de radargegevens van SHARAD?'

Corso moest zijn uiterste best doen om een hielenlikkerige glim-lach op zijn gezicht te houden. Hij pakte de uitdraaien van de gam-mastraling en schoof ze terug in de bruine envelop. Hij moest en zou met Derkweiler door één deur kunnen. 'Ik ga er meteen mee aan de slag,' zei hij energiek.

'Uitstekend. Je eerste presentatie als kaderlid is over een week. Ik wil graag dat je het goed doet. De eerste klap... Snap je?'

'Jazeker. Bedankt.'

'Geen dank. Ik word ervoor betaald om een hufter te zijn.' Weer een grinnik.

'Aha.'

Terwijl Corso zich naar de deur omdraaide, zei Derkweiler: 'Nog één ding.'

Hij draaide zich terug.

'Dit kon wel eens interessant zijn voor jou.' Hij mikte een vastgeniete stapel papieren over het bureau, die met een plof voor Corso neerkwakte. 'Het eindverslag van de politie, over de moord op Freeman. Het was een inbraak; zo te zien is doctor Freeman op het verkeerde moment thuisgekomen. Er zijn heel wat spullen gestolen: een Rolex, sieraden, computers... ik dacht dat je dat wel zou willen zien. Ik weet dat je met hem bevriend was.'

'Bedankt.' Corso pakte de papieren op.

Hij liep terug naar zijn kantoor, ging aan zijn bureau zitten en schoof Freemans oude uitdraaien in een la, die hij met een klap dichtschoof. Freeman had gelijk gehad: Derkweiler was een ramp. Maar de afwijkingen in de gammastraling die hij op Freemans computerschijf had gezien en waar hij hier op het werk nader onderzoek naar gedaan had, dat waren verbijsterende gegevens. Meer dan verbijsterend. Freeman had gelijk: dit kon wel eens een enorme ontdekking zijn; misschien zelfs een gevaarlijke ontdekking. Hoe meer hij nadacht over de mogelijke gevolgen, des te banger werd hij. Hij moest gewoon zorgen dat hij onder het maaiveld bleef, de gegevens uitwerken en die op een onderkoelde, objectieve manier presenteren. Dat mocht Derkweiler dan niet aanstaan, maar waar het echt om ging was de mening van de directeur van de missie, Charles Chaudry. En die was alles wat Derkweiler niet was.

Hij pakte het rapport over Freemans dood en bladerde erdoorheen. Het was in typische politietaal geschreven, met formuleringen in de trant van: '... een daad van agressie tegen het slachtoffer met gebruikmaking van een uit een pianosnaar vervaardigde wurgdraad' en 'de dader heeft het perceel doorzocht en heeft de plaats delict te voet verlaten'. Tijdens het lezen voelde hij naast zijn verdriet en afgrijzen iets van opluchting: het was dus een zuiver willekeurige moordpartij geweest. En ze hadden de dader te pakken: een junk op zoek naar geld. Het gebruikelijke, droevige en zinloze verhaal. Met een huivering bedacht hij hoe kwetsbaar het leven is, en hij sloeg het rapport dicht. Hij was geschokt geweest dat er maar een man of twintig naar Freemans begrafenis waren gekomen en dat hij de enige van het werk was. Het was een van de verdrietigste ervaringen van zijn hele leven geweest.

Hij zette de deprimerende gedachten van zich af en richtte zijn aandacht op zijn computerscherm. Hij haalde de SHARAD-gegevens op, een radarinstrument op de MMO dat door de bovenste bodemlagen van Mars heen kon dringen om de structuren onder de oppervlakte in kaart te brengen. Tot laat in de middag werkte hij daar ononderbroken aan; hij analyseerde de gegevens en werkte de beelden bij die het eindresultaat waren. De computerschijf lag nog bij hem thuis, en daar zou hij verder werken aan de gammastraling. Er waren al twee beveiligingscontroles geweest, maar niemand had de schijf gemist. Freeman had op de een of andere manier alle controles en procedures weten te omzeilen. Als ooit aan het licht kwam dat er een schijf weg was, had Corso al bedacht hoe hij zich er onmiddellijk van kon ontdoen. Maar tot die tijd was het uitermate handig hem in huis te hebben, zodat hij er tot diep in de nacht ongestoord aan kon doorwerken.

Deze ontdekking, bedacht hij, zou zijn carrière maken.

9

Wyman Ford liep zijn suite in het Royal Orchid binnen en bleef dankbaar in de straal koele lucht van de airco staan. Die blies vanuit een spleet in het plafond, midden in de kamer. Door de enorme glazen pui aan de andere kant van de kamer zag hij de boegsprieten van de prauwen die de Chao Phraya op en af voeren. Het was midden op de dag, de zon stond op zijn hoogtepunt en er lag een bruin waas over de zinderende stad. Alle kleuren leken weggelekt te zijn en zelfs voor Bangkok was het een bloedhete dag.

Het was vier jaar geleden dat hij voor het laatst in Bangkok was geweest, samen met zijn vrouw, vlak voordat zij vermoord was. Ze hadden in het Mandarin Oriental gelogeerd, in een bespottelijk extravagante suite met strategisch geplaatste spiegels – met grote inspanning drukte hij de herinnering de kop in en dwong zijn gedachten een andere kant uit. Hij keek uit over het stadslandschap dat zich onder hem uitstrekte, tot zijn blik bleef rusten op de torens van de Tempel van de Dageraad, die er in de doodse, vervuilde lucht uitzagen als een stel vergulde tandenstokers die oprezen uit een zee van bruin.

Met een diepe zucht liep hij naar de kluis in zijn kamer, opende die en haalde er zijn laptop en een ongebruikelijk soort USB-kaartlezer uit. Toen de computer was opgestart pakte hij het oorspronkelijke visitekaartje, dat hij van Boonmee had teruggevraagd, en stak dat in de lezer. Op zijn scherm ging een venster open, en hij laadde de inhoud van de microchip die in het dikke papier van het kaartje zat. Hij verpakte de gegevens als geluidsbestand en mailde het geheel naar Washington.

Een kwartiertje later klonk er een 'ping' van zijn e-mailprogramma en rolde het antwoord binnen.

Gebeld naar mobiel nummer: 855-0369-67985
Locatie ontvangend toestel: Sisophon, Cambodja
Geregistreerde eigenaar ontvangend toestel: Prum Forgang
Transcriptie van gesprek (vertaald uit het Thai):
A: Hallo?
B: Met Boonmee Adirake. Gezondheid en voorspoed wens ik u, Prum Forgang.
A: Ik ben vereerd met uw telefoontje, Boonmee Adirake.
B: Ik heb hier een Amerikaan die tienduizend karaat melliet wil kopen.
A: U weet dat ik niet aan zo'n voorraad kan komen.
B: Ik wil u iets uitleggen. Die vent had een gekleurde topaas bij zich, niet eens in een loden kistje. Hij weet van niets. Hij heeft rijke financiers en het is een eenmalige handel. Die vent is gestoord. We kunnen hem aansmeren wat we maar willen.
A: Wat is uw voorstel?
B: Een assortiment ruwe melliet van lage kwaliteit, vermengd met opgewerkte topaas of citrien met warmtebehandeling.
A: Dat gaat lukken.
B: Ik heb ze binnen een etmaal nodig. De klant heeft haast.
A: Fraai is dat. Wat staat daartegenover?
B: Ik vraag de hoogst mogelijke prijs en daarvan geef ik u veertig procent.
A: Veertig procent? Vriend toch! Waaraan heb ik zo'n oneerlijke behandeling verdiend? Ik lever nota bene de goederen. Maak er vijftig van.

B: Vijfenveertig. Ik heb tenslotte de klant gevonden.

A: Vijfenveertig is een raar percentage. Ik ben gekwetst dat u zo op de penning bent. U lijkt wel een goedkope pooier in plaats van een oude, vertrouwde collega.

B: Ú bent anders aan het ruziën over vijf procent.

A: Ik heb vier monden te voeden, Adirake, en een vrouw die als een vogeltje de godganse dag met haar snavel open zit. Nee, ik doe het niet voor vijfenveertig. Vijftig! Daar sta ik op.

B: Bij de ballen van Yaksha! Vooruit dan maar: vijftig. Ditmaal. De volgende keer wordt het veertig.

A: Akkoord. U trekt de antecedenten van die Amerikaan uiteraard zorgvuldig na voordat u met hem in zee gaat. En u zorgt voor een passende aanbetaling.

B: Daar kunt u van op aan.

A: Uitstekend. Ik zal de zending samenstellen en vanavond nog per koerier naar u opsturen. Dan hebt u de spullen morgenochtend in huis.

Ford klapte de computer dicht en leunde peinzend achterover in zijn stoel. Sisophon was een puinhoop van een stad aan de belangrijkste doorgaande weg van Thailand naar Siem Reap in Cambodja, een rovershol van smokkelaars, oplichters en valsemunters. Hij schoof zijn mobiele telefoon open, viste een nummer uit zijn geheugen en toetste dat in. Hij had geen idee of het nog zou werken, en of de man aan de andere kant van de lijn nog in leven was.

Meteen klonk er een opgewekte stem in een Engels met een melodieus accent, een kruising tussen bekakt Engels en Chinees. 'Hallo, met Khon!'

Het was een enorme opluchting om die vrolijke stem weer te horen. Hij leefde dus nog, en zo te horen ging het uitstekend met hem. 'Khon? Met Wyman Ford.'

'Ford? Wel bliksems! Waar heb jij verdorie al die tijd gezeten en verdomme, wat brengt jou terug naar het Koninkrijk Cambodja?' Khon was dol op krachttermen, maar wist nooit helemaal zeker waar en hoe die te gebruiken.

'Ik heb een klus voor je.'

Boven de ruis van de verbinding uit was een gekreun te horen. 'O, nee.'

'O, ja,' zei Ford. 'Een prima klus.'

De *Marea* voer de engte tussen Marsh Island en Louds Island in. Het water was groen en glad en weerspiegelde de donkere bomen op het eiland. Abbey Straw stuurde de boot een afgelegen baai in en zette de versnelling even in haar achteruit om de boot tot stilstand te brengen.

'Eerste stuurvrouw, laat het anker zakken!'

Jackie sprong naar voren, trok de pin uit het anker en liet de ketting uit de ankerkast vieren. 'We zitten hier helemaal alleen,' riep ze over haar schouder. 'Geen boot te bekennen.'

'Perfect.' Abbey keek op haar horloge. 'Zes uur daglicht om op zoek te gaan naar de meteoriet.'

'Ik sterf zowat van de honger.'

'We nemen eten mee.'

Ze klommen in de sloep en roeiden de honderd meter naar het kiezelstrand. Ze trokken de roeiboot tot boven de hoogwaterlijn en bleven op het verlaten strand om zich heen staan kijken. Dit was het verwilderde uiteinde van het eiland en het strand was bezaaid met de troep van de winter: kapotte kreeftenfuiken, boeien, drijfhout en touw. Het was laagwater en ze zagen de met zeewier begroeide rotsblokken langs de baai uit het water opsteken als de harige koppen van zeemonsters. De geur van zout vermengd met groene planten hing in de vochtige, kille lucht. Waar het strand ophield stak een dicht bos van zwarte sparren de lucht in.

'Man, wat een oerwoud,' zei Jackie met een blik op de bomenmuur. 'Hoe moeten we daar ooit een meteoriet in vinden?' Louds was rond deze tijd van het jaar zo goed als verlaten; de paar vakantiekolonies waren dicht, met de luiken voor de ramen. Niemand zou hun hier ook maar een strobreed in de weg leggen.

'Die herkennen we aan de krater met daaromheen een kring omgeknakte bomen. Want een steen van vijftig kilo die met honderdduizend kilometer per uur door de lucht suist maakt een enorme troep.' Abbey pakte haar kaart en spreidde die op het zand uit. De hoeken verzwaarde ze met stenen. De lijn die ze had getrokken, sneed het eiland onder een hoek en liep dwars over het strand waar ze aan land waren gegaan. Ze legde haar kompas op de kaart en stelde de oriëntatie bij. Daarna stond ze op en keek welke kant ze uit moesten.

'Die kant op,' zei ze, en ze wees.

'Kom op.'

Abbey ging voorop, het dichte sparrenbos in. Ze moest denken aan een gedicht dat ze op school uit haar hoofd had moeten leren om het op een schoolavond op te zeggen, ten overstaan van de hele school en haar ouders. Ze was helemaal dichtgeklapt en was alles vergeten. Een eindeloze, martelende minuut lang had ze op het podium gestaan, tot ze uiteindelijk in tranen weggehold was. Maar nu kwam het ongevraagd boven. *Dit is het ware woud. De fluistering van den en spar/ baardig van mos, gehuld in groene pij, gestalten in de deemstering./ Zo staan zij als druïden, met droeve en profetische stem.*

Dat was zo'n beetje het leidmotief van haar leven: foute timing.

Ze liep verder het bos in, haar koers bepalend aan de hand van het kompas. Door de hoge bomen heen filterde een vaag, groenig licht en de wind zuchtte door de verre kruinen. Het leek nog het meest op een enorme, groene kathedraal, met bomen als reusachtige pilaren en een middenpad van verend, zacht mos. Abbey ademde de volle geur van pijnbomen in en dacht terug aan de vele keren dat ze hier als kind met haar vader en moeder had gekampeerd, in de weide aan de noordpunt van het eiland. Dan lagen ze in hun slaapzakken onder de nachthemel naar vallende sterren te kijken. In die tijd was het eiland nog volledig verlaten, met oude boerenhuizen die half ineengezakt aan het vergaan waren. Nu werden diezelfde huizen opgekocht door gepensioneerde types die er weekendhuisjes van maakten en was de hele sfeer aan het veranderen. Binnenkort, dacht ze, zou er niets wilds meer over zijn en vond je hier alleen nog vriendelijke zomerhuisjes met kanten gordijntjes en krengen van oma's die jongelui van hun terrein verjoegen.

Het bos werd dichter en ze moesten op handen en knieën onder een rij omgevallen boomstammen door kruipen.

'Ik zie niet één krater,' merkte Jackie op.

'We zijn nog maar net begonnen.'

Even later kwamen ze op een open plek aan, met een stenen muur rond een groepje grafstenen. Het kerkhof van het eiland, al jaren geleden in onbruik geraakt.

'Aan tafel!' riep Jackie. Ze klom over de muur, smeet haar rugzak af en liet zich op de grond ploffen. Met haar rug tegen een grafsteen geleund begon ze een joint te draaien.

Abbey liep rond over de oude begraafplaats en las de opschriften op de stenen. Die oude namen deden vreemd aan, als het passagiersmanifest van een verloren wereld: Zebediah Loud, Hiram Carter, Ora May Poland, Nehemiah Swett. Haar gedachten dreven af naar de begrafenis van haar moeder. Abbey zag zich nog aan de menigte rond het open graf ontsnappen en een heuvel op klimmen, terwijl ze onderweg de grafstenen las om niet in onstilbare tranen uit te barsten. Boven aangekomen had ze neergekeken op de samengedromde mensen rond het zwarte gat, de kale bomen, het ijzige gras en de felgroene kunstgraszoden die rond het graf waren gelegd.

Het leek haar nog steeds onmogelijk: haar moeder die er niet meer was. Dat beeld zou haar altijd bijblijven, de dag waarop ze de dokter in het ziekenhuis had gevraagd hoe dat kon. Verdrietig had hij haar aangekeken, een goed mens, verslagen door de wetenschap. 'Eerlijk gezegd weten we dat niet,' zei hij. 'Maar om de een of andere reden is er, zo'n vijf tot tien jaar geleden, ergens een cel op de verkeerde manier gedeeld, en zo is het begonnen...'

Een cel op de verkeerde manier gedeeld. Raar dat zoiets kleins zulke gigantische gevolgen kon hebben.

'Yo Mama!' riep Jackie van tussen het woud van stenen. 'Is het nou eens afgelopen met dat gekniel voor die voorouders van je en kom je hier samen met mij die joint oproken?'

Abbey liep terug naar de plek waar Jackie tegen een steen aan geleund zat. 'Míjn voorouders? Spreek voor jezelf, blanke vrouw.'

'Hou op met die onzin. Jij komt hier net zo goed vandaan als ik. Niet rot bedoeld.'

Ze liet zich in kleermakerszit op de grond zakken, pakte de joint aan, inhaleerde en gaf hem terug. Terwijl het brandende gevoel zich van haar longen naar haar hoofd verplaatste, pakte ze haar boterhammen uit en nam een grote hap. Zwijgend zaten ze een tijdje te eten. Uiteindelijk ging Abbey languit in het gras liggen, legde haar handen onder haar hoofd en keek naar de hemel. 'Heb je dat gezien?' vroeg ze. 'Minstens de helft van de mensen die hier liggen zijn jonger dan wij.'

'Wat heb jij toch altijd een zieke ideeën,' zei Jackie.

'Als ik die meteoriet eenmaal vind, dan is dat wel afgelopen,' antwoordde Abbey.

Daar moesten ze beiden om lachen, zoals ze daar op hun rug in het gras lagen.

11

Randall Worth voer in zijn oude motorsloep de *Old Salt*, een PC-6, de punt van Thrumcap Island om. De motor dreunde erop los en legde een whiskykleurige wolk van uitlaatgassen over het water heen. De radio stond op een plaatselijke FM-zender afgestemd en gaf tussen de ruis nog net zoveel klanken door dat Worth heel in de verte een melodie kon herkennen.

Worth leegde zijn kreeftenfuiken alleen, zonder hulp, omdat er niemand voor hem wilde werken. Des te beter, dan hoefde hij de winst ook niet te delen. Een tijdje geleden had een of andere hufter zijn halve lijn doorgesneden omdat hij was betrapt op stropen. *Z'n rug op, dat konden ze. Allemaal.*

Hij gooide de laatste fuik overboord en liet de boot met stationair draaiende motor varen, het roer pal naar stuurboord gedraaid. De lijn gleed zoevend naar buiten, de drijver schoot het water in, meteen gevolgd door de boei. Worth liet de boot even drijven en sloeg in één teug de tweede helft van een blikje Coors Lite achterover. Hij smeet het lege blikje overboord, veegde zijn mond af en keek naar het bedieningspaneel van de motor. De motor liep niet lekker, de injectie was naar de klote, en er kwam brandstof uit de natte uitlaatpijp die in regenbogen over het water wolkte. Om de paar minuten sloegen de buiswaterpompen aan en braakten water met olie uit. Hij spuwde op het dek, een kwak kwijl die als een opgebraakte oester bleef liggen. Hij schopte tegen de waterslang en spoelde de kwak het spuigat uit.

Als die pieremachochel het eind van het seizoen nou maar haalde. Dan zou hij het ding verzekeren en tot zinken brengen. Het enige wat daarvoor nodig was, was een doorgebrande zekering in de buiswaterpomp, de boot afmeren en twee dagen wachten.

Terwijl Thrumcap Island aan stuurboord voorbijgleed, zag hij in de verte de omtrekken van Crow Island liggen: de enorme witte koepel van het oude aardstation rees op als een luchtbel. Het pontje naar Crow Island kwam net de haven uit varen en tjoekte de bocht om, op weg naar Friendship. Toen hij omkeek naar het vasteland zag hij tot zijn verbazing een boot afgemeerd liggen in een rustig hoekje van Marsh Island Passage. Met samengeknepen ogen keek hij ernaar.

De *Marea*. Abbey Straws boot.

Meteen nam hij gas terug om beter te kunnen kijken. Woede kroop over zijn ruggengraat omhoog en verspreidde zich door zijn brein als water door een spons. Dat kutwijf, hij kreeg maar niet uit zijn hoofd wat ze gezegd had, over dat *dieper, dieper* van haar. En dat waar die graftak van een Jackie Spann bij stond. Iemand zou dat mens een knal voor d'r harses moeten geven. Daar zaten ze dan, op Louds Island, op zoek naar de schat van Dixie Bull. Het gerucht ging dat Abbey een kaart te pakken had gekregen.

Terwijl de boot op de getijdenstroom meedreef, trok Worth het laatste blik Coors uit de plastic ringen en mikte het plastic overboord. *Misschien dat daar mooi nog een paar zeehonden in stikken.*

Hij klokte het bier naar binnen en stak het blikje in de bierhouder die naast het dashboard was vastgeschroefd. Hij begon zich gespannen te voelen, hij kreeg de kriebels. Het gevoel dat er beestjes onder zijn huid rondkropen. Dat was de verslaving. Nerveus begon hij aan zijn wang te krabben, en daarbij pulkte hij per ongeluk een korstje los. Hij voelde het natte bloed op zijn vingertoppen.

Met een vloek dook hij het kajuitje in en haalde van achter wat andere spullen een glazen pijp met een bolle kop tevoorschijn. Hij liet er een stukje speed in vallen, stak met bevende hand een aansteker aan en richtte de vlam de kop van de pijp in. Er klonk een plotseling, kokend geluid en hij zoog uit alle macht, vulde de kop met rook en zoog die in zijn longen. Hij leunde achterover tegen de romp van de sloep, sloot zijn ogen en wachtte de *rush* af. Het gevoel van euforie was zo sterk dat hij zich even bijna een mens voelde.

Hij propte de pijp en de speed weer achter de vissersuitrusting en sprong de kajuit in. Hij kon de hele wereld aan! Weer zag hij de *Marea* liggen, die een lange schaduw over het water wierp, en plotseling was hij razend. Ze waren daar naar die schat aan het graven, en nu ze een kaart hadden zouden ze hem misschien nog vinden ook.

Maar hij had een idee. Een puik idee. In feite het beste idee dat hij ooit gehad had.

Worth keek op zijn horloge: vier uur. Kennelijk gingen de meisjes op de boot kamperen. Dus had hij tijd om naar Round Pond te varen, zijn tank vol te gooien en een voorraad bier en gedroogd vlees in te slaan bij King Ro. Hij kon even bij zijn connectie langsgaan en het geld innen dat hij nog kreeg voor het spul dat hij uit dat landhuis op Ripp Island had verdonkeremaand. Dan kon hij rond zonsopgang terug zijn bij Louds.

Hardop lachend zette hij het gas op drieduizend toeren, smeet het roer om en voer terug langs Thrumcap Island, de zuidpunt van Louds rondend in de richting van Round Pond Harbor.

Met het geld van de schat zou hij een nieuwe boot kopen. En die noemde hij dan naar de beroemde piratenvlag: de *Jolly Roger*.

12

'Hij lijkt trouwens sprekend op Squealer, je weet wel dat speelgoedvarkentje,' zei Mark Corso. 'Is je dat ooit opgevallen? Groot, week, bol en roze.'

Marjory Leung leunde achterover op haar barkruk en lachte, haar lange zwarte haar naar achteren zwierend, voordat ze het martiniglas naar haar getuite lippen bracht. Corso zag hoe haar buikspieren zich aanspanden en haar appelronde borsten onder het dunne katoen van haar truitje langsgleden. Ze zaten in zo'n Californische themabar, helemaal ingericht met bamboe en teak, met een dak van golfplaten en gekleurde vloerverlichting, opgedirkt als een goedkope kroeg op het strand van Jamaica. Op de achtergrond dreunde reggaemuziek. Waarom moest alles in Californië eruitzien als iets anders? Hij dacht aan wat Gertrude Stein over Californië had gezegd. *Er is daar geen dáár.* En zo was het maar net.

'Freeman had me voor hem gewaarschuwd,' voegde hij daaraan toe. 'Hoe heeft zo iemand in vredesnaam zo'n hoge positie kunnen bereiken?'

Leung zette haar glas neer en leunde met een samenzweerdersblik naar hem over, haar slanke, atletische lichaam buigend als een springveer. 'Weet je waarom zijn deur altijd dicht zit?'

'Dat heb ik me vaak afgevraagd.'

'Omdat hij naar pornosites surft.'

'Denk je?'

'Een paar dagen geleden klopte ik bij hem aan, en toen hoorde ik binnen zo'n plotselinge activiteit, alsof hij schrok. En toen ik binnenkwam zat hij haastig zijn overhemd in te stoppen en was zijn scherm helemaal leeg.'

'Moest zeker zijn leuter wegbergen. De gedachte alleen al... Mag ik even een teiltje?'

Leung lachte melodieus, zwenkte haar kruk om en zwierde nogmaals met haar haar. Haar knie raakte die van Corso. Haar glas was bijna leeg.

Hij dronk zijn eigen glas leeg en gebaarde naar de barkeeper dat hij nog een rondje wilde. De knie bleef tegen de zijne rusten. Leung werkte een paar deuren verderop in zijn gang. Zij was de Marsmeteoroloog van de Marsmissie. Ze had gevoel voor humor en had geen enkele eerbied voor wat of wie dan ook. Heel verfrissend, te midden van al die nerds die aan die kant van het gebouw rondliepen. En ze was slim. Tweede generatie Chinees, opgegroeid achter de wasserij van haar ouders. Die spraken zelf geen woord Engels, en zij had aan Harvard gestudeerd. Dat vond Corso een mooi verhaal. Net als dat van zijn eigen grootvader, die op zijn veertiende op Sicilië van huis was weggelopen en op eigen kracht naar Amerika gekomen was. Corso voelde zich ergens met haar verwant.

'Heb je dat rapport over Freeman gelezen?' vroeg hij haar.

'Ja.' De barkeeper schoof de glazen hun kant uit, en ze pakte het hare. 'Doodeng. Ik ben hier ook wel eens met hem geweest om wat te drinken.'

Corso had iets gehoord over een korte affaire tussen Leung en Freeman. Hij hoopte dat het niet waar was.

'Vreselijk, zoals hij vermoord is.' Ze schudde haar hoofd, zodat er rimpelingen door haar haar gingen. Corso waagde het erop en drukte zijn knie iets nadrukkelijker tegen de hare. Het gebaar werd beantwoord. Hij voelde de rush van de martini's door zijn haarvaten stromen. 'Het moet een hele klap voor je geweest zijn.'

'Was het ook. Hij was echt een geschikte vent. Een beetje geschift.'

'Weet jij waarom hij ontslagen was?' vroeg ze.

'Niet precies. Afgezien van een zekere algemene verslechtering van zijn toestand. En misschien heeft hij een aanvaring met Derkweiler gehad over iets met gegevens.'

'Gegevens?'

'Over gammastraling.' Corso besefte dat hij de scheidslijn tussen wat wel en niet kon aan het naderen was: hij praatte buiten het gebouw met een medewerker van een andere afdeling over gegevens. Hij nam een slok. Ze konden hem wat met hun regeltjes.

'Ja, inderdaad,' zei ze. 'Daar had hij het nog over, maar ik snapte er niet veel van. Wat was er met die gammastraling?'

'Er schijnt een of andere bron van gammastraling ergens op Mars te zijn. Althans, dat zie ik als ik de achtergrondruis uitfilter. Een vage periodiciteit.'

Ze leunde voorover. 'Ho eens even. Dat meen je niet.'

Zíj snapt het meteen, dacht Corso. 'Nee, dat meen ik wél. De periode ligt ergens tussen de vijfentwintig en dertig uur. En dat is dus bijna een Marsetmaal.'

'Maar er is toch niets in het zonnestelsel dat gammastraling kan veroorzaken? Daar heeft zelfs de zon niet genoeg energie voor.'

'Kosmische straling.'

'Ja, maar die zorgen voor een zwakke, diffuse gloed van ieder lichaam in het zonnestelsel. En jij zegt dat dit signaal regelmatige pieken vertoont. Dat wil dus zeggen een puntbron op het oppervlak.'

Corso stond ervan te kijken hoe snel ze daarachter was.

'Juist. Het probleem is dat de Compton-detector op de MMO niet directioneel is; je kunt onmogelijk zien waar die gammastralen vandaan komen. De bron kan zich overal op de planeet bevinden.'

'Heb jij enig idee wat het zijn kan?' vroeg Leung.

'Eerst dacht ik, misschien een kernreactor die op het oppervlak te pletter is geslagen. Of het is afkomstig van een geheim regeringsproject. Maar ik heb het eens nagerekend en dat zou dan een reactor ter grootte van een berg moeten zijn.'

'Wat anders?'

Corso nam nog een grote teug. Hij voelde zijn hart bonzen van de druk van zijn knie, nu tegen de binnenkant van haar dij. Zij beantwoordde die druk. 'Ik heb me suf zitten piekeren. Sterke gammastraling wordt meestal alleen voortgebracht door enorme astrofysische processen; supernova's, zwarte gaten, neutronensterren, dat soort zaken. Of in een kernreactor of een atoombom.'

'Dit is ongelooflijk. Je bent iets groots op het spoor.'

Hij keek haar aan. 'Volgens mij moet het een miniatuur zwart gat zijn, of een heel klein neutronenlichaam dat op de een of andere manier op het Marsoppervlak is blijven steken of in een baan eromheen zit.'

'Dat meen je niet.'

Hij keek in haar fonkelende zwarte ogen. 'Serieus. Als je alle onmogelijkheden hebt weggestreept...'

'... dan moet wat overblijft, hoe onwaarschijnlijk ook, de waarheid zijn,' maakte ze de bekende zin voor hem af, en op haar rode lippen verscheen een stralende glimlach.

Hij dempte zijn stem. 'Als dit een miniatuur zwart gat of een kleine neutronenster is, dan kan die groeien, Mars opslokken en de aarde steriliseren met levensgevaarlijke gammastralen. Of haar zelfs

doen ontploffen. Dit is niet zomaar een vingeroefening. Dit is écht.'
Leung ademde hoorbaar uit. 'Jezus.'
Hij legde zijn hand op haar been en kneep even. 'Ja. Dit is echt.'
Ze leunde naar hem over tot haar gezicht vlak voor het zijne was.
Hij rook haar shampoo. 'Wat ga je daaraan doen?'
'Ik ga er mijn volgende presentatie aan wijden.' Hij stak zijn hand
een eindje onder haar rok, die omhooggekropen was terwijl ze op
haar kruk zat. Even later kantelde ze haar heupen naar voren zodat
zijn hand verder omhooggleed. Hij voelde de hitte van haar dijen.
Ze leunde dichter naar hem over en zei 'hmm' in zijn oor. Haar
pepermuntadem kietelde in zijn gezicht.
'Nog eentje?' vroeg hij.
Ze hees zich overeind op de kruk en kantelde haar heupen nog verder, zodat zijn vingers de hete bolling van haar broekje raakten. Ze
drukte haar dijen tegen elkaar, met zijn hand ertussen. 'Ik ga naar
huis. Zin om mee te gaan?' fluisterde ze, waarbij haar lippen langs
zijn oor streelden.
'Ja,' zei hij. 'Ja, dat is een prima idee.'

13

Sisophon was nog precies even lelijk als in Fords herinnering, met
witgekalkte cementen gebouwen omringd door rafelige palmen en
amechtig ogende mangroven. De straten waren niet veel meer dan
zandpaden en de meeste gebouwen zaten nog vol butsen van granaatscherven uit de oorlog. Terwijl Fords chauffeur de stad in reed
scheurde er een landrover vol VN-blauwhelmen voorbij; op de por-
tieren was het logo van de mijnopruimingsdienst van de UNDP te zien.
Het Tourist A-1 Hotel stond nog waar het altijd gestaan had, sjofe-
ler dan ooit. Op straat krioelde het van de kinderen die probeerden
toeristen hun koopwaar aan te smeren. In het uit gasbetonblokken
opgetrokken gebouw woonden voornamelijk medewerkers van hulp-
verleningsorganisaties, en waarschijnlijk had er in heel zijn armzalige bestaan nog nooit een toerist een voet over de drempel gezet. Ford
boekte een kamer en liet zijn koffer bij de balie achter, samen met
een biljet van 10.000 riel en de belofte van nog eens 50.000 als de
koffer bij zijn terugkomst aanwezig en intact was.

Hij liep het hotel uit naar een antiekwerkplaats in de openlucht, een eindje buiten het centrum. Gaandeweg maakten de cementen gebouwen plaats voor houten hutjes met rieten daken op stelten, kleine rijstvelden en waterbuffels die houten karren voorttrokken. De werkplaats, uitgespreid over een enorm terrein, bood een geanimeerde aanblik. Er stonden lange rijen tenten, van voren open, waarin steenhouwers zaten te werken, en overal klonk het opgewekte gerinkel van stalen beitels op steen. Het was een van de beroemdste antiekfabrieken in Cambodja, waar een bataljon getalenteerde kunstenaars hopen zandsteenbrokken omvormde tot namaak-Angkorantiek dat in Bangkok en over de hele wereld verkocht werd.

Ford slenterde door de vrolijke openluchtwerkplaats en keek naar vaklieden die zaten in te hakken op stukken steen, in evenwicht gehouden op zandzakken, waaruit elfde-eeuwse dansende *apsara*'s, *devata*'s, boeddha's, lingams en *naga*'s verschenen. In een metalen schuurtje niet ver daarvandaan, waarnaast een generator stond om stroom op te wekken was het gonzen van ultramoderne printers te horen; daar waren vervalsers bezig de certificaten te creëren die nodig waren om te getuigen dat een stuk antiek authentiek was, en om het een overtuigende plek van herkomst mee te geven. Een eind verderop werden de kersverse sculpturen onderworpen aan zuurregens, modder- en theebaden en beschildering met eiwit; sommige werden zelfs begraven: alles om ze maar een oud aanzien te geven.

Ford keek de rijen werklieden, kopers en verkopers langs, op zoek naar zijn oude vriend Khon. En daar zat hij, onmogelijk over het hoofd te zien. Met zijn ronde gestalte en kale schedeldak liep hij tussen de beeldhouwers door, maakte overal een praatje, tikte met zijn wandelstok op diverse stukken, lachte bulderend en genoot met volle teugen.

'Khon!' Ford liep op hem af en omklemde zijn hand in een warme greep.

'Wyman, mijn goede vriend! Verbliksemd heerlijk om je te zien!'

'Ik heet Kirk,' zei Ford met een knipoog.

Zonder een spier te vertrekken riep Khon uit: 'Kirk, mijn goede vriend!' Hij lachte dreunend, met zijn hoofd in zijn nek, maar even later keek hij Ford ernstig aan. 'Ik had niet gedacht dat ik je ooit nog zou zien, nadat...' Zijn stem stierf weg.

'Maar daar ben ik dan.'

'Kirk, je bent verdraaide mager. En al dat grijze haar! We hebben hier in Cambodja een oud gezegde: "Er mag dan sneeuw op het dak liggen, maar dat wil nog niet zeggen dat er geen vuur in de haard brandt!"' Opnieuw barstte hij in lachen uit.

'Ergens betwijfel ik of dat nou echt een oud Cambodjaans gezegde is.'

Khon wuifde met zijn hand. 'Ik heb iets voor je meegebracht.' Hij stak zijn hand in zijn zak en haalde er een klein stenen kopje uit van Garoeda, het mythische vogelwezen. 'Nep, uiteraard. Welkom terug.'

Ford tastte in zijn zak, blij dat hij zich de Cambodjaanse gewoonte had herinnerd om geschenken uit te wisselen. 'Hier is iets voor jou.'

Khon keek door zijn ronde bril naar de bewerkte steen. 'Je gaat me toch zeker niet vertellen dat je edelstenen hebt gekocht in Bangkok!'

'Het is een smaragd, en hij is echt. Belabberde kwaliteit, dat wel, maar ik vond hem mooi bewerkt. En echt, ik heb me niet laten oplichten.'

Khon tuurde naar het steentje, zette zijn bril af, veegde de glazen schoon aan zijn overhemd en zette hem weer op. 'Nee maar, óók een Garoeda!'

'Kennelijk hadden we beiden dezelfde geniale inval.' Ford gebaarde met zijn hoofd naar een verlaten deel van het terrein. 'Zullen we een stukje wandelen?'

Ze slenterden verder. Khon zei: 'Ik heb nooit de kans gehad je te vertellen hoe vreselijk, vréselijk ik het vond dat...'

Ford legde hem met een kort handgebaar het zwijgen op. 'Niet doen, alsjeblieft.'

Khon knikte en ze liepen verder het terrein over. 'Prima zaken, vind je ook niet?' vroeg hij met een weids handgebaar.

'Uitstekende zaken,' zei Ford. 'Nu worden er tenminste geen tempels meer gesloopt om het echte antiek te stelen. Ik ben het er van harte mee eens.'

'Welkom in het nieuwe Cambodja.'

Onder het lopen nam Ford zijn oude vriend zijdelings op. Hij zag er nog precies hetzelfde uit; hij moest minstens vijftig zijn, maar hij leek leeftijdloos. Keurig uitgedost in een olijfgroene linnen blazer, een wit overhemd, een losjes geknoopte halsdoek en een kaki broek, en met die wandelstok, had hij weggelopen kunnen zijn uit een Indiana Jones-film. Maar schijn bedroog. Khon was rustig en onverstoorbaar en had de moed van een leeuw. Dat krijg je, dacht Ford, als je opgroeit onder de Rode Khmer.

'Welnu, Kirk, wat is de opdracht?'

'Mellieten.'

'Zijn dat stenen of meisjes?'

'Stenen. Ik ben hier om de bron op te sporen. De mijn.'

Khon bleef staan en keek hem aan. 'Zit je weer bij de CIA?'

Ford schudde zijn hoofd. 'Freelanceklus.'

Khons hand ontspande zich op de wandelstok. 'Voor wie?'

'Doet er niet toe. Wat ik moet doen is de gps-coördinaten bemachtigen, een dossier aanleggen, de mijn op foto en film vastleggen en de informatie doorgeven.'

'En wat gaan "ze" er dan mee doen?'

'Geen idee. Kan me niet schelen ook.'

Khon wiegde even bedachtzaam met zijn hoofd en wreef over zijn oor.

'Er is hier een tussenhandelaar in mellieten, ene Prum Forgang,' zei Ford. 'Ken je die?'

Khon knikte met zijn ronde hoofd. 'Jazeker. Een van de grootste handelaars hier. Antiek, edelstenen en rijst – de drie pijlers van onze economie.'

'Familie?'

'Een zoon. Achttien. Slim knaapje. Studeert aan de universiteit van Phnom Penh.'

'Woont Prum alleen?'

'Ja.'

'Dan gaan we vanavond maar eens bij hem langs.'

Khons ogen begonnen te schitteren. 'Wordt het knokken?'

'Nee.'

Khons gezicht betrok. 'Hoe krijg je dan wat je wilt?'

Ford tuurde naar het metalen hutje aan de andere kant van het terrein, waar het gonzen van printers te horen was. 'Een zoon aan de universiteit, zei je? Misschien hebben we genoeg aan een paar vellen papier.'

Met energieke pas ging hij op weg naar het drukkerijtje.

14

Randall Worth meerde zijn jol af bij het drijvende dok, slingerde zijn rugzak over zijn schouder en beende met lompe passen en naar de grond gebogen hoofd naar de werf toe. Het was vijf uur, dus misschien zou hij niemand tegen het lijf lopen. Ter hoogte van zijn middel voelde hij de zware, oude RG .44, het wapen dat hij aan boord bij zich had en dat hij nu in zijn riem had gestoken.

'Hallo, Worth.'

Net wat hij nodig had. Worth keek op en zag de laatste man staan die hij op aarde zien wilde: Ernie Jura, eigenaar van de kreeftencoöp, bijna twee meter lang, meer dan honderd kilo zwaar, gehuld in waterdichte kleding en rubberlaarzen. Jura had hem op school genadeloos gepest en was daar nooit mee opgehouden.

'Ik moet die poen hebben die je me schuldig bent voor diesel. Driehonderdtwaalf dollar. Je kunt hier niet tanken zolang je niet dokt.'

'Ik heb toch gezegd dat je je geld krijgt.' Worth voelde zijn lippen trillen van woede. Jura, dat wist hij wel zeker, moest een van die klootzakken zijn die zijn fuiken hadden losgesneden.

Jura keek hem strak en met samengeknepen ogen aan. 'Dat hoop ik dan maar.'

Worth liep hem voorbij en gaf hem op het laatste moment, in een impuls, een zet met zijn schouder. Jura greep zijn kraag en zeulde hem naar zich toe. Hij drukte zijn bolle kop tegen Worths gezicht aan zodat die Jura's bieradem rook.

'Nou moet jij eens goed luisteren, lamlul. De laatste keer dat je hier kwam tanken heb je gelogen. Je zei dat je het geld op zak had. Dus nu wordt er betaald, makker, of ik maak een strik van je ballen, hang die om je nek en stuur je naar dansles.' Hij duwde Worth weg, draaide hem zijn rug toe en zei over zijn schouder. 'Ik wil die poen. Morgen, voor twaalven. Duidelijk, Worthless?'

Worth stak zijn hand in zijn broek en greep de kolf van zijn RG. Jura negeerde hem en bleef met zijn rug naar hem toe staan. Hij begon aan een hijsmechanisme te werken en ging kromgebogen een moer staan losdraaien.

'Klootzak,' zei Worth.

Jura schonk hem geen aandacht. Worth begon het wapen naar buiten te wurmen, maar bedacht zich. Jura zou hij later nog wel eens te grazen nemen. Nu had hij belangrijker zaken te verhapstukken. En hij moest aan diesel zien te komen, waar dan ook, hoe dan ook.

Hij liep de pier over naar zijn truck, die op het parkeerterrein stond. Hij tastte in zijn zak naar de sleutels. In New Harbor en Muscongus kreeg hij al niets meer. Wilde hij tanken, dan zou hij met de boot het hele eind naar Boothbay moeten en zelfs dan zouden ze hem waarschijnlijk niet matsen. Hij moest aan diesel zien te komen: hier en nu, meteen. Anders kwam er niets van zijn plan terecht.

Hij stak de sleutel in het contactslot en draaide hem om. De motor begon te hijgen en te ratelen maar sloeg uiteindelijk aan. Hij keek op de brandstofmeter: genoeg om naar Waldoboro te komen.

Hij zette de versnelling in zijn vooruit en hoorde de bonkende geluiden vanonder de motorkap. Hotsend en botsend reed hij het terrein af en sloeg op Route 32 rechts af, op weg naar Waldoboro.

Het witte houten huis stond aan de hoofdweg. De veranda was half ingezakt, de verf bladderde af en op het gras stonden dode auto's op blokken. Het was schemerig aan het worden en in de schuur brandde licht. Worth parkeerde op de oprit, stapte uit en liep naar de zijdeur van de schuur, waar hij tweemaal aanklopte. Hij voelde zich een stuk beter sinds hij onderweg even wat gerookt had. Hij stond niet meer zo te trillen op zijn benen en zijn hoofd voelde helderder en sterker aan.

'Wie is daar?' klonk een stem.

'Worth.'

Er klonk een sleutel die werd omgedraaid. De deur ging open en daar stond Devin Doyle, in een schildersoverall met een flesje bier en een sigaret in zijn handen. Zijn haar piekte alle kanten uit en hij had zich niet geschoren. Dit was zo'n dertigjarige die eruitziet alsof hij achttien is. En zich ook zo gedraagt.

'Hé Randy, ouwe gabber van me, hoe istie?'

Worth kwam binnen en Doyle deed de deur achter hem dicht. Alle sleutels werden weer omgedraaid. De achterste helft van de schuur stond vol hoog opgetast gestolen huisraad, afgedekt met smerige zeilen.

'Biertje?'

Worth greep een Budweiser Light en liet zich neerploffen op een bank vol gaten. Hij nam een lange slok, bijna het halve blikje in één keer. Hij zette het op tafel en sloot zijn ogen.

Doyle liet zich op een stoel vallen. 'Hé, Randy, heb je die nieuwe

58

foto's van Britney gezien, met haar kut geschoren? Ik heb ze op mijn computer, het is werkelijk...'

'Ik kom voor mijn poen,' zei Worth.

'Hé, man, wat krijgen we nou? Je póén?'

'Je hebt me gehoord.' Hij deed langzaam zijn ogen open en keek Doyle aan.

'Dat heb ik toch al gezegd: zodra ik mijn geld krijg, betaal ik jou.' Doyle nam een laatste trek van zijn saf, blies de rook uit en maakte de peuk uit in een oesterschelp naast zijn stoel. Hij tastte rond naar zijn bier, vond het en pakte het op.

'Vorige week heb ík dat spul van Ripp Island gejat,' zei Worth. 'Ik heb het risico genomen. Ik heb mijn werk gedaan. En nu wil ik mijn poen.' Hij voelde een spier in zijn nek straktrekken.

'We weten nog niet eens wat jouw aandeel is zolang we de zaak niet verpatst hebben. Antiek is wat anders dan flatscreens. Ik heb je gezegd dat het even zou duren, en daar was jij het mee eens.'

Worth kneep zijn ogen weer dicht; hij zou het rustig houden. 'Sorry,' zei hij. 'Hier heb ik geen tijd voor. Ik heb je een ton aan antiek bezorgd en ik wil mijn poen.' Hij opende zijn ogen en zette een laars op de grond. 'Capisci?'

'Hé Randy, doe niet zo idioot. Als het even meezit krijg ik tien mille. En dan krijg jij de helft, zoals we afgesproken hadden. Als ík mijn geld heb. Oké?'

'Niks oké, schaamluis.'

Doyle zweeg. Randy pakte zijn blikje, dronk het leeg, kneep het in zijn vuist samen en gooide het als een frisbee Doyles kant uit. Het raakte hem op de schouder. 'Luister je wel?'

De spier in zijn nek was nu hevig aan het trekken.

'Luister, Randy,' zei Doyle. 'We hadden een afspraak. Ik ben ermee bezig. Maandag heb ik wat voor je.'

Worth zag dat Doyle zat te zweten. Hij was bang.

'Tien mille, zei je? Prima. Ik wil de helft. Nu. Als aanbetaling.'

Doyle spreidde zijn handen. 'Ik héb geen vijf mille, god nog aan toe.'

Worth stond op van de bank. Hij zwol van trots over de uitwerking die hij op Doyle had. Zijn nekspier trok als een idioot, trek-trek-trek, en Doyle zag het en scheet zeven kleuren bagger. Hij zag Doyles ogen heen en weer schieten op zoek naar een wapen. 'Dat laat je wel uit je hoofd,' zei Worth, en hij kwam dreigend vlak voor hem staan.

'Geef me tot maandag.'

'Ik wil mijn vijf mille. Nu.' Hij schoof nog dichter tegen Doyle aan en duwde zijn lul bijna in Doyles gezicht.

'Ik héb het niet.' Doyle deinsde achteruit in zijn stoel.

Worth gaf hem een klap op zijn hoofd, en nog een.

'Fuck! Randy, waar ben je nou mee bezig, man?' Hij probeerde overeind te komen, maar Worth duwde hem omlaag. Met gespreide benen stond hij over hem heen gebogen, bijna schrijlings, zodat Doyle geen kant uit kon. Verdomme man, hij voelde zich net Tony Soprano. Hij reikte achter zich, greep de .44 vanonder zijn riem en schoof de loop in Doyles oor. 'Hier met die poen.'

'Randy, ben jij nou helemaal? Je staat stijf van de speed...'

Worth sloeg hem opnieuw, in het gezicht ditmaal, telkens weer.

'Hou op!' Doyle probeerde hem af te weren en dook weg. Zijn magere armen hield hij voor zijn gezicht. 'Toe nou!'

'Waar is je portemonnee? Geef op.' Hij verkocht de ander nog een oplawaai.

Met bevende hand, de andere nog beschermend voor zijn gezicht gehouden, tastte Doyle in zijn overall en diepte zijn portemonnee op. Hij huilde, de slappe lul. Worth pakte de portemonnee, opende hem en viste er een stapel bankbiljetten uit. Het waren briefjes van vijftig. Hij liet de portemonnee op de grond vallen en telde de biljetten. 'Kijk eens aan. Achthonderd pop.'

Hij veinsde een uitval naar Doyle en die kromp ineen, zijn handen vlogen naar zijn gezicht. Worth lachte. 'Grafzeiker.' Hij vouwde het geld op en stak het in zijn kontzak. Hij zette de loop van zijn pistool tegen Doyles voorhoofd en drukte even. 'Luister, strontkop, maandag kom ik terug. En dan wil ik vierduizendtweehonderd dollar van je.'

'Maar we hadden een afspraak,' zei Doyle ongelukkig. Zijn gezicht zat onder de vegen, als bij een snotterig kind.

'Dan hebben we nu een nieuwe afspraak.'

15

Ford wachtte tot Khon de bar uit kwam en paste zijn schreden aan aan die van zijn vriend. Zo liepen ze samen, in de maat, de modderige straat door.

'Prum is een gewoontemens,' zei Khon. 'Exact om één uur komt hij de bar uit. Dan stapt hij in zijn nieuwe Mercedes en rijdt de driehonderd meter naar zijn huis. Daar komt hij om vijf over één aan.'

'Een zware jongen?'

'Mentaal wel, ja.'

'Is hij dronken?'

'Nee. Hij drinkt twee biertjes op een avond. Niet meer, niet minder.'

Ze naderden Prum Forgangs huis, een nieuwe constructie van witgekalkte cementblokken, opgetrokken naast wat blijkbaar zijn oorspronkelijke huis was, een traditionele Cambodjaanse *dnmak* op palen, waaronder een waterbuffel lag te slapen. Aan drie kanten was het huis omringd door rijstvelden, en in de voortuin stonden kokospalmen.

'We nemen de achterdeur,' zei Ford. Ze verlieten de weg en kozen een pad over de dijk tussen twee desa's. Het was een warme, heldere nacht. In het oosten was net een bloedrode maan aan het opkomen. Ford ademde de geur van Cambodja diep in: modder, planten, vocht.

'Heerlijke avond voor een wandelingetje,' merkte Khon op, terwijl hij diep inademde en zich uitrekte.

Over de paadjes op de dijken liepen ze om het huis heen naar de achterkant. De witgekalkte muur doemde uit het donker op en stond als een spookachtige rechthoek tegen de duisternis afgetekend. Bij de achterdeur aangekomen kraakte Ford met een paar eenvoudige handgrepen het simpele slot. Ze liepen naar binnen.

Binnen rook het naar sandelhout. Zonder het licht aan te doen liepen ze naar de zitkamer aan de voorkant van Prums huis. Ford koos een strategische positie links van de deur en ging in een reusachtige fauteuil zitten, en Khon installeerde zich rechts.

'Tien over halfeen,' fluisterde Ford. Hij haalde zijn Walther PPK .32 uit zijn zak en legde hem op zijn knieën.

Op het verwachte tijdstip, exact om vijf over een, schenen de koplampen van Prums nieuwe Mercedes door de gordijnen heen en even later hoorde Ford zijn sleutel in het slot. De deur ging open, er gloeide een lucifer – op dat uur van de nacht was er geen stroom – en daar stond Prum hen aan te kijken.

Meteen probeerde hij de deur weer uit te komen, maar bliksemsnel sprong Ford overeind en ramde zijn voet tegen de deur zodat die niet meer geopend kon worden. Hij drukte het pistool tegen Prums hoofd en hield zijn vinger aan zijn lippen. *Sst.*

Prum keek hem zwijgend aan.

Ford trok de deur zachtjes dicht en gebaarde met het pistool naar Prum. '*Suor sdei*, meneer Prum. Zullen we erbij gaan zitten?'

Prum bleef staan, gespannen als een veer. Khon dook vanuit de schaduw op en stak een lantaarn aan, die een zwak geel licht in het vertrek verspreidde.

'Ga zitten, zei ik.'

Met een achterdochtige blik ging Prum zitten, als een dier dat klaar is om op de vlucht te slaan. 'Wat willen jullie?'

'Wij komen hier in vriendschap en vertrouwen, en we hebben een zeer aantrekkelijk zakelijk voorstel.'

'In mijn huis inbreken, noemt u dat vriendschap?'

'We zijn door de achterdeur binnengekomen om ú te beschermen, niet voor onze eigen veiligheid.'

Prum ging ongemakkelijk verzitten. Ford nam hem op: van middelbare leeftijd, mager en klein met een buikje en een rusteloze manier van doen. Hij had een loshangend hawaïhemd aan, een te grote broek en plastic teenslippers, en hij rook vagelijk naar bier en goedkoop parfum. Zijn grote, vochtige ogen waren alert. Hij zei niets.

Ford glimlachte. 'Meneer Prum, we zijn hier om van u te horen waar de mellietenmijn ligt.'

Prum zei niets.

'We zijn bereid een groot bedrag neer te tellen voor die informatie.'

'Ik heb geen idee waar u het over heeft.'

'Wilt u ons voorstel niet horen?'

'U kunt mij niets bieden – geen geld, geen vrouwen – om me op andere gedachten te brengen.' Prum glimlachte. 'Kijk eens om u heen: ik heb alles wat mijn hartje begeert. Een mooie auto, een prachtig huis, een flatscreen-tv, een computer. Mooie spullen. En ik weet van geen mijn.'

'Ze hoeven nooit te horen dat die informatie van u afkomstig was.'

'Ik weet van niets.'

'Bent u dan helemaal niet nieuwsgierig naar ons voorstel?'

Prum zweeg.

Ford stond op, liep naar Prum toe, draaide zijn wapen om en gaf het hem, met de kolf vooruitgestoken. 'Pak aan.'

Na een korte aarzeling griste Prum hem het pistool uit handen. Hij haalde het magazijn eruit en stopte het weer terug. 'Het is geladen,' zei hij in uitstekend Engels, terwijl hij het wapen op Ford richtte. 'Ik kan u ter plekke doodschieten. Ik stel voor dat u ervandoor gaat.'

'Dat lijkt me geen goed idee.'

Prum glimlachte breed. Het ging zoals Ford gehoopt had: met het wapen in handen voelde hij zich veilig. Hij kon natuurlijk niet weten dat Ford de ronden uiteengenomen had om het kruit eruit te gieten en ze daarna weer in elkaar had gezet.

'Hier is mijn voorstel.' Langzaam bracht Ford zijn hand naar zijn zak en haalde daar een klein documentje uit. Hij legde het in de gele lichtkring neer. Het was een studentenvisum voor een universiteit in Amerika.

Prum snoof laatdunkend. 'Dat heb ik niet nodig. Ik ben vijftig! Ik ben een rijk en gerespecteerd man. Ik doe zaken en alles wat ik doe is volkomen legaal. Ik overtreed geen wetten en ik steel niets.'

'Het visum is niet voor u.'

Prum keek hem vragend aan.

'Kijk maar eens.'

Prum aarzelde, stak zijn hand uit en pakte het visum. Hij opende het en keek naar de foto voorin.

Ford haalde een envelop uit zijn zak en legde die naast het visum. Op de envelop stond een rood logo met één woord erop: VERITAS, en een retouradres in Cambridge, Massachusetts.

'Lees die brief.'

Prum legde het paspoort neer en pakte de envelop. Hij haalde de op zwaar, roomwit papier geschreven brief eruit, kneep zijn ogen samen en las hem in het schemerige licht. Het papier beefde even.

'Een ondertekende brief waarin het hoofd van de selectiecommissie schrijft dat uw zoon is toegelaten tot Harvard.'

Het bleef een hele tijd stil. Langzaam en met een ondoorgrondelijke blik in de ogen legde Prum de brief neer. 'Aha. Dus dit is het lekkers. En wat is de roe?'

'Daar kom ik zo op.'

'Ik kan niet op uw beloftes afgaan. Dit is een betekenisloos stuk papier. De eerste de beste kan zoiets namaken.'

'Dat is zo. U zult me moeten vertrouwen. Hier en nu. Dit is een eenmalige kans.'

'Waarom wilt u weten waar die mijn ligt?'

'En daarmee belanden we bij de roe. Waar denkt u dat die mellieten uiteindelijk terechtkomen, meneer Prum? Vrouwen dragen die om hun hals.'

'Nou, en?'

'Een van de grootste stenen hing aan een ketting van een van de hoogst geplaatste vrouwen, de echtgenote van een belangrijke Amerikaanse senator. Iedereen bewonderde haar en haar sieraad, tot ze haar haar kwijtraakte en open wonden op haar borsten kreeg van de stralingsziekte. We hebben de herkomst van die stenen terug kunnen voeren op ú.'

Een stilte, en toen blies Prum hoorbaar uit. '*Mhn sruel kluen tee!*'

Ford herkende de vulgaire Khmer-uitdrukking. 'Ja, dat is inderdaad knap klote.'

Prum veegde met een zakdoek zijn gezicht af. 'Dat wist ik niet. Daar had ik geen idee van. Ik ben zakenman.'

'Maar u weet dat ze radioactief zijn.'

Stilte.

'Dit is de roede: de senator krijgt te horen wie dit zijn vrouw aangedaan heeft. Wat denkt u dat er dan met u gebeurt?'

'Als ik u over de mijn vertel, maken ze me af.'

'En als u dat niet doet, maakt de CIA u af.'

'Ik smeek u, doe me dit niet aan.'

'Luister, de eigenaars van de mijn hoeven nooit te weten dat u het ons verteld hebt. Daarom zijn we in het donker door de achterdeur gekomen.'

Prum schudde energiek zijn hoofd. Het pistool hing zo goed als vergeten in zijn slappe hand. 'Hier moet ik even over nadenken.'

'Sorry. U moet nú een beslissing nemen, meneer Prum.'

Opnieuw veegde hij zijn gezicht af. 'Die mijn, dat is mijn enige bron van inkomsten.'

'U hebt jaren kunnen sparen.'

'Afgezien van Harvard voor mijn zoon wil ik een bedrag aan geld.'

'U hebt wel lef, Prum.'

'Honderdduizend dollar.'

Ford keek naar Khon. De Cambodjaanse passie voor handeldrijven bleef hem verbazen. Hij stond op en griste het visum en de brief van tafel. 'De CIA rekent verder met u af, Prum.' Hij draaide zich om en wilde weglopen.

'Wacht even! Vijftigduizend.'

Zonder zelfs maar zijn tempo te vertragen liep Ford door naar de deur.

'Tienduizend.'

Ford stond al bijna buiten.

'Vijfduizend.'

Ford bleef staan en draaide zich om. 'Dat kunt u krijgen mits en nadat die mijn inderdaad gevonden is.' Hij kwam weer naar binnen. 'Dan wil ik nu graag mijn pistool terug.'

Prum gaf hem het wapen. Met knikkende knieën stond hij op, liep naar een houten kast in de hoek, maakte die open en haalde er een opgerolde kaart uit. Die rolde hij op een tafel open en hij zette er de olielamp bij neer. 'Dit,' zei hij, 'is een kaart van Cambodja. Wij zitten hier, en de mijn ligt... híér.' Met een klap landde zijn korte vinger op een vlek wild, bergachtig gebied in het uiterste noordwesten. De Cambodjaan richtte zijn vochtige blik op Ford. 'Maar voor je eigen bestwil zeg ik er meteen bij: als je daarheen gaat kom je niet levend terug.'

16

Mark Corso voelde dat er iemand op de drempel van zijn kantoortje stond, en terwijl hij overeind kwam van zijn werk veegde hij onopvallend met zijn elleboog wat papieren over de gammastralingplots heen waaraan hij had zitten werken. 'Goedemiddag, doctor Derkweiler,' zei hij, en hij dwong zijn gezicht tot een soort respectvolle blik.

Derkweiler kwam binnen. 'Ik kwam eens kijken hoe het staat met de verwerking van de SHARAD-gegevens.'

'Bijna klaar.'

De supervisor leunde neuriënd over zijn schouder en tuurde naar de papieren en uitdraaien op keurige stapeltjes op het bureau. 'Waar zijn ze?'

'Hier ergens.' Corso wist niet precies waar de gegevens lagen: ergens op de stapel uitdraaien, maar daar durfde hij niet doorheen te zoeken uit angst plotseling met de gammaprints in handen te staan. 'Aan het eind van de middag hebt u ze op uw bureau.'

Derkweiler stak een van zijn grijpgrage handen uit en schoof wat papieren rond. 'Keurig bureau. Heel wat anders dan de rest van die sloddervossen hier. Mooi zo.' Zijn adem rook naar Tictacs met sinaasappelsmaak.

Nog een duwtje tegen de papieren. 'Wat is dit?' Hij deed een greep en viste een computeruitdraai uit de stapel: een gammastralingplot.

'Als ik niet beter wist, zou ik zeggen dat je nog steeds bezig bent met die gammastraling. Ik had die SHARAD-foto's gisteren al van je zullen krijgen.'

'Ik ben er nog mee bezig. Voor vijven hebt u ze op uw bureau. En doctor Derkweiler, voor de duidelijkheid: mijn taak hier bestaat uit het analyseren van álle gegevens, dus ook de gammastraling.'

Er werd druk op de tictac gezogen. 'Meneer Corso, volgens mij stuiten we hier op een fundamenteel misverstand over de manier waarop deze afdeling draait. We werken hier als team, en ik ben de baas van dat team. Sorry, maar ik dacht dat ik duidelijk gemaakt had dat die SHARAD-foto's jouw allereerste prioriteit zijn. Ik wil ze allemaal, en dan dus echt állemaal, op de vergadering van volgende week zien.'

Corso zei niets.

'Is dat duidelijk, meneer Corso?'

'Ja,' antwoordde hij.

Corso wachtte tot Derkweiler weg was en liet zich bevend in zijn stoel vallen. Die vent was onverdraaglijk, een middelmatig kereltje dat op de een of andere manier was opgeklommen tot een hogere rang en daar met volle teugen van genoot. Hij wierp een zure blik op de gamma-uitdraaien die nu boven op de andere documenten lagen. Hij zou zich kapot moeten werken om voor vijven al die SHARAD-foto's af te hebben. Wat moest Derkweiler toch met die SHARAD? Mars zou echt nog wel een tijdje om de zon blijven draaien. Maar die gammastraling was werkelijk bizar. Hij was nog een stap verder gegaan dan Freeman. Ook als Derkweiler daar het nut niet van inzag, zou Chaudry er zeker waardering voor hebben.

Er werd zacht op de open deur geklopt en toen hij zich omdraaide, zag hij Marjory Leung als een gazelle op de drempel staan, met één doorgezakte heup tegen het kozijn geleund, een glimlach op haar gezicht en haar lange bovenlijf gespannen als een boog.

'Hi,' zei ze.

Corso glimlachte en schudde zijn hoofd. 'Is hij weg?'

'Hij loopt net de hoek om.'

Hij haalde zijn hand door zijn haar. 'Kom binnen.'

Ze plofte in de stoel in de hoek neer en legde haar hoofd in haar nek, zodat haar haar uitwaaierde over de rugleuning van de stoel. 'Lunch?'

Hij schudde zijn hoofd. 'Ik moet die analyses hier afmaken.'

'Hoe gaat het?'

'Geen doorkomen aan. Ik ben de hele tijd bezig geweest met de gammastraling.'

'En?'

Corso keek naar de open deur. Ze snapte wat hij bedoelde, stak haar hand uit en deed de deur dicht.

'Er zit een beetje schot in de zaak. Ik weet vrijwel zeker dat wat het ook is, zich ergens aan de oppervlakte bevindt. De periode vertoont zo'n sterke overeenkomst met de draaiing van de planeet dat dat welhaast moet. Ik heb de foto's met de vlooienkam zitten doorspitten op zoek naar een visueel artefact dat kan overeenkomen met de bron van de gammastralen. Maar Mars is enorm, en we hebben meer dan vierhonderd scherpe foto's. Een naald in een hooiberg.'

Ze hees zich overeind en Corso keek hoe ze zich uitrekte. Haar blouse schoof omhoog zodat haar platte buik zichtbaar werd. Een messcherpe herinnering aan de nacht die ze samen hadden doorgebracht flitste door zijn hoofd.

'Oké, geen lunch dus,' zei ze, en ze zwierde haar haar naar achteren. 'Vanavond iets eten, dan?'

'Met genoegen.'

'Het genoegen is geheel mijnerzijds,' antwoordde ze.

17

Ford reed met de Landcruiser tot aan een rij gehavende motorfietsen en keek naar het handgeschreven bordje boven de deur van het overheidsgebouwtje. In het Frans en het Khmer was te lezen dat dit het Kantoor was van de Adjunct-Raadsman van het District Khamphong Krabey, gemeente Svay Por. Ford stapte uit; het was zo heet dat de lucht zinderde en in wolken om hem heen opsteeg.

'God sta ons bij,' zei Khon met een blik op het armoedige cementen gebouwtje. 'Ik hoop dat je heel veel dollars op zak hebt.'

Ford wees naar zijn jasje.

Ze klopten aan de houten deur. Een stem riep dat ze binnen konden komen. Het kantoor van de adjunct-raadsman bestond uit één vertrek met cementen muren en vloer, kortgeleden witgekalkt, met in het midden een bureau dat naar de deur gekeerd stond, en twee secretaressebureaus aan weerszijden. Met meetkundige precisie waren voor het bureau twee stoelen geplaatst. Een achterdeur leidde naar een pleetje in de openlucht. Het stonk er naar sigaretten.

De adjunct-raadsman, een knappe man met een litteken op zijn gezicht, stond met een brede grijns op en toonde de grootste, witste tanden die Ford ooit gezien had; ze vormden een vreemd contrast met zijn vaalolijfgroene hemd, zijn afzakkende blauwe broek en zijn plastic teenslippers. Hij had een dikke, vlezige nek en zijn gezicht was een glimmend masker van opgewektheid.

'Welkom, welkom!' riep de raadsman in het Engels, en hij breidde zijn armen uit. Op zijn gezicht lag een blik die niet misplaatst geweest zou zijn voor iemand die net de loterij had gewonnen. En gezien de steekpenningen die hij onvermijdelijk ging innen was dat misschien ook wel zo, bedacht Ford.

Khon sprak een uitgebreide begroeting in het Khmer uit. Ford zweeg; het leek hem als gebruikelijk het beste om niet te laten doorschemeren dat hij de taal sprak.

'We gaan Engels spreken!' riep de man uit. 'Ga zitten, vrienden, ga zitten!'

Ford en Khon namen plaats op de harde metalen stoelen.

'Hre min gnam sa!' riep de man met schelle stem naar een van de secretaresses, die meteen opsprong en na twee korte buigingen in hun richting het vertrek uit holde.

'Een mooie dag, ja?' merkte de man met een nieuwe glimlach op, terwijl hij zijn handen voor zich vouwde. Ford zag dat hij beide duimen miste.

'Zegt u dat wel,' antwoordde Khon.

'Veel gezondheid, hier in Khamphong Krabey.'

'Het is hier inderdaad heel gezond,' reageerde Khon. 'Het viel me meteen al op dat u hier verdomd frisse lucht hebt.'

'Frisse lucht! Khamphong Krabey, fris!'

Ford en Khon glimlachten en knikten instemmend.

De secretaresse kwam terug met drie kokosnoten waarvan met een machete de bovenkant afgehakt was; in de openingen staken rietjes.

'Alstublieft!' zei hun gastheer. Ze dronken de kokosmelk, die nog warm was van de zon. Ford had nog nooit zoiets lekkers geproefd.

'Uitstekend!' prees Khon. 'Wat een geweldige gastvrijheid hier in Khamphong Krabey.'

'Beste kokosnoten!' riep de man uit, en hij zoog zo krachtig dat het rietje een gorgelend geluid maakte. Hij zette de lege bast met een klap op het bureau neer en liet een rollende boer. 'Wat hebt u nodig, vriend?' vroeg de man, en hij spreidde zijn handen. 'Alles kunt u van me krijgen.'

'Dit is de heer Kirk Mandrake,' zei Khon. 'Hij is toerist, op zoek naar avontuur. Ik ben Khon, zijn tolk.'

'Avonturentoerist!' riep de ambtenaar uit. Hij knikte ijverig, maar had zichtbaar geen idee waar het over ging. 'Prima!'

'Hij wil een bezoek brengen aan een tempelruïne, aan Nokor Pheas.'

'Die tempel ken ik niet.'

'Het complex ligt diep in de jungle.'

'Waar is dat? In het district Khamphong Krabey?'

'Nee. Een stuk verderop. We moeten door uw district heen naar het noordoosten om er te komen.'

De glimlach verkilde. 'Na mijn district, niks meer. Niemand! Geen tempel!'

Khon stond op en rolde op het bureau van de ambtenaar een kaart uit. 'De tempel ligt hier, in de heuvels van Phnum Ngue.'

Nu verdween elk spoor van een glimlach. 'Dat is slecht gebied. Heel slecht.'

'Mijn cliënt, de heer Mandrake, wil die tempel zien.'

'Daar kunt u niet heen. Te gevaarlijk.'

Khon sprak verder alsof hij geen nee gehoord had. 'De heer Mandrake is bereid veel te betalen voor een speciaal visum. En hij heeft uw hulp nodig bij het markeren van de wegen op uw kaart. En uiteraard willen we de landmijnen mijden. U kent het district en u weet waar de mijnen liggen.'

'Te gevaarlijk. Ik zal het in het Khmer zeggen, zodat u me begrijpt. Is dat in orde, meneer Mandrake, als ik nu Khmer spreek?' Weer een stralende glimlach.

'Natuurlijk.'

Hij schakelde over op het Khmer, en Ford luisterde met gespitste oren. 'Ben jij nou helemaal?' begon de ambtenaar. 'Het krioelt daar van de Rode Khmer. Dat zijn tegenwoordig gewoon bandieten, die hun brood verdienen met de smokkel van edelstenen en met ontvoeringen voor losgeld. Als die lui jouw cliënt in handen krijgen, zit ik met een enórm probleem. Is dat duidelijk?'

'Dat is duidelijk,' zei Khon in het Khmer. 'Maar mijn cliënt is niet op andere gedachten te brengen: hij moet en zal die ruïne zien. Daar is hij speciaal voor naar Cambodja gekomen. Het wordt een snelle trip – kijken, en meteen weer weg. Geloof me, ik weet waar ik mee bezig ben. Ik heb wel vaker dit soort types rondgeleid. Afgelopen maand nog ben ik met een stel Amerikanen naar Banteay Chhmar geweest.'

'Ik kan het niet toestaan.'

'Hij betaalt grif.'

De ambtenaar spreidde zijn handen. 'Wat heb ik aan geld als ik te maken krijg met een ontvoering? Van een Amerikaan nog wel? Wat moet ik dan, in mijn positie? Het is hier momenteel vredig, geen problemen, iedereen tevreden. Zo is het niet altijd geweest, weet u.'

'Misschien kan een groot geldbedrag voldoende compensatie zijn voor uw ongemak.'

Het bleef even stil. 'Hoeveel?'

'Honderd dollar.'

De ambtenaar hief zijn handen ten hemel. 'Dat is hoop ik een grap? Duizend.'

'Duizend? Daar moet ik met mijn cliënt over beraadslagen.'

Khon richtte zich tot Ford en zei in het Engels: 'Het visum kost duizend dollar.'

Ford fronste zijn voorhoofd. 'Dat is een boel geld.'

'Ja, maar...' Khon haalde even zijn schouders op.

Ford dacht even na, trok zijn voorhoofd in rimpels en knikte plotseling. 'Oké. Ik doe het.'

Meteen reageerde de ambtenaar in het Khmer: 'Plus honderd dollar voor het gebruik van de mijnenkaarten!'

'Nog eens honderd dollar?' vroeg Khon. 'U moet het niet te bont maken.'

'Vijftig dan.'

Khon richtte zich tot Ford: 'En nog eens vijftig voor het gebruik van de kaarten.'

'En motorfietsen? We hebben motorfietsen nodig,' zei Ford op gemaakt boze toon. 'Wat moet dat weer niet kosten?'

Zo werd er nog een kwartier lang onderhandeld tot alles in kannen en kruiken was. Duizend dollar, plus honderdveertig voor het visum, de kaarten, de huur van twee motorfietsen, benzine, wat mondvoorraad en stalling van de Landcruiser terwijl zij op pad waren. Ford pakte het geld uit zijn broekzak en gaf het aan de ambtenaar, die het eerbiedig met beide handen aannam, zijn stralend witte glimlach liet zien en het in zijn bureaula opborg.

Ford en Khon liepen naar buiten en gingen in de schaduw van een doerianboom zitten wachten op de komst van de gehuurde motorfietsen, die uit het naburige dorp moesten komen.

'Je had gezegd dat ik vijfduizend dollar moest meenemen,' zei Ford. 'Die stakker had geen idee hoeveel we hadden willen betalen.'

'Die man heeft zojuist twee jaarsalarissen verdiend. Hij is blij, wij zijn blij; waarom zouden we vragen stellen bij de vrijgevigheid der goden?'

Met sputterende knalpotten kwamen er twee motorfietsen aan, bereden door magere tieners. Hijgend en kuchend kwamen ze tot stilstand.

Ford keek verbijsterd naar de oude barrels, samengebonden met touwen en snoeren. Een had er een bamboe bagagedrager met een vogelkooi achterop, vol smerige klodders en strepen opgedroogd varkensbloed. 'Dat kun je niet menen.'

Khon lachte. 'Wat had jij dan verwacht, Harley-Davidsons?'

18

De blauwe heuvels in de verte waren het eerste dat Ford zag toen het pad uitkwam op een kleine open plek. De afgelopen vijf uur hadden ze over slingerende paden door de jungle gereden en hij was uitgeput; zijn botten ratelden door zijn lijf. Hij zette zijn motor stil en draaide het sleuteltje om terwijl Khon naast hem stopte. Hij keek hoe de Cambodjaan behoedzaam de kaart uit zijn rugzak haalde en openklapte, maar ondanks al zijn voorzorgen begon het document op de vouwen uiteen te vallen door vocht en veelvuldig gebruik. Khon tuurde door zijn dikke brillenglazen naar de kaart en keek toen op. 'Dat zijn de Phnum Ngue-heuvels, met daarachter de bergen langs de grens met Thailand.'

'Jezus, wat een hitte. Hoe hou je dat vol, Khon?'

'Hoe hou ik wát vol?'

'Om er zo koel en in de plooi bij te blijven lopen.'

'We mogen het uiterlijk nooit verwaarlozen,' antwoordde Khon. Met zijn mollige, gemanicuurde vingers vouwde hij de kaart weer dicht. 'Aan de voet van die heuvels ligt het dorpje Trey Nhor. Dat is de laatste buitenpost van het Koninkrijk Cambodja. Daarna begint niemandsland.'

Ford knikte. Hij depte het zweet van zijn gezicht en veegde zijn handen af, slingerde zijn been over het zadel, startte de motor, draaide aan de gashendel en daar gingen ze weer, langzaam over het slingerende, uitgesleten spoor vol kuilen. In de loop van de daaropvolgende paar kilometer kwamen ze door een paar gehuchtjes – een groepje paalwoningen met rieten daken, een waterbuffel die een kar voorttrok, kinderen die in een schoolhutje luidkeels en in koor iets opdreunden – en daarna liep het pad de heuvel op. In de verte zagen ze een bergrichel liggen, en door de boomkruinen heen kringelde rook omhoog.

'Trey Nhor,' zei Khon.

Ze reden het bos door. Het gejank van hun motoren klonk Ford in de oren als een tweetal dreinende muggen. Hij was dankbaar voor het briesje, al bracht dat amper koelte. Na een paar kilometer verschenen de hutjes van het dorp, verspreid tussen reusachtige kapokbomen met ribbelige stammen en wortels die als slangen over de grond kronkelden. Even later kwamen ze aan op een plein van aangestampt zand, omringd door bamboe huizen met rieten daken. Een stel totempalen stond als een groep magere demonen midden op het plein. Ford keek om zich heen: het dorp leek verlaten te zijn.

Ze stopten hun motorfietsen, trapten de standaard omlaag en stapten af. De kleine open plek was aan alle kanten omgeven door het immense, zuchtende woud; de mens leek hier bijna afwezig, opgeslokt door de bomenmassa.

'Waar zitten ze allemaal?' vroeg Ford.

'Zo te zien zijn ze ervandoor. Op één na.' Khon knikte naar een hutje, waar Ford in de schemering een rimpelige oude vrouw op een geweven mat zag zitten. Khon haalde een zak met snoepjes uit zijn weekendtas en ze liepen naar de vrouw toe. 'Dit gebied heeft het zwaar te verduren gehad onder Pol Pot,' zei Khon, 'en ze zijn nog steeds bang voor vreemdelingen.'

'Vraag haar eens naar paden de heuvels van Phnum Ngue in.'

Ze leek ouder dan een mens mogelijkerwijs bij leven halen kon: een geraamte met een lap losse, rimpelige huid eroverheen. Maar ze was opmerkelijk levendig. In kleermakerszit op haar mat gezeten rookte ze het laatste stompje van een sigaar op en grijnsde ze haar laatste overgebleven tand bloot naar Ford. Khon hield haar de open zak snoep voor en met een energiek gebaar stak ze er haar hand in en graaide minstens de helft van de inhoud mee.

Khon sprak de vrouw in het plaatselijke dialect aan. Ze antwoordde geanimeerd en knikte hevig met haar hoofd. Haar pezige vingers gebaarden en wezen.

'Ze zegt dat we daar beter niet heen kunnen.'

'Zeg maar dat we toch gaan, en dat zij ons moet helpen.'

Khon voerde een langdurig gesprek met de vrouw. 'Ze zegt dat er zowat twee kilometer ten noorden vanhier een boeddhistisch klooster ligt dat uitsluitend te voet bereikbaar is. De monniken daar zijn de ogen en oren van het woud. Daar moeten we eerst heen, en dan zullen zij ons de rest van de weg laten zien. In ruil voor de rest van het snoep zal zij op onze motorfietsen letten.'

Het spoor liep omhoog door een bos knoestige doerianbomen in de richting van een dichtbegroeide bergrichel. De hitte was zo intens dat Ford bij iedere ademhaling de lucht in zijn longen voelde branden. Na een halfuur kwamen ze bij de ruïne van een muur van reusachtige zandsteenblokken, overwoekerd met lianen, en een oude trap die de heuvelflank op leidde. Ze liepen de treden op en kwamen boven aan op een groen veld dat vol lag met half begraven blokken; daarachter doemde een vijftal half ingestorte torens uit het struikgewas op, elk met de vier gezichten van Visjnoe die in de vier windrichtingen keken. Een verlaten Khmer-tempel.

Midden tussen de ruïnes, op een met gras begroeide open plek, stond de kapotgebombardeerde behuizing van een veel recenter boeddhistisch klooster. Het had geen dak meer, en de ruwe stenen muren stonden tegen de hemel afgetekend. In de verte zag Ford de vergulde torens van stoepa's of graven boven het loof uitsteken. In de zware lucht gonsde het van de bijen en er hing een geur van brandend sandelhout.

Aan de voorzijde van het klooster, in de deurloze opening, stond een monnik met een saffraangele pij en een kaalgeschoren hoofd. De kleine man tuurde hen aan met fonkelend zwarte ogen omringd door wel duizend rimpels in een levendig gezicht. Met zijn beide kleine handen hield hij de rand van zijn pij vast.

Khon maakte een buiging, die de monnik beantwoordde. Ze spraken, maar ook nu kon Ford het dialect niet volgen. De monnik gebaarde Ford naderbij te komen. 'Welkom,' zei hij in het Khmer. 'Kom.'

Ze liepen de dakloze tempel in. De vloer bestond uit kort gemaaid gras, glad en gemanicuurd als een golfgreen. Aan een uiteinde stond een verguld beeld van de Boeddha in lotushouding met half geloken ogen, bijna bedolven onder offeranden van bloemen. Er branddden talloze wierookstokjes, en de lucht was bezwangerd van sandelhout en bloesem. Achter het Boeddhabeeld stond een tiental monniken in pij, opeengedrongen als in een verdedigende formatie; sommigen waren nog geen twintig jaar oud. De tempelmuren waren gemaakt van gerecyclede stenen die deel hadden uitgemaakt van de oorspronkelijke ruïne, en Ford zag stukken beeldhouwwerk uit de afgebrokkelde, opeen gemetselde blokken steken: een hand, een tors, een half gezicht, een elastisch gebogen arm van een dansende apsara. Langs een van de muren liepen twee rijen kogelinslagen van automatisch geweervuur. Ford dacht dat het een voormalige executieplaats moest zijn.

'Gaat u zitten,' zei de monnik met een gebaar naar een paar rieten matten die op het gras waren uitgespreid. De middagzon viel in schuine banen door het kapotte dak naar binnen en kleurde de oostmuur goudgeel; de rook van de wierook dreef de lichtbanen in en uit. Na een paar minuten van stilte kwam er een monnik binnen met een oude gietijzeren theepot en een stel geschilferde kommetjes, die hij op de mat neerzette. Hij schonk in, en ze nipten van de sterke groene thee. Toen ze die ophadden kwam de abt overeind.

'Spreekt u Khmer?' vroeg hij met een vogelstem aan Ford.

Ford knikte.

'Wat brengt u naar dit uiteinde van de wereld?'

Ford stak zijn hand in zijn zak en haalde er de namaak-melliet uit. De adem van de abt stokte. Hij deed een snelle stap achteruit, en de andere monniken schuifelden naar achteren. 'Haal die duivelse steen hier weg.'

'Het is geen echte,' zei Ford sussend.

'Bent u handelaars in edelstenen?'

'Nee,' zei Ford. 'We zijn op zoek naar de mijn waar die mellieten vandaan komen.'

Voor het eerst was er even iets van emotie te zien op het gezicht van de monnik. Hij leek te aarzelen en streek met zijn hand over zijn droge, kaalgeschoren schedel. Het klonk alsof hij over een borstel veegde toen zijn vingers over de stoppels gleden. 'Waarom?'

'Ik ben hier namens de Amerikaanse regering. Wij willen weten waar die mijn is, en hem sluiten.'

'Het wemelt daar van de voormalige Rode Khmer-soldaten, met geweren, mortieren en granaatwerpers. Gewelddadige lieden. Hoe denkt u daarheen te gaan en in leven te blijven?'

'Wilt u ons helpen?'

Zonder aarzeling antwoordde de monnik: 'Ja.'

'Wat weet u over de mensen die de mijn runnen?'

'Zowat een maand geleden was er een enorme explosie in het bos. En even later zijn ze gekomen. Ze vielen bergdorpjes binnen om mensen te ronselen om die gevaarlijke stenen op te graven. Ze laten ze werken tot ze er dood bij neervallen, en dan gaan ze nieuwe halen.'

'Kunt u ons iets vertellen over de ligging van de mijn, het aantal soldaten, wie de zaak runt?'

De abt maakte een gebaar en een monnik aan de andere kant van het vertrek stond op en ging naar buiten. Even later kwam hij terug met een blind kind van een jaar of tien in monnikspij. Zijn gezicht en hoofdhuid waren een web van glanzende littekens, zijn neus en één oor ontbraken en zijn oogkassen waren klompen vuurrood littekenweefsel. Het lichaam onder de pij was klein, mager en krom.

'Deze hier is uit de mijn ontkomen en naar ons toe gevlucht,' zei de abt.

Ford keek nog eens goed naar het kind en zag dat het een meisje was, verkleed als jongen.

'Als ze te weten komen dat wij haar hier verbergen, zijn we allemaal ten dode opgeschreven.' Hij wendde zich tot het meisje. 'Kom hier, mijn kind, en vertel de Amerikaan alles wat je weet, ook de allerergste dingen.'

Het kind sprak met een vlakke, onaangedane stem, alsof ze voor de klas haar lesje opdreunde. Ze vertelde over een ontploffing in de bergen, en over de komst van de voormalige Rode Khmer-soldaten; hoe die haar dorp waren binnengevallen, haar vader en moeder hadden vermoord en de overlevenden onder bedreiging door de jungle naar de mijn hadden laten marcheren. Ze beschreef hoe ze langzaam blind was geworden terwijl ze stapels rotsblokken sorteerde op zoek naar edelstenen. Vervolgens vertelde ze in heldere, precieze bewoordingen waar de mijn lag, waar de soldaten patrouilleerden, waar de baas woonde en hoe de mijn gerund werd. Toen haar verhaal uit was, maakte ze een buiging en deed een stap achteruit.

Ford legde zijn notitieblok neer en haalde diep adem. 'Vertel eens wat meer over die explosie. Wat voor explosie was dat?'

'Zoiets als een bom,' zei ze. 'De wolk ging mijlenver de lucht in en nog dagen later viel er een smerige regen. Er zijn heel veel bomen geveld.'

Ford wendde zich tot de monnik. 'Hebt u die explosie gezien? Wat was het?'

De abt keek hem met indringende blik aan. 'Een duivel uit de diepste krochten van de hel.'

<h1 style="text-align:center">19</h1>

Abbey ramde de pin in de ankervergrendeling en kwam naar de achtersteven, waar ze de stuurhut in sprong. 'We zijn hier weg,' zei ze, terwijl ze het roer greep en de motor op toeren liet komen. Ze wendde de boeg af van Marsh Island.

'Dat was nou echt verspilde moeite,' zei Jackie boos.

'We hebben er twee gehad en drie te gaan,' zei Abbey. Ze probeerde een opgewekte toon in haar stem te leggen. 'Maak je geen zorgen; we vinden hem echt wel.'

'Dat hoop ik dan maar. Ik trek het niet, al dat gekruip door de bosjes. Ik had het gevoel dat ik opgesloten zat in een zak vol wilde katten. Kijk die schrammen nou eens!' Ze hield haar arm voor Abbeys neus.

'Oorlogswonden. Daar kun je later tegen je kleinkinderen over opscheppen.' Ze richtte de voorsteven van de *Marea* rond de noordpunt van Marsh Island. Ze keek op de navigatie en stelde de koers in voor het volgende eiland op haar lijstje: Ripp. Aan de horizon zag ze het al liggen, een paar kilometer voorbij het oude aardstationcomplex op Crow. Dat zag er altijd misplaatst uit, een enorme, witte bel die tussen de ruige eilanden oprees als een enorme stuifzwam. Een groepje lichtjes dreef over het water: de pont van Crow Island op weg naar de haven van Tenant.

'Weet je nog dat we daar op schoolreisje geweest zijn?' vroeg Jackie, die haar blik had gevolgd. 'Die drie freaks daar op dat eiland, die dat station dag en nacht in de gaten hielden?'

'In die tijd stuurden ze daarvandaan signalen naar de ruimtesonde die op weg was naar Saturnus.'

'Je vraagt je wel af wat voor soort halvegare dat soort baan aanneemt, op een eiland dat van God en alle heiligen verlaten is. Weet je nog die vent met die vooruitstekende tanden, die zo naar ons loerde. *Euw*! Wat zouden ze daar de hele dag uitvoeren, denk jij?'

'E.T. bellen?'

'Yo, E, heb je nog wat van dat Marsbier?' zei Jackie.

Abbey lachte. 'En over hallucinogenen gesproken: ik zie dat de zon onder de gaffel gezakt is.' Ze hief een fles Jim Beam omhoog.

'Aha.'

Abbey nam een flinke slok en gaf de fles aan Jackie, die hem op haar beurt aan haar mond zette. De zon knipoogde nog eenmaal en verdween achter de horizon, zodat een trage schemering inviel over de glasheldere baai.

'O jee,' zei Abbey, met een blik recht vooruit. Ze pakte de kijker van het dashboard en keek naar het eiland voor hen. 'Op Ripp brandt licht in huis. Kennelijk is de admiraal al uit Jersey overgekomen voor zijn vakantie.'

'Shit.'

Toen ze dichter bij het eiland kwamen, verscheen er een houten huis in zicht, een en al torentjes en hoekgeveltjes, verlicht door schijnwerpers.

'Die admiraal die spoort niet,' zei Jackie. 'Ze zeggen dat hij in Korea gevochten heeft en dat hij een heel stel vrouwen en kinderen heeft vermoord.'

'Ze zeggen zoveel.'

'Ik bedoel maar, misschien moeten we Ripp overslaan.'

'Jackie, die lijn loopt dwars over Ripp heen. We gaan 's nachts op zoek – vannacht nog.'

Jackie kreunde even. 'Als die meteoriet op Ripp is ingeslagen, dan had de kolonel hem allang gevonden.'

'Hij was er niet toen hij neerkwam. En Ripp is een groot eiland.'

'Ze zeggen dat hij bewakers heeft.'

'Ja, een stel donut-vreters die op hun vette reet in de keuken naar *American Idol* zitten te kijken.'

Het eiland doemde voor hen op; in het felle licht van de schijnwerpers leek het grote huis wel een gevangenis. Abbey speurde met de kijker de haven en het huis af. De sloep van de kolonel, een Crownline met buitenboordmotor, lag aan een drijfdok afgemeerd, en in de inham lag een groot motorjacht. Door de ramen heen zag ze mensen lopen in het huis.

'We gaan aan de andere kant voor anker.'

'Kijk uit voor de springvloed langs de westkust,' zei Jackie. 'Die kan gemeen zijn. Je komt er het best op een koers van zuidzuidwest, tweehonderd graden.'

'Oké.' Abbey draaide aan het roer en wijzigde de koers om het eiland van de andere kant te benaderen. Enkele tientallen meters uit de kust gingen ze voor anker. Het was bijna helemaal donker, en er begonnen sterren aan de hemel te verschijnen. Ze doofden het ankerlicht en de elektronica en bleven in het donker liggen. Jackie pakte een kleine rugzak met het hoogstnodige: een metalen thermosfles met Jim Beam, en verder een duikmes, verrekijker, veldfles, lucifers, zaklantaarns, batterijen en een bus pepperspray.

Ze klommen de jol in. Het water lag donker te glimmen en voor hen doemde het eiland op, opgeslokt door het zwart. Abbey roeide naar de kust toe, de spanen voorzichtig in het water stekend om niet te hard te plonzen. De boot liep het zand op, en ze sprongen aan land. Tussen de bomen door zag Abbey nog net een lichtglinstering van het huis.

'En nu?' fluisterde Jackie.

'Kom maar.' Abbey keek op haar kompas, stak het strand over en baande zich een weg door een rij wilde rozen heen tot ze eindelijk in het bos aankwam. Achter zich hoorde ze Jackies ademhaling. Tussen de bomen was het aardedonker. Ze knipte haar lantaarn aan en schutte met haar hand het licht af terwijl ze door het mossige bos liepen en links en rechts om zich heen schenen, op zoek naar een krater. Nu en dan bleef Abbey even staan om op het kompas te kijken.

Er verstreken tien minuten zonder dat ze iets vonden. Toen ze de andere kant van het eiland bereikt hadden, moesten ze door een moeras heen ploeteren en een traag stromend riviertje oversteken. Het water kwam tot aan hun borst, Abbey moest de rugzak boven haar hoofd houden. Het moeras maakte plaats voor een open veld. Tussen de bomen gehurkt speurde Abbey met de kijker het veld af, terwijl Jackie haar schoenen uittrok en er het modderwater uit goot.

'Ik vernikkel.'

Het veld liep op naar een gemanicuurd grasveld met een tennisbaan, waarachter het gigantische huis stond. Achter een van de ramen zag ze een schaduw bewegen.

'We moeten dat veld over,' fluisterde Abbey. 'Misschien is daar wel een krater.'

'Misschien moeten we eromheen.'

'Geen denken aan. We moeten het serieus aanpakken.'

Geen van beiden verroerden ze een vin.

Abbey stootte Jackie aan. 'Bang?'

'Ja. En doorweekt.'

Abbey nam de heupflacon uit haar rugzak en gaf hem aan haar vriendin. Jackie nam een slok en Abbey volgde haar voorbeeld.

'Beter?'

'Nee.'

'Kom, dan hebben we het maar gehad.' Abbey voelde de warmte door haar buik kruipen en ze liep het veld op. Het licht uit het huis was meer dan genoeg, en ze borg haar lantaarn weer in de rugzak. Langzaam kroop ze op handen en voeten verder, zo laag mogelijk, over het dode gras vol bruine plekken.

Toen ze zowat halverwege waren, hoorden ze ergens een hond blaffen. Intuïtief drukten ze zich plat in het gras. Even was het geluid van Frank Sinatra hoorbaar vanuit het huis, en bijna meteen vervaagde het weer: iemand had een deur open- en dichtgedaan. Ze wachtten.

Weer gekef in de verte. Abbey voelde ijskoud water langs haar rug druppelen en huiverde.

'Abbey, toe nou. Laten we maken dat we wegkomen.'

'Sst...'

Net toen Abbey overeind wilde komen, zag ze twee snelle schaduwen om de hoek van het huis komen. Ze raceten over het gazon, heen en weer, neuzen op de grond.

'Honden,' zei ze.

'Jezus, nee.'

'We moeten hier weg. Op drie rennen we naar de rivier.'

Jackie jammerde.

'Een, twee, dríé.' Abbey sprong overeind en sprintte het veld over, met Jackie in haar kielzog. Achter hen brak een razend geblaf uit. Ze doken het water in en werden meegetrokken door de trage maar krachtige stroming die hen in de richting van het bos zoog. Abbey ging helemaal kopje-onder; ze liet alleen haar gezicht boven het water uitsteken en probeerde door haar getuite lippen te ademen. Het blaffen klonk dichterbij, en nu zag ze ook lantaarns boven aan de heuvel op en neer deinen terwijl twee mannen hun kant uit kwamen rennen.

Meer geblaf, een stuk stroomopwaarts, op de plek waar ze het water in gedoken waren. Geschreeuw van de hollende mannen.

De donkere bomen sloten zich rondom haar en de stroom sleurde haar mee het bos in. Ze probeerde uit te kijken naar Jackie, maar het was te donker. De stroming werd sneller naarmate het water werd opgestuwd tussen de gladgepolijste rotsblokken en de sparren met hun dikke wortels. Ze hoorde iets daveren in de verte, en het water stroomde steeds harder.

Een waterval. Ze sloeg haar armen uit en tastte naar de oever, kreeg een rotsblok te pakken maar moest dat loslaten omdat het te glad was van de algen, en werd weer verder gesleurd. Het brullen klonk luider. Ze keek stroomafwaarts en zag een dun wit lijntje in het donker. Ze krabbelde naar een andere rots, klemde zich even vast, maar de stroom smakte haar lichaam eromheen en ook deze rots werd aan haar greep onttrokken.

'Jackie!' sputterde ze, en ze voelde een zuigende stroom, een plotselinge gewichtloosheid, een wit gebrul dat van alle kanten leek te komen, en een plotselinge val in een koud, tuimelend donker. Even had ze geen idee wat boven of onder was, en ze zwom wild maaiend en trappend verder in een poging haar evenwicht te hervinden. Na een tijdje bereikte ze het oppervlak. Ze hapte naar adem, sloeg om zich heen en probeerde haar hoofd op te heffen boven de beukende stroom. Ze keek om zich heen en zwom weg van de turbulentie; even later bevond ze zich in een rustige, trage plas. De nachthemel, de oceaan: ze bevond zich aan de kust van het eiland. De stroom voerde haar tussen grindbanken door en ze zwom naar de oever tot haar voeten de losse stenen van de kant voelden. Ze hees zich de bank op en bleef hoestend en water spuwend zitten. Ze keek om zich heen, maar het was muisstil. De mannen en de honden waren nergens te bekennen.

'Jackie?' fluisterde ze.

Even later hees Jackie zich het water uit. Al sputterend kwam ze op haar knieën overeind.

'Jackie? Gaat het?'

Even later antwoordde een hese stem. 'Godver. Ja.'

Dicht langs de boomrand volgden ze de kustlijn tot aan de jol, sleepten die het water in, stapten in en duwden zich af. Even later waren ze weer aan boord van de *Marea*. Na een korte stilte braken ze tegelijkertijd in een hysterisch gelach uit.

'Oké,' zei Abbey, toen ze weer op adem was. 'Laten we het anker lichten en maken dat we hier wegkomen voordat ze naar ons op zoek gaan met dat megajacht van ze.'

Ze trokken hun natte kleren uit en hingen die over de reling, en poedelnaakt voeren ze de oceaannacht in, beurtelings een teug nemend van de Jim Beam.

20

Ford vond zelf dat hij er behoorlijk de sokken in kon zetten, maar de boeddhistische monnik liep door het woud met de snelheid van een vleermuis. Met zijn plastic teenslippers en zijn fladderende saffraangele pij draafde hij bijna over het pad. Zo trokken ze urenlang zonder onderbreking door het woud, tot ze bij een rotsblok aan de rand van een gapend ravijn kwamen. Hier bleef de monnik plotseling staan. Met enig geklapper van zijn habijt ging hij zitten en boog zijn hoofd in gebed.

Na een stilte keek hij op en wees de kloof in. 'Zes kilometer. Volg de hoofdcañon tot aan de heuvel en klim daar omhoog. Dan sta je boven de mijn, met uitzicht op de vallei. Maar kijk uit: er wordt daar op die heuvelflanken gepatrouilleerd.'

Khon legde zijn handen tegen elkaar en boog dankend zijn hoofd.

'Zegen de boeddha die u op uw tocht zult tegenkomen,' zei de monnik. 'En nu moet u gaan.'

Khon maakte nogmaals een buiging.

Ze lieten hem daar achter, op de rots gezeten, het hoofd gebogen in meditatie. Ford leidde de weg het ravijn in, tussen enorme rotsblokken door die eeuwen geleden door overstromingen daarheen waren gevoerd en glad waren gepolijst. Toen de cañon zich versmalde tot een ravijn leunden de bomen op de steile flanken over hen heen als een tunnel. In de zware lucht gonsde het van de insecten, en het rook er naar varens.

'Behoorlijk stil hier,' zei Ford hijgend.

Khon wiegde even met zijn ronde hoofd.

Hier en daar zag Ford boeddhistische gebeden in de rotswand gekerfd staan; de tekens waren bijna weggevaagd door de tijd. Ergens zagen ze een complete boeddha liggen, meer dan tien meter lang, gehouwen uit een lange, natuurlijke rots in de flank van de cañon. Dat moest de boeddha zijn waarover de monnik had gesproken. Khon bleef even staan voor een stil offerritueel waarbij hij bloemen uitstrooide.

Boven aan het ravijn liep een pad steil omhoog. Toen ze bijna boven aan de heuvel stonden, zagen ze zonlicht door de bomen heen schijnen. De top van de heuvel was omringd door de restanten van een muur, en door de ruïne van de burcht heen zag Ford de resten van een bescheiden tempel oprijzen tussen de lianen. Een verbrand en vervormd stuk afweergeschut, nog uit de oorlog met Vietnam, stond aan een kant; en aan de andere kant was een tweede platform, zonder mitrailleur.

Ford gebaarde dat Khon zich schuil moest houden en kroop zelf tussen het loof door, de afgebrokkelde muur over. Hij hoorde iets ritselen en draaide zich als gestoken om, onderwijl zijn Walther trekken, maar het was een onschuldige hagedis die wegkroop onder een berg dorre bladeren. Zonder zijn pistool weer op te bergen liep hij verder de open plek op, keek om zich heen en gebaarde dat Khon hem kon volgen. Ze slopen het pad over tot aan het platform van het tweede kanon, dat op de uiterste rand van de heuvel stond, met uitzicht op de vallei daarachter.

Ford kroop naar de rand van het stenen plateau en tuurde de diepte in.

Het tafereel was zo eigenaardig dat hij niet eens begreep wat hij zag. De bomen midden in de vallei waren vanuit een krater die het middelpunt vormde platgedrukt, en lagen in een volmaakte cirkel met de kruinen naar buiten wijzend, als de spaken van een reusachtig wiel op de grond. Een sluier van rook hing over een tafereel van onophoudelijke arbeid heen. Rijen en rijen sjofel geklede mensen liepen af en aan bij de krater in het middelpunt en sjouwden manden vol stenen op hun rug, met de draagbanden over hun voorhoofd gesjord. De blauwige stenen werden op een enorme stapel gedumpt, zo'n vijftig meter van de krater af. Daarna schuifelden de dragers met gekromde rug terug naar de mijn om de manden opnieuw te vullen. Op de hoop stenen krioelde het van de uitgemergelde kinderen en oude vrouwen, die met hamertjes de stenen zaten te splijten en de brokstukken sorteerden op zoek naar edelstenen.

De centrale krater was de mijn zelf, dat was duidelijk.

In de vallei boven de mijn was een gebied schoongeveegd tussen de omgevallen bomen, en daar was een dorp van primitieve hutjes opgetrokken: rijen wankele houten frames met pleisterwerk en rieten daken. Het geheel was omsloten door grote rollen prikkeldraad op de grond. Het had alles weg van een concentratiekamp. Tientallen kookvuurtjes zonden rookpluimen de lucht in, aan beide uiteinden van het kamp stond een oude tank geparkeerd en langs de buitenrand van de vallei patrouilleerden soldaten met zware bewapening. Andere soldaten hielden de rijen mijnwerkers in beweging en porden mensen die te langzaam liepen of te zwak waren met lange, scherpe stokken – maar bleven zelf op veilige afstand.

Ford haalde een verrekijker uit zijn rugzak om beter te kunnen zien wat er gebeurde. De krater werd zichtbaar: een diepe, verticale schacht met de onmiskenbare tekenen van een krachtige meteorietinslag. Hij tuurde naar de rij mijnwerkers. Die verkeerden in een afgrijselijke lichamelijke conditie: hun haar viel uit, hun graatmagere lijven waren overdekt met open wonden, de huid was donker en vertoonde harde plekken, de ruggen waren gekromd en de botten staken door het vel heen. Veel mensen waren zo kaal en tandeloos, zo verteerd en uitgemergeld door de stralingsziekte, dat Ford niet eens kon zien of het mannen of vrouwen waren. Zelfs de soldaten die de werkers bewaakten zagen er zwak en ziek uit.

'Wat zie je?' fluisterde Khon achter hem.

'Van alles. Vreselijke dingen.'

Khon kwam aankruipen met zijn eigen kijker. Een hele tijd bleef hij zwijgend liggen turen.

Terwijl ze lagen te kijken, struikelde een van de mijnwerkers en viel, zodat de mand met erts op de grond viel. Het was een kleine, tengere jongen. Ford schatte hem nog geen twintig. Een soldaat sleepte de jongen de rij uit en schopte hem in een poging hem weer op de been te krijgen. De jongen deed zijn best overeind te komen, maar was te zwak. Dat duurde even, en toen zette de soldaat een pistool tegen het hoofd van de jongen en drukte af. Niemand keek op of om. De soldaat wenkte een ezelkar naderbij, het lijk werd erin geslingerd en Ford zag de ezel naar de rand van de vallei lopen. Daar werd het lijk gedumpt in een greppel die als een open wond door de rode bodem van het regenwoud liep. Een massagraf.

'Zag je dat?' fluisterde Khon.

'Ja.'

Ford richtte zijn kijker op de patrouillerende soldaten en zag tot zijn ontzetting dat de meesten van hen nog geen twintig waren; sommigen waren nog maar kinderen.

'Kijk eens verderop de vallei in,' zei Khon zachtjes. 'Waar die grote bomen nog staan.'

Ford richtte de kijker een stuk hoger en zag meteen een houten huis staan, midden tussen de bomen aan het begin van de vallei. Het was gebouwd in klassieke Frans-koloniale stijl met een steil metalen dak, dakkapellen en muren van witgekalkte houten planken. Het dak liep af naar een brede veranda, overschaduwd door hoge, bloeiende heliconia's in feloranje en rood. Hij zag een oude man, net een vogeltje, over de veranda lopen, heen en weer ijsberend met een glas in zijn hand. Zijn haar was sneeuwwit, zijn rug bijna als in een bochel gekromd, maar zijn gezicht leek ongerimpeld en klaarwakker. Onder het ijsberen praatte hij tegen twee anderen en maakte hij hakkende gebaren met zijn vrije hand. Aan weerszijden van het huis stonden kindsoldaten met AK-47's op wacht.

'Zie je die vent?'

Ford knikte.

'Ik weet bijna zeker dat dat Broer Nummer Zes is.'

'Broer Nummer Zes?'

'Pol Pots rechterhand. Er gingen geruchten dat dat stuk ongeluk een gebied ergens langs de grens met Thailand in handen had. En zo te zien hebben we zijn koninkrijkje zojuist gevonden.' Khon stopte zijn verrekijker terug in zijn rugzak. 'Nou, dat is het dan.'

Ford zei niets. Hij voelde Khons blik op zich rusten.

'Kom op, dan maken we een paar foto's, wat video-opnamen, we nemen de satellietcoördinaten op en we maken dat we hier wegkomen.'

Ford liet zijn kijker zakken en bleef zwijgen.

Plotseling fronste Khon zijn wenkbrauwen. Hij zag iets liggen in het gras aan zijn voeten; hij raapte het op en liet het aan Ford zien. De peuk van een sjekkie, vers en droog.

'O-o,' zei Ford.

'We moeten hier weg.'

Ze kropen weg van de rand en holden gebukt langs het oude afweergeschut. Ford zag iets bewegen in het bos onder hen, en liet zich op de grond vallen; Khon volgde onmiddellijk zijn voorbeeld.

Hij gebaarde naar Khon. 'Patrouille.'

'Die komen vast en zeker deze kant uit.'

'Dan gaan wij aan de andere kant naar beneden.'

Met Khon op zijn hielen kroop Ford op zijn buik naar de muur rond het complex en bleef daar gehurkt achter zitten.

'We kunnen hier niet blijven zitten. We moeten die muur over.'

Khon knikte.

Ford vond houvast, hees zich omhoog tot net over de kapotte rand van de muur, smeet zichzelf eroverheen en liet zich vallen. Hijgend bleef hij liggen. Ze hadden hem niet gezien. Even later verscheen Khon boven de muur. Vanuit de jungle links van hen klonk een oorverdovend salvo van automatisch geweervuur dat over de muur maaide, zodat de steensplinters rondvlogen als granaatscherven.

'*Hon chun gnay!*' riep Khon, terwijl hij zich over de muur gooide en zwaar naast Ford neerkwam. Hij rolde meteen om zijn as. Het geweervuur draaide mee en scheurde nu door de takken boven hun hoofd, zodat het takken en bladeren regende.

De kogels hielden even plotseling op als ze begonnen waren en Ford hoorde kreten toen onzichtbare soldaten tussen de bomen de diepte in renden. Hij probeerde zo laag mogelijk bij de grond te blijven en richtte zijn Walther naar waar de stemmen klonken. Hij loste één schot, en de reactie was een stortvloed van salvo's. De kogels vlogen hoog boven hun hoofden langs. Een tweede aanval ketste af op de bovenste stenen van de muur.

'Wegwezen,' zei Ford.

Khon trok zijn 9mm Beretta. 'Goed idee, yankee.'

Er vloog een granaat over hen heen, die op de heuveltop een eind verderop ontplofte. Door de klap sloeg Ford tegen de grond. Met tuitende oren probeerde hij zijn hoofd helder te krijgen. 'Ren die geul door terwijl ik je dekking geef. Zoek dan zelf dekking en zorg dat ik veilig over kan.'

'Oké.'

Ford loste een schot in de richting van de soldaten, en even later sprong Khon op en rende de heuvel af. Ford bleef langzaam, met onregelmatige tussenpozen, schoten lossen terwijl Khon in een zigzaglijn de heuvel afsprong en uit het zicht verdween.

Even later hoorde hij het *pop-pop* van Khons dekkingsvuur. Hij krabbelde overeind en rende heuvelafwaarts de geul in. Achter hem ontplofte een granaat, en door de klap viel hij voorover. Dat was maar goed ook, want de struiken waartussen hij zojuist had gezeten, werden aan flarden gereten door een salvo automatisch geweervuur.

Hij kroop de geul door, en het regende twijgen en vochtige brokken van planten en struiken op hem neer. Ze richtten nog steeds te hoog, door de vegetatie heen, want vanwaar ze stonden waren Ford en Khon niet te treffen. Even later zag hij Khon.

'Rennen!'

Ze daverden de heuvel af en stortten zich door het struikgewas en de lianen heen. Rondom hen vlogen de kogels, maar langzamerhand werd het geweervuur sporadischer en klonk het verder achter hen.

Tien minuten later waren ze boven, aan de rand van het ravijn. Bij de oevers van het riviertje bleven ze even staan om op adem te komen. Ford knielde en gooide water over zijn gezicht en nek in een poging verkoeling te vinden.

'Ze zijn ons op het spoor,' zei Khon. 'We moeten in beweging blijven.'

Ford knikte. 'Stroomopwaarts. Dat verwachten ze niet.'

Door het water stapten ze van het ene naar het andere snelstromende gedeelte van de rivier. Zo klommen ze de losse rotsblokken van de steile rivierbedding op. Na een adembenemende klimtocht van een halfuur stonden ze bij een bron, waar water uit een rotsspleet stroomde. Honderd meter hoger lag een bergrichel en rechts van hen was een droge bedding.

Die staken ze over, en ze klommen de richel op, aan de andere kant omlaag, de volgende richel op, door dicht struikgewas heen. De uren verstreken en de avond begon in te vallen. Het bos zonk weg in een groene schemering.

Khon liet zich op een bed van varens vallen, rolde op zijn rug en legde zijn handen achter zijn hoofd. Over zijn gelijkmatige trekken verspreidde zich een brede grijns. 'Heerlijk. Zullen we hier kamperen?'

Ford liet zich hijgend op een omgevallen boomstam zakken. Hij pakte zijn veldfles en gaf die aan Khon, die een paar grote slokken nam. Daarna dronk hij zelf; het water was warm en had een onaangename smaak.

'Je hebt gezien waar de mijn ligt,' zei Khon, terwijl hij rechtop ging zitten om zijn vingernagels te bestuderen. Hij pakte een vijl uit zijn zak en ging daarmee in de weer. 'Je hebt de locatie. Nu kunnen we terug.'

Ford zei niets.

'Ja toch, meneer Mandrake? Gaan we nu naar huis?'

Nog steeds geen antwoord.

'We gaan toch hoop ik niet wéér de wereld redden!'

Ford wreef over zijn nek. 'Khon, je weet dat we met een probleem zitten.'

'En dat is?'

'Waarom hebben ze me hierheen gestuurd?'

'Om de mijn te zoeken. Dat heb je zelf gezegd.'

'Je hebt die mijn gezien. Wou je mij nou echt vertellen dat de CIA niet allang precies wist waar dat ding ligt? Zoiets kunnen de satellieten onmogelijk over het hoofd gezien hebben.'

'Hmm,' mompelde Khon. 'Verdomme. Daar zit iets in.'

'Dus wat is dat voor vertoning dat ik hierheen zou moeten?'

Khon haalde zijn schouders op. 'Des CIA's wegen zijn ondoorgrondelijk.'

Ford wreef over zijn gezicht, streek zijn haar naar achteren en zuchtte. 'En er is nog een probleem.'

'En wat mag dat zijn?'

'Laten we die mensen aan hun lot over? Dan gaan ze dood.'

'Die mensen zíjn al dood. En je hebt zelf gezegd dat jouw orders luidden: niets doen. Niet aan de mijn komen. Zo is het toch, meneer Mandrake?'

'Er waren daar kinderen, kléíne kinderen.' Ford hief zijn hoofd. 'Zag je hoe ze die ene knaap afschoten, gewoon, alsof het de normaalste zaak van de wereld was? Er moeten daar honderden lijken in die geul liggen, en hij was nog niet voor een kwart vol. Dit is genocide.'

Khon schudde zijn hoofd. 'Welkom in het land van genocide. Maak dat je er wegkomt.'

'Nee. Zoiets keer ik niet zomaar de rug toe.'

'Wat wou je dan?'

'Die mijn opblazen.'

21

Mark Corso klemde de cd-rom in zijn hand en voelde het zweet van zijn vingers aan de plastic hoes plakken. Het was zijn eerste keer in de vergaderzaal van de MMO, het heilige der heiligen van de Mars-missie. Een teleurstellende ervaring. In de bedompte lucht hing een geur van koffie, vloerbedekking en Pledge. De wanden waren voorzien van namaaklambrisering, waarvan een deel was gaan opbollen en had losgelaten. Formica tafels langs de wanden stonden vol flatscreenmonitors, oscilloscopen, werkstations en andere losse stukken elektronische apparatuur. Aan één kant van de ruimte was vanaf het plafond een scherm neergelaten, en in het midden stond de lelijkste vergadertafel die hij ooit had gezien, van bruin formica met opgestanste aluminiumranden en metalen poten.

Corso nam plaats voor een plastic bordje waar zijn naam op stond. Hij haalde zijn laptop tevoorschijn, zette hem in het docking station, stak de stekker in het stopcontact en startte hem op. Intussen kwamen zijn collega's een voor een binnenslenteren. Ze praatten, lachten en vulden hun bekers met slappe Californische koffie uit een oeroud apparaat in de hoek.

Marjory Leung kwam naast hem zitten en plugde haar eigen computer in. Er dreef een geur van jasmijn zijn kant uit. Ze was onverwacht chic gekleed, in een zwart pakje, en Corso was blij dat hij zijn beste jasje die ochtend had opgedoft met een van zijn duurste zijden dassen. De witte laboratoriumjassen waren nergens te bekennen.

'Nerveus?' vroeg ze.

'Een beetje.' Het was Corso's eerste stafvergadering en hij was de derde in een rij van tien sprekers, elk met vijf minuten voor hun presentatie en aansluitend tijd voor vragen.

'Binnen de kortste keren is het allemaal routine.'

Het werd stil in de zaal toen de directeur van de Marsmissie, Charles Chaudry, opstond van zijn stoel aan het eind van de tafel. Corso mocht Chaudry graag: jong, hip, zijn vroegtijdig grijze haar in een paardenstaart – volslagen briljant maar zo nuchter als wat. Iedereen kende zijn levensverhaal: geboren in Kasjmir in India en als zuigeling met de golf van vluchtelingen meegekomen tijdens de Tweede Kasjmir-oorlog in 1965. Hij had zich vanuit het niets omhooggewerkt, het klassieke succesverhaal, en had uiteindelijk aan Berkeley de doctorsgraad in de planetaire geologie behaald. Zijn proefschrift had de Stockton-prijs gewonnen. Alsof hij zijn buitenlandse herkomst wilde compenseren, was Chaudry tot op het merg Amerikaans, Californisch zelfs: bergbeklimmer, *mountainbiker* en enthousiast surfer die zelfs de wintergolven bij Mavericks aandurfde, naar verluidt de gevaarlijkste branding ter wereld. Er gingen geruchten dat hij afkomstig was uit een rijke brahmaanse familie met een of andere vage adellijke titel, pasja of nabob of zoiets, althans dat werd beweerd, maar niemand wist er het fijne van. Hij was een tikkeltje ijdel, maar dat was een toelaatbare fout onder NPF'ers.

'Welkom,' zei hij ietwat verstrooid, en hij glimlachte zijn witte tanden bloot. 'De missie boekt uitstekende voortgang.' Hij nam een paar van de meest recente successen door, maakte de aanwezigen opmerkzaam op een enthousiast artikel in de wetenschapsbijlage van de *New York Times*, citeerde een artikel in het Britse blad *New Scientist*, vertelde met enig leedvermaak van de vermoede problemen met de Chinese satelliet, de Hu Jintao, en maakte een paar grappen.

'En dan nu,' besloot hij, 'de datapresentaties.' Hij wierp een blik op het papier dat voor hem lag. 'Vijf minuten per persoon, en daarna is er tijd voor vragen. We beginnen met het weerbericht. Marjory?'

Leung stond op en begon met haar praatje, een powerpointpresentatie over het weer op Mars. Ze liet infraroodfoto's zien van ijswolken rond de evenaar, kortgeleden gefotografeerd door de MMO. Corso probeerde zich te concentreren, maar was te zeer afgeleid. Zijn moment naderde met rasse schreden – en dan had hij dus vijf minuten om zijn eerste indruk te maken als kaderlid. Hij stond op het punt een uiterst riskante zet te doen, niets voor hem, maar hij was zeker van zijn zaak. Hij had alles wel honderd keer doorgenomen. Het was dan misschien onorthodox, maar ze zouden ondersteboven zijn. Hoe kon het ook anders? Dit verbijsterende mysterie, kennelijk door doctor Freeman kort voor zijn dood ontdekt, had hij dus niet meer kunnen analyseren. Corso had het stokje overgenomen. Het was, althans zo voelde hij het, een manier om de nagedachtenis aan zijn professor te eren en tegelijkertijd zijn eigen carrière een flinke zet te geven.

Zijn blik gleed naar de andere kant van de vergadertafel, waar Derkweiler met een dikke leren schrijfmap voor zijn neus zat. Als Derkweiler zag uit welke hoek de wind waaide, zou hij wel bijdraaien.

'Mark?' zei Chaudry met een blik zijn kant uit. 'Jij bent.' Hij glimlachte bemoedigend. Derkweiler verwrong zijn gezicht in een grimas die voor een glimlach had kunnen doorgaan. Hij stak de cd in het computerstation. Het duurde even voordat de inhoud geladen was, en toen verscheen de eerste dia van zijn presentatie op het scherm.

De MMO Compton
gammastralingscintillator:
Een gegevensanalyse van gammastralingsemissie
met abnormaal hoge energie
Mark Corso, senior data-analist

'Dank u, doctor Chaudry,' zei Corso. 'Ik heb een kleine verrassing voor de aanwezigen – een ontdekking die volgens mij van belang is.'

Derkweilers gezicht betrok. Corso probeerde niet zijn kant uit te kijken. Hij wilde zich niet van zijn stuk laten brengen.

'In plaats van de SHARAD-gegevens wil ik vandaag graag de gegevens van de Compton-gammastralingsmeter met u bespreken.'

Het was stil geworden in de zaal; je kon een speld horen vallen. Hij keek even naar Chaudry. Die keek geïnteresseerd.

Hij liet de volgende dia zien: Mars, met een groot aantal omloopbanen eromheen getekend. 'Dit is het traject dat onze satelliet de afgelopen maand heeft afgelegd om gegevens te verzamelen in een bijna polaire baan...' Snel nam hij de bekende informatie door en presenteerde een aantal dia's in hoog tempo tot hij bij de kern van de zaak kwam. Dat was een grafiek met regelmatige pieken. 'Als er op Mars een bron van gammastraling te vinden was, dan zou dit de theoretische signatuur zijn, zoals de satelliet die zou waarnemen.'

Geknik, gemompel, blikken over en weer.

Hij ging naar de volgende dia: twee grafieken, een over de ander heen geprojecteerd, met bijna samenvallende pieken.

'En dit, dames en heren, zijn de wérkelijke gammastralingsgegevens van de satelliet, over de theoretische grafiek heen geprojecteerd.' Hij wachtte op de reactie.

Stilte.

'Ik zou uw aandacht willen vragen voor wat een behoorlijk significante overeenkomst lijkt,' zei hij in een poging een bescheiden, neutrale klank in zijn stem te leggen.

Chaudry leunde met samengeknepen ogen voorover. De anderen staarden zwijgend naar het scherm.

'Ik weet dat de afwijkingsbalken aan de lange kant zijn,' zei Corso, 'en ik ben me ervan bewust dat er sprake is van achtergrondruis. En uiteraard is onze meting niet-directioneel. We kunnen niet op de exacte bron richten. Maar ik heb een statistische analyse uitgevoerd, en daaruit blijkt dat er maar één kans op de twintig is dat deze overeenkomst toeval is.'

Het bleef stil. Er ontstond een soort nerveus geschuifel in de kamer.

'En uw conclusie, doctor Corso?' vroeg Chaudry op zorgvuldig neutrale toon.

'Dat er op Mars een bron van gammastraling is. Een púntbron.'

Geschokte stilte. 'En wat kan die gammastralingsbron dan wel zijn?' informeerde Chaudry.

'Dat is nu juist de vraag die om een antwoord vraagt. In mijn optiek moet de volgende stap bestaan uit bestudering van de visuele en radargegevens om te proberen een overeenkomend artefact te vinden.'

'Artefact?' vroeg Chaudry.

'Object, bedoel ik. Artefact was een ongelukkig gekozen term, dank u voor de correctie. Ik wil niet suggereren dat we op zoek zijn naar iets onnatuurlijks.'

'Hebt u daar zelf theorieën over?'

Corso haalde diep adem. Hij had zich afgevraagd of hij moet zeggen wat hij dacht. Maar goed, wie a zegt... 'Dit is uiteraard pure speculatie, maar ik heb inderdaad een aantal hypothesen.'

'Voor de draad ermee.'

'Het kan een natuurlijke geologische reactor zijn, zoals we ook op aarde hebben gevonden. Waarin door de beweging van steen of water een massa uranium wordt geconcentreerd tot een subkritische massa die kan vervallen en dan gammastraling uitzendt.'

Een hoofdknik.

'Maar aan die stelling kleven aanzienlijke problemen. In tegenstelling tot de aarde heeft Mars geen schollentektoniek, geen breuklijnen en geen grote watermassa's die zoiets kunnen veroorzaken. Bij een meteorietinslag zou materiaal worden verspreid, niet samengebald.'

'Wat zou het dan kunnen zijn?'

Corso haalde diep adem. 'Een miniatuur zwart gat of een groot stuk gedegenereerde neutronenmassa zou dichte gammastraling uitzenden. Zo'n voorwerp kan op Mars zijn beland door inslag, en kan dan op de een of andere manier zo dicht aan het oppervlak blijven steken dat het gammastraling de ruimte in kan sturen. Zo'n object kan nog actief zijn en kan bezig zijn de planeet op te slokken – vandaar de gammastraling. Dit kon wel eens...' – hij aarzelde, maar zette door – 'een mogelijke crisissituatie zijn. Als Mars wordt opgeslokt door een zwart gat of verpletterd tot een neutronenmassa, dan zorgen de gammastralen ervoor dat de hele aarde gesteriliseerd wordt. Alles.'

Hij zweeg. Hij had het gezegd. Terwijl hij om zich heen keek, zag hij de ongelovige blikken van de anderen. Prima: de gegevens logen niet.

'En de SHARAD-gegevens?' vroeg Chaudry.

Corso staarde hem ongelovig aan. 'Die kan ik over een paar dagen af hebben. Die gammastraling leek me belangrijker, en ik hoop dat u dat met me eens bent.'

Derkweiler reageerde; zijn stem klonk verbazend vriendelijk en fraai gemoduleerd. 'Doctor Corso, het spijt me, ik verkeerde in de veronderstelling dat u bij de vergadering van vandaag de SHARAD-gegevens zou presenteren.'

Corso keek van Derkweiler naar Chaudry en vice versa. Nu zou iedereen zien wat een hufter die Derkweiler was. 'Dit hier leek me belangrijker,' zei Corso uiteindelijk. Hij keek naar Chaudry in de hoop dat die hem zou steunen.

Chaudry schraapte zijn keel. 'Doctor Corso, zo op het eerste gezicht kan ik niet zeggen dat ik uw enthousiasme voor de gegevens deel. De foutmarges zijn zo groot dat de overeenkomst niet zeer sterk te noemen valt. En een kans van een op de twintig is niet bepaald sterk significant.'

'Heel veel kosmologische gegevens komen amper boven het ruis-niveau uit, doctor Chaudry,' zei Corso beheerst.

'Dat is zo. Maar ik kan me onmogelijk voorstellen wát er gam-mastraling kan veroorzaken op het oppervlak van een dode planeet zonder tektonenactiviteit en zonder magnetisch veld. Die toestand met een zwart gat of...' Zijn sceptische stem stierf weg.

Corso schraapte zijn keel en ging dapper verder. 'Ik adviseer om het oppervlak van de planeet af te speuren op zoek naar een visueel object dat kan overeenkomen met de bron van de gammastraling. Als we de bron van die straling vinden, kunnen we het fotograferen met de Hirise-camera. Sterker nog, waarschijnlijk hébben we al een foto van het voorwerp en hebben we alleen tot nu toe het belang er-van niet ingezien.'

Chaudry leek zich te vermannen. Hij bleef een hele tijd naar het beeld op het scherm zitten kijken, en iedereen wachtte tot hij iets zeg-gen zou. 'Ik zie een probleem.'

De moed zonk Corso in de schoenen.

'De periodiciteit van de bron van de gammastraling zou dus zo'n dertig uur zijn, volgens jouw berekening. Maar Mars draait om de vijfentwintig uur om zijn as. Hoe wou je dat verschil verklaren?'

Corso had het inderdaad opgemerkt, maar het leek hem niet be-langrijk. 'Vijf uur is binnen de foutmarge.'

'Pardon, doctor Corso, maar als u langs uw grafiek extrapoleert, raken de twee soorten periodiciteit uit fase. En niet zo'n beetje ook. Dat is heel wat meer dan een foutmarge.'

Corso keek naar zijn grafiek. Chaudry had gelijk; hij zag het nu ook. Een elementaire, stomme, onvergeeflijke fout.

Er viel een doodse stilte. 'Ik zie wat u bedoelt,' zei Corso met een brandend gezicht. 'Ik zal de data nogmaals bestuderen om te kijken wat daar aan de hand is. Maar de periodiciteit is een feit. Het kan aan de baan om de planeet liggen.'

Derkweiler deed zijn mond open. 'Doctor Corso, ook als dit alle-maal klopte, wat ik betwijfel, dan nog is dit een irrelevante afwij-king van onze huidige missie. Ik zou liever zien dat u uw energie op de poolgegevens van de sharad richt – ik zit daar al geruime tijd op te wachten.'

'Maar... deze afwijking moeten we toch zeker onderzoeken,' protesteerde Corso zwakjes. 'Dit kan groot gevaar opleveren voor het leven op aarde.'

'Ik weet niet eens óf er wel een afwijking is,' reageerde Chaudry, 'en ik stel géén prijs op paniekzaaierij op basis van dit soort vage gegevens. We moeten hier bijzonder voorzichtig mee zijn.'

'Ook al is er maar een kleine kans op...'

Chaudry onderbrak hem. 'Als je te lang naar ruis blijft kijken, ga je dingen zien die er niet zijn. De menselijke geest probeert vaak patronen te ontdekken waar er geen zijn.' Hij sprak rustig, bijna medelijdend. 'De SHARAD-gegevens, díé zijn belangrijk. Wijlen doctor Freeman heeft zich vergist door zoveel tijd aan de gammastralingsgegevens te besteden. Ik zou niet graag zien dat u dezelfde fout beging.'

Derkweiler richtte zich tot Chaudry. 'Chuck, ik maak die SHARAD-analyse zelf wel af. Morgen voor vijven heb je haar op je bureau. Mijn excuses.'

Chaudry knikte. 'Morgen om vijf uur, prima. Bedankt, Winston.'

Tijdens de rest van de presentaties zat Corso met zijn handen gevouwen en een aandachtige uitdrukking op zijn gezicht te luisteren, maar hij zag en hoorde niets; het voelde aan alsof hij vanbinnen aan het doodgaan was. Zelfs Marjory Leungs geruststellende schouderklopje toen hij opstond om weg te gaan, hielp niet. Hoe had hij zo'n elementaire fout kunnen begaan?

Freeman had gelijk gehad: Chaudry was in wezen even kortzichtig als Derkweiler. Maar maakte dat wat uit? Hij had zich onsterfelijk belachelijk gemaakt.

22

Ford zat in kleermakerszit op de grond. Hij staarde in het vuur en luisterde naar de geluiden van de oerwoudnacht. Het donkere bos omsloot hen als een druipende kerker.

Khon stak zijn hand uit, tilde het deksel op van de pan die op het vuur stond te koken en roerde met een stok in de inhoud. Met een sceptische stem vroeg hij: 'Zo, en wat nu? Hoe wou jij die mijn opblazen?'

Ford zuchtte en gooide zonder antwoord te geven een tak op het vuur.

'Tijdens het bewind van Pol Pot,' zei Khon, 'zag ik soldaten mijn oom een kogel door het hoofd jagen. Weet je waarin zijn misdaad bestond? Hij bezat een kookpot.'

'Waarom was dat zo'n doodzonde?'

'Dat is de Rode Khmer. Zo denken ze. Het feit dat hij een kookpot bezat, betekende dat hij niet meedeed aan het collectieve denken, in de geest van het communisme. Het maakte niet uit dat hij een kind van vijf jaar had dat aan het doodhongeren was. Dus schoten ze eerst voor zijn ogen zijn kind neer en daarna hem. Tegen dat soort mannen wil jij het opnemen, Wyman.'

Ford brak nog een tak doormidden en gooide de helften in het vuur. 'Vertel eens wat meer over Broer Nummer Zes.'

'Die maakte deel uit van Pol Pots studentenclique in Parijs, in de jaren vijftig. Tijdens het bewind werd hij lid van het Centrale Comité, waar hij de naam Ta Prak aannam.'

'Achtergrond?'

'Intellectueel gezin uit Phnom Penh. Die vuilak heeft zijn eigen familie laten vermoorden: broers, zussen, ouders, grootouders. Daar schepte hij over op, het was een soort eremedaille voor hem, een blijk van de zuiverheid van zijn idealen.'

'Lekker type.'

'Na de dood van Pol Pot in 1998 is hij naar het noorden verdwenen en drugs en edelstenen gaan smokkelen. Zijn "revolutionaire idealen" zijn verwaterd tot pure criminaliteit.'

'En wat is tegenwoordig zijn motivatie?'

'Overleven. Meer niet.'

'Geen geld?'

'Je hebt geld nodig om te overleven. Wat wil die klootzak van een Broer Nummer Zes? Dat zal ik je zeggen: zijn laatste dagen in pais en vree slijten en een natuurlijke dood sterven. Dat is de wens van die massamoordenaar: doodgaan van ouderdom, omringd door zijn kinderen en kleinkinderen. Hij is bijna tachtig, maar hij klampt zich als een jonge man aan het leven vast. Die complete gruwel daar in die vallei, de mijn, die slavenarbeid: het gaat hem er alleen om zich die laatste paar jaren te kunnen permitteren. Want als die ellendeling ook maar even zijn greep verslapt, is hij er geweest. En dat weet hij. Zijn eigen soldaten staan niet eens achter hem.'

'En dan valt er een asteroïde in zijn achtertuin.'

Khon keek hem over het vuur heen aan. 'Asteroïde?'

Ford knikte. 'Die explosie waar de monniken het over hadden, de krater, de platgedrukte bomen, de radioactieve edelstenen: alles wijst op de inslag van een asteroïde.'

Khon schokschouderde en mikte een tak op het vuur. 'Dat lost jouw regering dan maar op.'

'Heb je die kinderen gezien, die bezig waren die stenen te sorteren? Die gaan eraan. Als we de mijn niet vernietigen, gaan ze eraan.'

Na een korte stilte rommelde Khon even in zijn rugzak en haalde er een halveliterfles uit. 'Johnnie Walker Black Label,' zei hij. 'Wordt je hoofd weer helder van.' Hij wierp Ford de fles toe.

Ford draaide de schroefdop eraf en hief de fles. 'Proost.' Hij nam een slok, en nog een, en gaf hem terug. Khon bediende zich en zette de fles tussen hen in. Hij tilde het deksel van de rijstpan op, knikte, nam de pan van het vuur en schepte de dampende rijst op metalen borden.

Ford pakte het zijne aan en zwijgend aten ze, terwijl het vuur doofde tot een hoop kolen en as.

Zijn laatste dagen in pais en vree slijten en een natuurlijke dood sterven. Als dat het enige verlangen was van Broer Nummer Zes, zou het misschien niet eens zo moeilijk zijn met hem af te rekenen.

'Khon, ik krijg een idee.'

23

Randall Worth meerde zijn boot af bij een in onbruik geraakte oude steiger van Harbor Island en doofde zijn lichten. De meisjes hadden het eiland van de kolonel met grote haast verlaten en hielden zich nu schuil in een inham van Otter Island. Daar zouden ze de rest van de nacht blijven zitten.

Ze leken wel gek om aan land te gaan terwijl de kolonel thuis was – vooral nadat die bejaarde sukkel had ontdekt dat de helft van zijn antiek verdwenen was. Worth lachte astmatisch bij de gedachte aan die oude admiraal die zijn huis kaalgeplukt aantrof, met een grote drol op de vloer. De golven kabbelden tegen de romp, de boot deinde lichtjes. De buiswaterpomp sloeg gonzend aan, en het water klotste naar buiten. Die rotboot lekte met de dag erger.

Worth haalde een Bud uit zijn koelbox, trok het lipje eraf en nam een grote slok. Ze moesten de schat op het spoor zijn, anders hadden ze nooit zo'n risico genomen. Hij kreeg een stijve bij de gedachte wat hij met die twee wijven zou doen, als een piraat, eerst de een en dan de ander. Als hij de schat eenmaal in handen had.

Hij dacht terug aan dat gesprekje op de steiger met Abbey. *Dieper, dieper.* Wat een slet, om dat zomaar te zeggen waar dat kutwijf van een Jackie Spann met haar grote bek bij was. Jackie zou het overal rondvertellen. Hij voelde een razende woede opkomen, als amfetaminewalmen in zijn kop. Hij had de pest aan iedereen. Die klasgenoten die hem op school gepest hadden en hem 'Worthless' hadden genoemd waren nu sportcoach, verzekeringsagent, monteur, visser of boekhouder. Diezelfde eikels, maar nu volwassen. Hij zou ze allemaal te grazen nemen, te beginnen bij Abbey en Jackie, en dan zou hij ze afmaken. Abbey deed hem denken aan zijn moeder, die zich door iedere dronkenlap in de wijde omtrek had laten pakken, kreunend en dreunend, terwijl hij door de papieren muren van de trailer heen alles kon horen. De mooiste dag van zijn leven was geweest toen zij dat koekblik van haar rond een boom gefrommeld had en er in stukjes uit gesneden moest worden.

Hij smeet het bierblikje overboord en maakte met trillende vingers een tweede open. Hij nam een grote slok, en nog een, en had het binnen een minuut leeg, waarna hij het overboord mikte. Hij opende een derde, liet een boer en dronk het leeg. Hij voelde de alcohol door zijn brein kruipen, maar dat hielp niet tegen de beestjes die de speed in zijn hoofd tevoorschijn toverde. Niet tegen dat irritante gevoel van mieren en wormen onder zijn vel. Een ranzige maagzuursmaak borrelde op in zijn strot, en in zijn nek begon een spier te trekken. Een van zijn korsten bloedde weer.

Zijn blik viel op de RG .44 op het dashboard. Hij pakte het wapen en klapte de cilinder open. Misschien moest hij hem eens een paar keer afvuren om te kijken of hij het nog deed. Hij wierp de niet-afgevuurde ronden uit en inspecteerde ze. Ze zagen er wat vlekkerig uit, maar ze waren niet opengegaan. Hij schoof ze naar binnen, sloot de cilinder en ging aan dek staan. Hij haalde een paar maal diep adem en keek om zich heen. Als hij de poen van de schat in handen had, hoefde hij nooit meer iets te maken te hebben met eikels als Doyle. Geen inbraken meer, met het risico van gevangenisstraf. Dan kon hij die pub openen waar hij altijd van gedroomd had, met een breedbeeld-tv, houten lambrisering, een biljarttafel en Engels bier van de tap. In de gevangenis had hij uren in zijn cel zitten nadenken over hoe het er allemaal uit moest zien: het zaagsel op de grond, de geur van bier en friet, de hoefijzervormige eiken bar, de diensters in mini-rok die met hun kontjes draaiend rondliepen.

Een nieuwe rilling over zijn ruggengraat, een onaangenaam krie-belend gevoel, maakte een eind aan zijn dagdroom. Maar hij gaf niet toe aan het gevoel. Straks pas. Híj was de baas, niet de speed.

Waar kon hij eens op schieten? Er was een sikkelvormig maantje opgekomen, en een meter of twintig verderop zag hij een kreeften-boei liggen, deinend op de lichte golfslag. Ooit was hij een behoor-lijke scherpschutter geweest, maar dit wapen was geen cent waard, wist hij, en twintig meter was een hele afstand voor een .44.

Zijn handen waren smerig en hij veegde ze aan zijn hemd af. Hij voelde de ribben uitsteken. Jezus, wat was hij mager aan het wor-den. Weer kreeg hij die kriebelige gewaarwording, alsof er wormen onder zijn huid door kropen.

Met beide handen hief hij de revolver. Hij richtte op de boei, klap-te met zijn duim de hamer weg en vuurde.

Er klonk een oorverdovende knal, en het wapen sloeg terug in zijn handen. Een meter rechts van de boei spoot een waterfontein om-hoog.

'Fuck,' zei Worth hardop. Hij richtte nogmaals, ontspande zich, probeerde de trilling van zijn handen te beheersen en vuurde. Dit-maal spoot links van de boei het water omhoog. Hij wachtte even tot zijn irritatie was weggeëbd en richtte een derde maal. Hij haalde rustig adem, zette zich schrap en haalde langzaam de trekker over. Ditmaal sprong de boei met een knappend geluid het water uit. De stukken piepschuim vlogen in het rond.

Hij liet het wapen zakken, blozend van tevredenheid. Dit moest gevierd worden. Hij tastte rond in de stuurhut, haalde de visspullen weg en pakte zijn pijp en zijn speed. Met bevende handen maakte hij een hit klaar. Als een drenkeling die bovenkomt zoog hij uit alle macht en vulde iedere kwab en cel van zijn longen met de hete rook.

Hij zakte tegen het roer aan en voelde de rush vanuit zijn longen naar zijn reptielenbrein uitstralen, en vandaar naar de hogere hersen-delen. Hij kreunde van genoegen, van pure vreugde, en die hele kut-wereld vervaagde en smolt weg in een zee van geoliede, zorgeloze te-vredenheid.

Abbey liet zich achterovervallen in de canvas-*deckchair* en bleef met haar voeten op de reling naar de hemel liggen kijken. De *Marea* lag voor anker in een diepe inham aan de zuidzijde van Otter Island. De nachthemel was bezaaid met sterren en de Melkweg kromde zich boven hun hoofd. Het water klotste zachtjes tegen de boot en op de grill lag een biefstuk te spetteren.

'Wat doen we nou met de meteoriet?' vroeg Jackie. 'We hebben niet het hele eiland afgezocht. Misschien hebben we de krater over het hoofd gezien.'

'Ik ga niet terug.' Abbey nam een ferme slok uit de enige fles echte wijn die ze gekocht had, een Brunello van Il Marroneto uit 2000. Een schitterende wijn. Ze durfde Jackie niet te zeggen dat ze er bijna honderd dollar voor neergeteld had.

'Geef mij eens een slok.' Jackies stemgeluid werd even onderbroken door de fles. 'Beetje droog voor mij. Mag ik er een cooler doorheen mixen?'

Abbey glimlachte. 'Ga je gang.'

Ze wendde zich weer tot de nachthemel. Telkens wanneer ze daarnaar keek, voelde ze een vreemde euforie, een gevoel dat eigenlijk alleen maar religieus genoemd kon worden. 'Wat is het daar groot hè,' merkte ze op.

'Waar?'

Abbey wees omhoog.

'Ik kan me er niets bij voorstellen.'

'Het menselijk brein kan zich er niets bij voorstellen. De getallen zijn te groot. Het heelal heeft een doorsnede van 156 miljard lichtjaren – en dat is dan alleen nog maar óns deel. Het deel dat we zien kunnen.'

'Hmm.'

'Een paar jaar geleden heeft de Hubble-ruimtetelescoop elf dagen lang naar een leeg stukje nachthemel zitten kijken, niet groter dan een stofspikkel. Nacht na nacht werd ál het licht, hoe vaag ook, van dat stukje hemel verzameld. Als experiment, om te zien wat ze daar zouden vinden. En weet je wat ze zagen?'

'Het linkerneusgat van God?'

Abbey lachte. 'Tienduizend melkwegstelsels. Stelsels die ze nog nooit gezien hadden. Met per stuk zo'n vijfhonderdduizend miljard sterren. En dat was dus één speldenpuntje hemel, willekeurig gekozen.'

'Geloof jij echt dat er ergens anders in het heelal intelligent leven is?'

'Wiskundig gezien moet het wel.'

'En God dan?'

'Als er een God is, een echte God, dan is dat echt niet een of andere lamlul van een Jehova, verzonnen door een stel herdertjes die lagen bij nachte. De God die dit heeft geschapen, zou iets… iets onbegrijpelijk groots zijn.' Abbey nam nog een slok. De wijn begon meer bouquet te krijgen. Daar zou ze echt aan kunnen wennen, aan goede wijn. Misschien moest ze weer gaan studeren en uiteindelijk tóch dokter worden. Bij die gedachte werd ze meteen somber.

'En als we die meteoriet vinden, wat gaan we er dan mee doen?'

'Verkopen. Op eBay. Let op dat je dat vlees niet te lang op het vuur laat liggen.'

Jackie nam de steaks van de barbecue, legde ze op papieren bordjes en gaf er een aan Abbey. Even zaten ze zwijgend te eten.

'Toe nou, Abbey. Hou jezelf niet voor de gek. Denk je nou echt dat we dat ding gaan vinden? Het slaat allemaal nergens op, net als toen we op zoek waren naar die schat van Dixie Bull.'

'Wat is er – vind je het niet leuk?'

Jackie nam een klein slokje wijn met cooler. 'Het enige wat we doen is door de bossen heen jakkeren. En van die achtervolging op Ripp Island kreeg ik echt de zenuwen. Dit is niet het avontuur dat ik verwacht had.'

'We kunnen het nu niet opgeven.'

Jackie schudde haar hoofd. 'Je vader krijgt een rolberoerte als hij ziet dat jij zijn boot gejat hebt.'

'Geléénd.'

'Hij schopt je het huis uit, en dan kun je je studie verder wel op je buik schrijven.'

'Wie zegt dat ik nog aan de studie wil?' riposteerde Abbey boos.

'Doe even normaal, Abbey. Natuurlijk moet jij doorleren. Ik ken niemand die zo slim is als jij.'

'Mijn vader houdt al genoeg van dat soort preken, dus hoef jij niet ook nog eens te beginnen.'

'Er ís geen meteoriet,' zei Jackie uitdagend.

Abbey hield de fles op zijn kop, dronk de laatste teug wijn en kreeg een mond vol depot.

Over het water heen kwam het geluid aanrollen van drie afzonderlijke pistoolschoten. Daarna werd alles weer rustig.

'Zo te horen zijn de boerenkinkels ook weer op pad,' zei Abbey.

24

Toen ze dichter bij de rand van de vallei kwamen merkte Ford dat er in de jungle een vreemde stilte hing. In het bos aan de randen van de platgewalste zone leefde helemaal niets meer. Er dreef een lichte, rokerige nevel tussen de bomen door, met de geur van brandende benzine, dynamiet en rottend mensenvlees. Het werd steeds heter naarmate ze dichter bij de open plek kwamen, en Ford zag de mijn nog niet, maar hoorde al wel de veelzeggende geluiden: het gekletter van ijzer op steen, de brullende soldaten, af en toe een pistoolschot en een kreet.

Het bos werd minder dicht, en een eind verderop schemerde licht. Ze waren bij de open plek aangekomen. Daar lagen honderden bomen op de grond, platgedrukt door de explosie, uiteengescheurd en aan flarden, zonder één blad aan de takken. De zone rond de mijn zelf was een tafereel uit de drukste en diepste krochten van de hel... een wespennest van monsterlijke activiteit.

Ford draaide zich naar Khon om en keek hem nog één keer aan. De Cambodjaan was het sprekend evenbeeld van de mijnwerkers: een smerig gezicht, rafelige kleren, korsten en open wonden die ze met modder en rode kleurstof van boombast op zijn armen hadden aangebracht. Hij was nog steeds dik, maar nu leek dat eerder een gevolg van de ziekte.

'Je ziet er goed uit,' zei Ford op lichte toon.

Op Khons gezicht verscheen een half glimlachje. Ford stak zijn hand uit en greep die van Khon. 'Doe voorzichtig. En... bedankt.'

'Ik heb de Rode Khmer eenmaal overleefd,' zei Khon opgewekt. 'Dan lukt het me dus ook wel een tweede maal.'

Het kleine, bolle mannetje baande zich een weg tussen de omgevallen bomen door naar het schoongevaagde gebied en strompelde op de rij mijnwerkers af. Een soldaat schreeuwde naar hem en duwde hem de lijn in, dreigend met zijn wapen. Khon wankelde als versuft verder en ging in de voortschuifelende massa op.

Ford keek op zijn horloge: nog zes uur, dan zou hij toeslaan.

In de loop van de daaropvolgende paar uren trok Ford in een kring om het kamp heen om te zien hoe het er daar aan toeging. Toen de ochtend vorderde trok hij voorzichtig naar de opening van de vallei om de patrouilles uit de weg te blijven, en vanaf een laag heuveltje observeerde hij het witte huis waar Broer Nummer Zes hof hield. Die had de hele ochtend in een schommelstoel op de veranda zijn pijp zitten roken, terwijl hij het schouwspel in de vallei glimlachend gadesloeg, als een bejaarde grootvader die toekijkt terwijl zijn kleinkinderen in de tuin spelen. Soldaten kwamen en gingen, brachten verslag uit, namen orders in ontvangst en hielden om beurten de wacht. Fords aandacht werd getrokken door een magere, somber ogende man met wallen onder zijn ogen, kromme schouders en een melancholiek gezicht die niet van Broer Zes' zijde leek te wijken. Het leek een soort persoonlijke assistent te zijn; hij boog zich naar zijn superieur over, luisterde en maakte aantekeningen.

Om twaalf uur kwam er een mannelijke bediende in het wit naar buiten om cocktails te presenteren. Ford zag de twee mannen, Zes en zijn adviseur, zitten borrelen en converseren als gasten op een tuinfeest. De tijd verstreek langzaam. Het werd etenstijd bij de mijn, en de armzalige rijen werkers verzamelden zich rond de vuren en ontvingen elk een bal rijst in een bananenblad. Vijf minuten, dan moesten ze weer aan het werk.

Terwijl Ford het kamp in de gaten hield, drong het tot hem door dat er een elitegroep bewakers was, in gestreken uniformen gestoken, die de overige soldaten in de gaten hielden. Een twintigtal van hen patrouilleerde rond de buitengrenzen van het kamp, zwaarbewapend met Chinese kalasjnikov-imitaties, granaatwerpers, M16's en lichte mortieren uit de tijd van de Vietnam-oorlog. Bewakers die bewakers bewaakten. Misschien, dacht Ford, was het zoiets als de Tovenaar van Oz: dan hoefde je er maar een paar te doden, of één, en zouden alle anderen meteen in opstand komen.

Precies om één uur kwam Ford overeind uit zijn schuilplaats en liep hij via een open pad op de vallei af, fluitend en met veel lawaai. Toen hij het witte huis tot op een paar honderd meter was genaderd, werd het loof boven zijn hoofd door een geweersalvo versnipperd. Hij liet zich op de grond vallen, en even later kwamen er drie soldaten aanhollen die in een plaatselijke taal tegen hem begonnen te schreeuwen. Een hield er een geweer tegen zijn hoofd terwijl de anderen hardhandig zijn kleding doorzochten. Toen ze merkten dat hij ongewapend was, hesen ze hem overeind, bonden zijn handen achter zijn rug en duwden hem voor zich uit in de richting van het huis. Een paar minuten later stond hij op de veranda, oog in oog met Broer Nummer Zes.

Als die al verbaasd was hem te zien, liet hij dat niet blijken. Hij stond op uit zijn schommelstoel en slenterde op Ford af. Hij nam hem van top tot teen op, alsof Ford een interessante sculptuur was, zijn vogelkopje knikte op en neer. Op zijn beurt nam Ford zijn cipier op. Die ging gekleed als een Franse koloniaal ambtenaar, met een geborduurd witzijden overhemd, een kakibroek, zwarte kniekousen en molières. Hij rookte latakia in een dure Engelse Comoy-pijp en blies geurige blauwe rookwolken uit. Hij had een fijn, bijna vrouwelijk gezicht met een rimpelig litteken boven de linkerwenkbrauw. Terwijl hij om Ford heen liep, smakte hij met zijn rode, meisjesachtige lippen. Zijn witte haar was achterovergekamd met een lik Vitalis.

Toen de inspectie voltooid was, liep Six naar een staander van de veranda, klopte de opgerookte tabak uit zijn pijp, krabde hem leeg, leunde tegen de paal aan, stopte de pijp weer en stak hem aan. Het hele proces nam vijf lange minuten in beslag.

'*Tu parles français?*' vroeg hij uiteindelijk. Zijn stem klonk onverwacht jong, boterzacht, en hij sprak een beschaafd soort Frans.

'*Oui, mais je préfère parler* English.'

Een glimlach. 'U hebt geen papier op zak.' Zijn Engels was veel primitiever, met een nasaal Khmer-accent.

Ford zei niets. In de deuropening van het huis verscheen de gekromde gestalte, de adviseur die Ford al eerder gezien had. Hij was gekleed in een loszittend safaripak, zijn dunne grijze haar hing slap over zijn voorhoofd en hij had donkere kringen onder zijn ogen. Hij moest een jaar of vijftig oud zijn.

In standaard-Khmer zei Zes tegen de nieuwkomer: 'We hebben een Amerikaan gevonden, Tuk.'

Tuk tuurde Ford met half geloken, slaperige ogen aan.

'Uw naam?' informeerde Zes.

'Wyman Ford.'

'Wat doet u hier, Wyman Ford?'

'Ik ben op zoek naar u.'

'Waarom?'

'Omdat ik u wil spreken.'

Zes haalde een mes uit zijn zak en zei rustig: 'Eerst snijd ik u een testikel af. Dan praten we.'

Tuk hief een kalmerende hand en vroeg in aanzienlijk beter Engels, met een Brits accent: 'Waar precies in Amerika komt u vandaan?' De ogen met de zware oogleden vielen dicht, bleven even dicht en gingen weer open.

'Washington, D.C.'

Zes gebaarde even met het mes naar Tuk en zei in het Khmer: 'Je verdoet je tijd. Ik zal hem even bewerken met het mes.'

Tuk negeerde hem en vroeg: 'Dus u bent van de regering?'

'Goed geraden.'

'Wie wilt u hier spreken?'

'Hem. Broer Nummer Zes.'

Er viel een plotselinge, ijskoude stilte. Even later zwaaide Zes met het mes vlak voor zijn gezicht. 'Waarom wilt u mij spreken?'

'Om uw overgave te accepteren.'

'Overgave?' Zes duwde zijn gezicht tegen dat van Ford aan. 'Aan wie?'

Ford keek omhoog. 'Aan hen.'

Beide mannen keken naar het lege uitspansel.

'U hebt...' – met een glimlach keek Ford op zijn horloge – 'zowat honderdtwintig minuten voordat de gevechtsvliegtuigen en kruisraketten arriveren.'

Zes staarde hem sprakeloos aan.

'Wilt u de voorwaarden horen?' vroeg Ford.

Zes drukte het plat van het lemmet tegen Fords hals en kantelde het wapen iets. Hij voelde het in zijn vlees bijten. 'Ik snijd je de hals af!'

Tuk legde een lichte hand op Zes' arm. 'Ja,' zei hij alsof er niets aan de hand was. 'Laat maar horen, die voorwaarden.'

Het lemmet werd weggehaald en Zes deed een stap achteruit.

'U hebt twee opties. Optie A: u geeft zich niet over. Dan wordt uw mijn over twee uur platgegooid door kruisraketten en gevechtsvliegtuigen. Daarna komt de CIA de zaak opruimen – ú opruimen. Misschien komt u daarbij om, misschien ontsnapt u. Hoe dan ook, de CIA blijft dan tot het eind van uw dagen achter u aan zitten. Dat wordt géén rustige oude dag.'

Een pauze.

'Optie B: U geeft zich aan mij over en u gaat ervandoor. Over twee uur wordt de zaak platgegooid door Amerikaanse bommen. De CIA betaalt u een miljoen dollar voor uw medewerking. Als vriend van de CIA brengt u de rest van uw dagen in pais en vree door. Een rustige, kalme oude dag.'

'Waarom wil CIA die mijn niet?' vroeg Zes. 'Allemaal legaal.'

'Weet u niet wie die stenen van u opkoopt?'

'Ik verkoop stenen aan Thailand, allemaal legaal.'

Tuk knikte langzaam, als instemmend, met half geloken ogen.

'Aha. Allemaal legaal. U verkoopt mellieten aan groothandelaars als Piyamanee Limited.'

'Allemaal legaal!' zei Zes.

'Weet u aan wie die groothandelaars in Bangkok hun spullen doorverkopen?'

'Wat maakt mij uit? Ik breek niet wet.'

'Het feit dat u niet zelf de wetten overtreedt, wil nog niet zeggen dat wij hier niet van balen.'

Zes viel stil.

'Ik zal u eens iets zeggen,' ging Ford verder. 'De groothandel in Bangkok verkoopt uw stenen aan handelaars in diverse landen in het Midden-Oosten, die samen een schild vormen voor een handelaar in Saoedi-Arabië die op zijn beurt doorverkoopt naar Quetta, in Pakistan, waar de stenen met muilezels worden vervoerd naar Al Qaida in Zuid-Waziristan. En weet u wat Al Qaida ermee doet?'

Zes keek hem vragend aan. Dit was duidelijk een nieuwe gedachte voor hem.

'Al Qaida vermaalt de stenen zodat de radioactiviteit geconcentreerd wordt, en met dat poeder maken ze dan stralingsbommen.'

'Ik weet niks. Niks!' riep Zes boos en met schelle stem.

Ford glimlachte. 'Dat zal best. Dat zei sergeant Schultz ook.'

'Wie is dat, sergeant Schultz?'

Ford wachtte en liet de stilte even hangen. 'Dus wat wordt het: optie A of optie B?'

'U bent man die hierheen komt met stom verhaal, meer niet.' Zes spuwde op de grond.

'Bedenk zelf eens, Broer Nummer Zes: zou ik hierheen komen zonder rugdekking?'

'U brengt geen bewijs mee, niet eens papieren!'

'Bewijs, wilt u?'

Zes kneep zijn ogen samen.

Ford knikte naar de heuvels. 'Ik zal u iets laten zien. Bewijs. Ik zal een gevechtsvliegtuig verordonneren om een raket af te vuren op een van die heuvels daar. Bent u dan tevreden?'

Zes slikte moeizaam; zijn grote, lelijke adamsappel wipte op en neer. Hij zei niets. Tuks ogen bleven geloken.

'Maak mijn handen los,' zei Ford.

Zes mompelde een bevel en Fords handen werden losgemaakt.

'Doe dat mes weg.'

De Cambodjaan stopte het mes in de schede.

Ford wees naar het westen. 'Ziet u die heuvel daar, in de verte? Die treffen we, met een kleine raket.'

'Hoe geeft u die order?'

Ford glimlachte. Hij wist dat de meeste Cambodjanen van een zekere leeftijd een bijna bovennatuurlijke angst koesterden voor de CIA, en hij hoopte van die angst gebruik te maken. 'Daar hebben wij zo onze manieren voor.'

Het zweet was Zes uitgebroken.

'Binnen een halfuur hebt u uw bewijs. Intussen wens ik te worden behandeld als een geëerde gast, niet als een misdadiger.' Hij gebaarde naar de mannen met de geweren.

Zes zei iets, en de wapens werden weggenomen.

'Er hangt hier heel wat apparatuur boven uw hoofd die u niet zien kunt. Als u mij ook maar een haar krenkt, regent het dood en verderf, en wel zo snel dat u niet eens meer kunt gaan pissen.'

Zes' gezicht stond onbewogen. Hij bukte zich over de reling en spuwde op de veranda. 'U hebt halfuur. Dan bent u dood.' Hij schuifelde terug naar zijn schommelstoel, ging zitten en begon te schommelen.

25

Egg Rock was wel zo'n beetje het meest troosteloze eiland dat Abbey ooit gezien had, amper meer dan een hoop door de zee gebeukte rotsen in de Atlantische Oceaan. Binnen vijf minuten hadden ze vastgesteld dat er op het eiland geen krater te bekennen was. Nadat ze somber wat hadden rondgelopen gingen ze zitten op de hoogste punt van het eiland, een groot uitstekend rotsblok. Boven hun hoofd cirkelden de meeuwen en slaakten ze hun melancholieke kreten. De oceaan daverde tegen de omringende rotsen aan.

'En?' zei Jackie, die naast haar zat. 'Dat was dus verloren moeite.'

Abbey slikte moeizaam. 'We hebben Shark nog niet gehad.'

'Ja hoor.'

'Er komt mist opzetten,' zei Abbey. De nevelbanken kwamen vanuit het zuiden aanrollen: een lage, grijze streep aan de horizon. Voor haar ogen begon de mist Monhegan Island op te slokken. Het eiland kleurde grijs en was even later verdwenen, meteen gevolgd door het kleinere eiland ernaast, Manana. Om de paar seconden hoorde ze het eenzame kreunen van de brulboei van Manana Island.

Haar blik dwaalde over het water naar Shark Island, een spikkel land een kilometer of twaalf voor de kust, nog geen halve hectare groot, zonder bomen en volslagen kaal. Dat was het laatste eiland op hun lijst. Als de meteoriet daar ook niet lag... Ze mikte een steentje weg en dacht somber na over de kans dat ze op Shark een krater zouden aantreffen. De wolken boven haar hoofd begonnen samen te trekken en er viel een schaduw over hen heen. Het licht trok de hemel uit en ze werden in een kille zeewiergeur gewikkeld.

'Regen op komst,' zei Jackie. 'Kom op, we gaan terug naar de boot.'

Abbey knikte. Voorzichtig liepen ze tussen de rotsen en het drijfhout door naar de sloep en voeren de lichte branding in. De oceaan was kalm en leek tot rust te komen, zoals vaak het geval was bij mist. Abbey roeide uit alle macht terug naar de *Marea*, en even later klommen ze via de achtersteven aan boord. In de stuurhut nam Abbey een mentale checklist door: brandstof, accu, buiswater. Ze startte de motor en de Yanmar kwam al rochelend tot leven. Net toen ze de elektronische apparatuur inschakelde, kwam Jackie binnen.

'Laten we ergens een rustig plekje vinden, voor anker gaan en stoned worden.'

'We gaan naar Shark Island.'

Jackie kreunde. 'O nee, niet in die mist. Ik heb nog koppijn van de wijn van gisteravond.'

'Je knapt wel op van een beetje frisse lucht.' Met gekromde rug zat Abbey over de kaart gebogen. Shark Island lag meer dan twaalf kilometer buiten de kust, omringd door zandbanken en riffen, en was omgeven door gevaarlijke stromingen. Het zou niet meevallen om daar te komen. Ze stemde de radio af op de weerzender en de eigenaardig vlakke computerstem begon de weersverwachting voor te lezen.

'Laten we hier nou even blijven, gewoon tot die mist optrekt,' zei Jackie.

'Dit is onze kans. De zee is nu rustig.'

'Maar die mist dan.'

'We hebben radar en een kaartplotter.'

Terwijl de mistbank op hen af rolde viel er een griezelig soort schemering over de zee heen.

Jackie liet zich op de stoel naast het roer vallen. 'Toe nou, Abbey, we kunnen hier toch wel even blijven chillen? Ik heb een kater.'

'Zwaar weer op til. Als we niet nú profiteren van die rustige zee, moeten we misschien dagen wachten. Luister: als we eenmaal aan land zijn, hebben we dat gat binnen vijf minuten verkend.'

'Nee. Alsjeblieft niet.'

Abbey legde een hand op de schouder van haar vriendin. 'Jackie, de meteoriet ligt te wachten.'

Jackie snoof laatdunkend.

'Licht het anker, eerste stuurvrouw.'

Terwijl Jackie naar de boeg strompelde, werd de boot opgeslokt door de mist en slonk de wereld tot een paar meter grijze schemering.

Jackie hees het anker op zijn plek en ramde de pin op zijn plaats. 'Je begint echt een soort tiran te worden, wist je dat?'

Met haar blik op de kaartplotter gevestigd zette Abbey de boot in zijn vooruit en richtte de boeg van de *Marea* op Shark Island. 'EBay, we komen eraan.'

26

De minuten verstreken, en Ford zat op de veranda te wachten. De soldaten stonden met hun wapens in de aanslag klaar. Zes zat in zijn schommelstoel de vallei in te kijken. Zacht knersend schommelde hij heen en weer, heen en weer. De lucht was doods en bloedheet, ook in de schaduw. Vanuit de mijn steeg een kakofonie van geluiden op. Haperende rijen mijnwerkers zwoegden in een eindeloze kring van afgrijzen, en af en toe beduidde een enkel pistoolschot het plompverloren einde van een zoveelste leven. Op de steenhoop krioelde het van de kinderen, en rook van de kookvuren rees naar de withete hemel op. Tuk stond roerloos, zijn ogen gesloten, alsof hij sliep. De soldaten wiebelden nerveus van het ene op het andere been en wierpen van tijd tot tijd een blik op de hemel of de aangewezen heuveltop.

Het trage schommelen kwam tot stilstand. Zes keek op de zware Rolex aan zijn pols en hief zijn kijker naar de heuvel. 'Veertig minuten. Niets. Ik heb al tien minuten gratis gegeven.'

Ford haalde zijn schouders op.

'We gaan naar binnen,' zei Zes tegen Ford, terwijl hij opstond. 'Koeler.'

De soldaten duwden Ford door het huis heen naar de achterdeur. Achter de keuken was een soort schuurtje aangebouwd, naast een varkenskot. Het vertrek, opgetrokken uit ruwe planken, was leeg, afgezien van een houten tafel en een stoel. Zodra ze binnenkwamen begon het varken buiten te krijsen en te snuiven van verwachting.

Ford zag opgedroogd bloed op de stoel en een paar grote vegen op de vloer, die zo'n beetje met de Franse slag waren opgedweild. In de stinkende hitte gonsde het van de vliegen. Een streep bloed leidde naar een deur in de achterwand, die toegang gaf tot het varkenskot.

De soldaten duwden Ford de stoel in en bonden zijn handen achter zijn rug, aan de stoelpoten vast. Met tape bonden ze zijn enkels aan de stoelpoten, en ze bonden hem rond zijn middel aan de stoel vast met een oude ketting van een kettingzaag. Die werd achter zijn rug met een hangslot vastgemaakt, zo strak dat de zaagtanden in zijn vlees beten.

De soldaten werkten geroutineerd en efficiënt. Tuk kwam de kamer binnen en bleef met zijn lange armen over elkaar geslagen in een hoek staan.

Buiten begonnen de varkens te krijsen.

'Zo, zo,' zei Zes, terwijl hij voor Ford kwam staan. Met een glimlach op zijn lippen haalde hij een oud ka-barmes onder zijn overhemd vandaan. Dat haakte hij onder de bovenste knoop van Fords overhemd, en met een snelle polsbeweging wipte hij de knoop eraf. Hij legde het lemmet onder de volgende knoop, sneed die er af en daarna de volgende, tot het hele hemd openhing.

'Smerige leugenaar,' zei hij.

Het mes sneed de laatste knoop weg en daarna plaatste hij het met de scherpe kant naar buiten gericht onder Fords hemd. Met een snelle haal sneed hij het open. Hij bracht de punt van het mes naar Fords kin, wachtte even en maakte een kleine beweging. Ford voelde iets prikken en daarna bloed op zijn kin, dat op zijn schoot droop.

'Oeps,' zei Zes.

Het mes flitste en maakte een sneetje over Fords borst, flitste nogmaals en bracht een tweede snee aan. Ford verstrakte toen hij het warme bloed over zijn huid voelde lopen. Het mes was uitzonderlijk scherp en tot nu toe voelde hij heel weinig pijn.

'Een x,' zei Zes.

'Jij houdt wel van dit soort dingen, nietwaar?' zei Ford.

Tuk keek vanaf de drempel toe.

De punt van het mes trok een lijn over zijn borst naar zijn buik. De punt haakte zich vast achter de knoop van zijn broek.

Een diepe dreun rolde over de vallei en echode tussen de heuvels. Zes en Tuk verstarden.

'Oeps,' zei Ford.

Zes borg het mes weg en wisselde een snelle blik met Tuk. Zonder enig spoor van haast slenterde de lange man het vertrek uit, naar de veranda. Even later kwam hij terug en knikte tegen Zes. De Cambodjaan blafte een order tegen de soldaten, die Ford losmaakten, hem een lap gaven om zijn wonden droog te vegen en hem door het huis heen naar de veranda brachten. Een slingerende wolk van rook en stof was zich net aan het verspreiden boven de top van een heuvel in de buurt.

'Verkeerde heuvel,' zei Zes, terwijl hij de wolk en de hemel bestudeerde met zijn kijker.

Ford haalde zijn schouders op. 'Die heuvels zien er allemaal hetzelfde uit.'

'Ik zie geen vliegtuig.'

'Natuurlijk zie je geen vliegtuig.'

Ford zag dat Zes, die tot dan toe ongevoelig had geleken voor de hitte, hevig stond te zweten.

'Nu heb je nog zestig minuten; dan wordt dit kamp vernietigd en worden jullie allemaal opgejaagd en afgemaakt als honden. Ik zou maar eens goed nadenken als ik jou was.'

Zes keek hem aan; zijn zwarte varkensoogjes stonden strak en hard. 'Hoe kom ik aan dat miljoen?'

'Pak mijn rugzak.'

Zes riep een bevel en een van de soldaten verdween, om even later terug te komen met Fords rugzak, die ze van hem afgenomen hadden.

'Geef hier,' zei Ford.

Hij pakte de zak aan en haalde er een envelop uit. Die was al opengescheurd en geïnspecteerd. Hij gaf hem aan Zes.

'Wat is dit?'

'Dat is het briefpapier van de Atlantic Vermögensverwaltungsbank in Zwitserland. In de brief staat het nummer van een anonieme bankrekening plus een autorisatiecode. Let op het bedrag: één komma twee miljoen Zwitserse franken, oftewel zowat een miljoen dollar. Met dat geld kun je je ergens op een veilige plek vestigen en de rest van je dagen slijten in comfort en gemak, omringd door je kinderen en kleinkinderen.'

Zes haalde een linnen doek uit zijn zak en veegde er langzaam zijn voorhoofd mee af.

'Het enige wat je hoeft te doen,' zei Ford, 'is deze brief overhandigen, samen met de code die toegang geeft tot het geld. Wie brief en code in handen heeft, krijgt het geld. Is dat duidelijk? Wie dan ook. Maar er is één voorwaarde aan verbonden.'

'En dat is?'

'Als ik niet binnen achtenveertig uur in Siem Reap sta en me meld, dan verdwijnt het geld van de rekening.'

Zes veegde nogmaals zijn voorhoofd af. Ford keek naar Tuk. Die zweette niet, maar stond met gerimpeld voorhoofd naar de rafelige wolk te kijken die in de hemel boven de heuvel aan het oplossen was.

'Dat was een kleine raket,' zei Tuk. 'Misschien moesten we maar eens een mannetje de heuvel op sturen om te kijken.' Met een brede grijns keek hij naar Ford.

Die keek op zijn horloge. 'Moet je doen. Je hebt nog vijftig minuten.'

Tuk keek hem door spleetjes van ogen aan. 'Meer heb ik niet nodig.' Hij draaide zich om en zei in het dialect iets tegen Zes, die in het dialect een bevel blafte tegen een van de soldaten, een kleine, magere knaap van hooguit achttien. De jongen legde zijn geweer neer, nam zijn ammunitieriem af en kleedde zich uit tot op een zwarte pyjamabroek en een loshangend hemd. Zes haalde een 9mm uit zijn riem, controleerde het magazijn en gaf het, samen met een walkietalkie, aan de jongen. Die verdween als een flits de jungle in.

'Over een kwartier bereikt hij de heuvel,' zei Tuk. 'En dan zullen we zien of dat een echte raketaanval was, of dat het nep was.' Hij keek Ford met een glimlach aan, en voor het eerst gingen zijn ogen helemaal open, waardoor hij een komische, verbaasde uitdrukking kreeg die nog angstaanjagender was.

Ze wachtten. Ford was uiterlijk kalm. Kennelijk had Khon geen tijd gehad om de afgesproken heuvel te bereiken. En had hij niet de hand kunnen leggen op een grote hoeveelheid explosieven; het was een nogal bloedeloze explosie geweest.

De spanning op de veranda was te snijden.

'Tien minuten,' merkte Tuk met een valse glimlach op.

Zes trok even met zijn schouders. Zwetend las hij de brief nog eens door, vouwde hem op, stopte hem in de envelop en stak die onder zijn hemd.

'Vijf minuten,' zei Tuk.

Een tweede 'boem!' echode door de vallei, en een vurige wolk rees op boven de bomen van het oerwoud, naar boven uitbollend. Zes trok met trillende handen een walkietalkie uit zijn riem en begon erin te schreeuwen in een poging contact te krijgen met de soldaat. Maar er volgde niets dan ruis. Hij smeet het ding opzij en speurde met zijn kijker de hemel af. 'Ik zie geen vliegtuig!' brulde hij.

Ford bleef naar Tuk kijken. De oude man had zijn aandacht van de heuvel naar Ford verplaatst en stond hem met gisse bruine ogen op te nemen. Een lange, harde blik.

'Degene die die brief overhandigt, wie het ook is, jijzelf of je afgezant,' herhaalde Ford langzaam, 'krijgt het geld.' Bij die woorden keek hij Tuk aan, en hij zag het begrip dagen in de sluwe blik van de man.

Met een soepele beweging haalde Tuk een 9mm-pistool uit zijn riem, richtte op Zes' hoofd en vuurde. Het hoofd van de witharige man schoot opzij; zijn gezicht was een masker van pure verbazing en zijn hersenen spatten met een klap over de verandavloer. Hij zakte ineen en bleef met opengesperde ogen stilliggen.

De soldaten sprongen op alsof ze zelf waren getroffen en richtten met een wilde ruk hun wapens op Tuk. Hun ogen puilden bijna uit hun hoofd.

Rustig zei Tuk in het Khmer: 'Nu heb ik het voor het zeggen. Jullie werken voor mij. Is dat duidelijk? Elk van jullie krijgt een bonus van honderd Amerikaanse dollars voor jullie medewerking. Hier en nu.'

Een vluchtig moment van verwarring, en daarna drukten de soldaten een voor een hun handen tegen elkaar en maakten een buiging in Tuks richting.

De lange Cambodjaan bukte zich, haalde met een snel gebaar de brief uit Zes' overhemd en wist hem nog net te redden voordat de plas bloed over de vloer sijpelde. Hij stak hem in zijn eigen zak en richtte zich met een vage glimlach tot Ford. 'Wat nu?'

'Geef uw soldaten opdracht het kamp te ontruimen. Iedereen moet weg: bewakers, gevangenen, mijnwerkers. Als de CIA merkt dat ze mijnwerkers hebben gebombardeerd die in het kamp waren achtergebleven, wordt er niet uitbetaald. Het bombardement begint over...' Hij keek op zijn horloge. 'Over een halfuur.'

Rustig liep Tuk het huis in en kwam even later terug met een stapel briefjes van twintig dollar, in plastic verpakt. Iedere soldaat kreeg vijf biljetten in zijn hand uitgeteld, en daarna gaf hij elk van hen een extra briefje van twintig met de mededeling dat ze het kamp moesten ontruimen en alle ingezetenen de jungle in moesten drijven; en dat er over een halfuur een Amerikaans bombardement zou beginnen.

Terwijl ze het pad af renden, onderweg in de lucht vurend, stak Tuk zijn hand uit naar Ford. 'Ik heb altijd graag zaken gedaan met de Amerikanen,' zei hij met een halve glimlach.

Het kostte enige inspanning, maar Ford zag kans zijn glimlach te beantwoorden.

27

Abbey keek naar de groene straal op het radarscherm. De *Marea* tufte met een vaartje van vijf knopen door de dichte mist en het condenswater stroomde langs de ruiten van de stuurhut.

'O, mijn arme hoofd,' zei Jackie. 'Ik héb al zo'n pijn. Doe me dit niet aan.'

'We zijn er bijna.'

'Je lijkt kapitein Bligh van de *Bounty* wel. Straks krijg je nog muiterij aan boord.' Jackie wipte de dop van een flesje Tylenol af en schudde er twee pillen uit. Ze opende een blikje bier en nam een slok, waarna ze het Abbey voorhield: 'Om het af te leren?'

Abbey schudde zonder haar blik van de radar af te wenden haar hoofd. 'Daar is die boot weer.'

'Boot? Wat voor boot?'

'Daar.' Ze wees naar een groene stip op het radarscherm, een halve zeemijl achter hen.

'Wat voor boot is dat?'

'Geen idee. Iets kleins. Volgens mij zit hij achter ons aan.'

'Het kan toch best een of andere kreeftenvisser zijn?'

'Wie gaat er nu kreeften vangen met zo'n mist?' Abbey draaide aan de knoppen van de radar. 'Ik zie geen fuck.'

'Zet de motor eens uit,' zei Jackie.

Abbey draaide de contactsleutel om en met gespitste oren bleven ze drijven. 'Hoor je dat?'

'Ja,' zei Jackie.

'Die boot zit al urenlang in ons kielzog.'

'Waarom zou er iemand achter ons aan zitten?'

Abbey startte de motor weer. 'Om de schat te stelen?'

Daar moest Jackie om lachen. 'Misschien was jouw smoes om weg te komen wel té goed.'

Abbey gaf gas en hield haar blik gevestigd op het groene spikkeltje van de boot, om te kijken of die in beweging kwam. Maar dat gebeurde niet: de stip bleef waar hij was.

Ze zette een koers uit naar de lijzijde van Shark Island en voer daar langzaam op af. De verkenning zou niet veel tijd kosten. In feite was het eiland weinig meer dan een boomloze bobbel midden op zee, met een glooiing aan één uiteinde en een steile helling aan het andere, waardoor het er uit de verte uitzag als een haaienvin. Ze had er nog nooit voet aan wal gezet en kende ook niemand die er ooit geweest was. De mist was zo dicht dat Abbey de reling aan de boeg amper zien kon.

'Verdomme, Abbey, denk je echt dat we die meteoriet gaan vinden?'

Abbey haalde haar schouders op.

'In geval van twijfel,' zei Jackie, 'één joint.'

'Nee, dank je.'

Jackie begon een joint te draaien.

'We moeten nog aan het werk,' zei Abbey geërgerd. 'Kun je niet even wachten?'

'Alleen maar werken, nooit eens lol trappen, daar word je een saai mens van.'

Abbey slaakte een zucht en Jackie bleef met de aansteker zitten hannesen, die het in de vochtige lucht niet deed. 'Ik ga naar beneden.'

Ze zaten nu een halve mijl van Shark af. Abbey nam gas terug en hield haar blik op de kaartplotter en de dieptemeter gevestigd. Het hele eiland was omringd door riffen en banken, en nu het laagwater aan het worden was wilde Abbey niet te dichtbij komen. Ze zette de motor in z'n vrij.

'Jackie, laat het anker zakken.'

Met de joint in haar hand kwam Jackie naar boven. Ze keek om zich heen en zei: 'Potdik, zou m'n opa gezegd hebben.' Ze stopte de joint in haar wietblikje, liep naar voren en trok de pin van de ankerketting los. 'Kan-die?'

'Laat maar gaan.'

Jackie schoof het anker overboord en liet het naar de bodem zakken. Abbey zette de motor in zijn achteruit terwijl Jackie de ankerketting liet vieren en vastzette.

Jackie kwam terug. 'En waar is het eiland?'

'Pal naar het zuiden, een meter of tweehonderd. Ik durfde niet dichterbij.'

'Tweehonderd meter? Nou, ik ga niet roeien, hoor.'

'Ik roei wel.'

Abbey gooide een pikhouweel, een schep, een emmer, een rol touw en een rugzak met broodjes en cola in de sloep, samen met de gebruikelijke lucifers, pepperspray, lantaarns en een veldfles met water.

'Wat moeten we met dat houweel en die schep?' wilde Jackie weten.

'De meteoriet móét hier liggen.' Abbey probeerde met overtuiging te spreken, maar ze twijfelde zelf hevig. Wie hield ze nu eigenlijk voor de gek? Zo ging het nou al haar hele leven: de ene stomme inval na de andere.

Zich aan de reling in evenwicht houdend krabbelde Abbey de sloep in en stak de roeispanen in de dollen, terwijl Jackie achterin ging zitten. 'Jij houdt het kompas bij,' zei Abbey.

Jackie duwde af en Abbey begon te roeien. De *Marea* verdween in de mist. Korte tijd later voeren ze langs een rots die als een rotte tand boven water uitstak, met een ring van zeewier eromheen. En nog een, en nog een. De zee steeg en daalde met een vettig geklots. Er stond geen zuchtje wind. Abbey voelde het vocht van de mist in haar haren, op haar gezicht, onder haar kleren.

'Nu snap ik waarom je niet verder wilde met de motorboot,' zei Jackie, terwijl ze om zich heen keek naar de rotsen die uit de mist kwamen opdoemen, sommige bijna twee meter hoog en bijna als menselijke gestalten uit het water oprijzend. 'Griezelig.'

Abbey roeide.

'Misschien zijn wij wel de eersten die ooit op Shark Island aan wal gaan,' merkte Jackie op. 'We moeten een vlag planten.'

Abbey roeide verder. Ze voelde zich steeds somberder worden. Het was zo goed als voorbij. Ze zouden die meteoriet nooit vinden.

'Hé, Abbey, sorry dat ik net zo rot tegen je deed. Al vinden we die meteoriet nooit, we hebben toch een avontuur beleefd.'

Abbey schudde haar hoofd. 'Ik blijf maar denken aan wat je net zei, dat ik mijn leven verkloot heb door van school te gaan. Mijn vader heeft jarenlang gespaard om mij te kunnen laten studeren. En nu woon ik op mijn twintigste nog thuis en ben ik dienster in Damariscotta. Ik heb er niets van gebakken.'

'Hou op, Abbey.'

'Ik heb een studieschuld van achtduizend dollar en mijn vader moet nóg betalen.'

'Achtduizend? Wow. Dat wist ik niet.'

'Mijn vader staat om halfvier op om zijn vallen te zetten, hij werkt zich een ongeluk. Hij heeft me in zijn eentje opgevoed toen mam dood was. En wat doe ik? Ik jat zijn boot. Waarom ben ik zo'n kreng van een dochter?'

'Ouders hóren zich kapot te werken voor hun kinderen. Daar zijn ze voor.' Jackie probeerde te lachen. 'O, we zijn er al.'

Abbey keek over haar schouder. Achter hen rees het donkere silhouet van het eiland op. Er was geen strand, er waren alleen met zeewier overdekte rotsen in de mist.

'Dat redden we niet met droge voeten,' zei Abbey.

De boot stootte tegen de dichtstbijzijnde platte rots aan en Abbey manoeuvreerde er zijdelings omheen, klom eruit en hield zich goed aan de reling vast. De branding wervelde rond haar benen; ze moest zich schrap zetten. Jackie smeet het houweel, de schep en de rugzak aan land en klom er zelf achteraan. Ze trokken de boot op het droge en keken om zich heen.

Het eiland bood een troosteloze aanblik. Een enorme berg granieten rotsblokken rees voor hen op, vol kapotgebeukte boomstammen, restanten van vissersuitrusting, fragmenten van boeien en stukken touw. De rotsen zagen wit van de vogelpoep en boven hen cirkelden onzichtbare vogels die hun verontwaardiging over het ongenode bezoek uitkrijsten.

Abbey nam de rugzak op haar rug. Ze klommen over de puinhelling van drijfhout heen, de rotsen op tot ze eindelijk de rand van een veldje duingras bereikten. Het eiland liep schuin omhoog naar de punt van de rots, waar bovenop een enorm wigvormig granietblok stond, een soort menhir, achtergelaten in de laatste ijstijd. Het gras maakte plaats voor kruisbessenstruiken en door de wind kromgegroeide veenbessen. Toen ze het granietblok gepasseerd waren, keken ze in de richting van het glooiende vlak van het eiland.

Daar bleef Abbey als aan de grond genageld staan. 'O, mijn god.'

Voor haar lag een verse inslagkrater met een doorsnee van anderhalve meter.

28

Ford volgde de soldaten het pad af en trof het mijnkamp aan in een staat van volslagen chaos: stofwolken vlogen in het rond, soldaten sloegen op de vlucht, mijnwerkers liepen geschokt en met verwezen blik rond, niet in staat te bevatten wat er aan de hand was. Anderen, waaronder complete gezinnen, renden, hobbelden of strompelden weg, het bos in, sommigen met hun zieke verwanten op de schouders of tussen zich in.

Ford keek uit naar Khon, en bespeurde na een tijdje de vertrouwde ronde gestalte die met een rugzak in zijn handen vanuit het bos kwam aanhollen. Hijgend en puffend bereikte hij Ford; zijn gezicht droop van het zweet. 'Meneer Mandrake! Goedemiddag.'

'Mooi werk, Khon!' Ford ritste de rugzak open en haalde er een draagbare stralingsmeter uit. Hij zette hem aan en las de gegevens uit. 'Veertig millirem per uur. Niet gek.'

Khon keek naar de bloedvlekken op Fords hemd. 'Wat hebben ze met je gedaan?'

'Je was wel wat aan de late kant met het vuurwerk, vriend. Bijna té laat.'

'Het viel even niet mee om dat dynamiet uit de schuur te stelen. Ik kwam niet verder dan de eerste heuvel.'

'Wat heb je gedaan met de soldaat die de boel kwam inspecteren?'

'Die had ik wel verwacht. Ik heb de lading gehalveerd en een tweede bom als boobytrap geplaatst. Arme donder.'

'Slim.' Ford haalde een digitale camera en een gps uit de rugzak. Die laatste wierp hij Khon toe. 'Markeer jij de plekken, dan maak ik een paar foto's.'

'Prima, chef.'

Ford liep naar de opening van de mijnschacht toe, de stralingsmeter voor zich uit houdend. Het was duidelijk een inslagkrater, met lagen puin die in een cirkelvormig patroon uitwaaierden, allemaal inslag- of impactbreccië en stralenkalk.

'Tachtig millirem,' zei Ford. 'Het is hier nog behoorlijk laag. We kunnen hier een uur rondlopen voordat we ons zorgen moeten gaan maken.'

Behoedzaam tuurde hij de put in. De kraterwand liep steeds steiler naar binnen en eindigde als een verticale schacht met een doorsnee van zo'n drie meter en wanden die nog het meest weg hadden van gesmolten glas. Langs de wanden hingen lange snoeren met lampen, en vier bamboeladders leidden de diepte in, naar wat zo te zien een ertslaag met edelgesteente was. De generator die het geheel van elektriciteit voorzag stond nog in een schuurtje even verderop te stampen. Boven de put was van bamboe een enorme stellage met een katrol gebouwd, waarmee een net met gereedschap en apparatuur omhoog en omlaag kon worden getakeld.

Volslagen verbijsterd staarde Ford het gat in. Het was een onvoorstelbaar diepe krater, bodemloos leek het wel, alsof datgene wat de inslag veroorzaakt had eindeloos was doorgegaan. Hij nam een paar foto's van de schacht en maakte vervolgens een panoramische reeks in een kring van driehonderdzestig graden. Met vaste tussenpozen nam hij de stand van de stralingsmeter op.

Even later kwam Khon terug met de gps. 'Klaar.'

Het kamp was nu vrijwel verlaten, op de lijken die hier en daar op de grond lagen na.

'Laten we de boel hier platgooien voordat onze vrienden doorkrijgen dat ze belazerd zijn,' zei Ford. 'Want als we dat niet doen, komen ze terug. En dan begint dit hier weer van voren af aan.' Hij voelde zich ziek van woede bij de aanblik van de vele lijken. Sommigen waren nog niet helemaal dood en probeerden weg te kruipen.

Ford en Khon ramden de deur van de dynamietschuur open en laadden kratten vol dynamiet op de achtergelaten wagen met de muilezels, samen met ontstekingsmechanismen, timers en kabels. Ze zeulden het dynamiet naar de mijn en stapelden de kratten in het net, dat ze op de grond uitgespreid hadden. Ieder krat werd voorzien van een ontstekingsmechanisme, en met kabels werd alles vastgemaakt aan een timer en een back-uptimer.

Ford stelde de tijd in. 'Dertig minuten.'

Met de elektrische katrol hesen ze het net van de grond, brachten het boven de opening van de mijnput en lieten het een meter of dertig zakken, waarbij ze de dynamietkabels voorzichtig lieten vieren. De geïmproviseerde bom zetten ze op het bamboeplateau. Ford schakelde de motor uit door de bediening met een metalen staaf kapot te rammen en een stel kabels los te trekken.

'Vijfentwintig minuten,' zei Ford met een blik op zijn horloge. 'Wegwezen.'

Op een drafje liepen ze de jungle in en zonder vaart te minderen bereikten ze even later het pad waarlangs ze gekomen waren. Onderweg passeerden ze voortstrompelende groepjes Cambodjanen. Niemand schonk hun ook maar enige aandacht. De soldaten waren spoorloos verdwenen.

'Nog even,' zei Ford, met een bijna ondraaglijke knoop in zijn maag. Nooit van zijn leven had hij een erger tafereel aanschouwd van menselijke ellende, helse wreedheid en uitbuiting. Wat was dat voor nationale trek waardoor een vriendelijk, mild en attent volk als de Cambodjanen, zo sterk in het boeddhistische geloof, tot dergelijke diepten kon afdalen.

Op een rotsblok in de droge rivierbedding bleven ze even uitrusten. De explosie kwam precies op het geplande tijdstip.

29

Randall Worth schakelde zijn motor uit en bleef in de mist dobberen. Hij keek naar zijn radar. Die heldere vlek op zijn scherm, een paar honderd meter naar het zuiden, moest de *Marea* zijn. Daarachter lag een grotere groene vlek: dat was Shark Island.

Shark Island. Acht mijl voor de kust, geen haven, omringd door riffen zodat je er onmogelijk aan land kon, behalve als het doodstil was. Hét ideale schateiland. Waarom was hij daar niet zelf opgekomen?

Hij liet het anker zakken, voorzichtig dat hij de ketting niet liet ratelen. Toen het anker op de zeebodem lag begon hij zijn rugzak in te pakken. Een gereedschapskist verdween erin, met een kabelschaar, een rol touw, tape, een mes, de RG .44 Mag en een doos Winchesterhollepuntkogels.

Daarna ging hij zitten wachten, luisterend naar de geluiden van de mist. Hij lag zo'n vierhonderd meter voor het eiland, en de mist dempte alle geluiden. Hij hoorde niets. Hij voelde zijn hart bonzen en probeerde dat kriebelende gevoel onder zijn huid te negeren, dat gevoel alsof er insecten rondkropen dat een gevolg was van de speed. Niet nu. Straks misschien. Nu moest hij zijn kop erbij houden.

En plotseling hoorde hij iets: een vage kreet. Hij leunde voorover. De kreet werd gevolgd door een reeks zachte, maar onmiskenbare vreugdekreten. Ze stonden te juichen!

Met bonzend hart zat hij recht overeind. Dat waren kreten van triomf. Ze hadden hem gevonden. Stelletje kutwijven. Ongelooflijk. Hij greep de rugzak, smeet die in de sloep, sprong erachteraan, duwde zich af en begon uit alle macht naar de *Marea* te roeien. Er stond bijna geen zee, en die mist was een meevaller.

Na een paar minuten doemde het silhouet van de *Marea* uit zee op. Hij hief zijn spanen uit het water en bleef met gespitste oren zitten luisteren. Nu hij dichter bij het eiland was, hoorde hij de stemmen duidelijker door de lucht drijven: opgewonden gepraat, de onmiskenbare geluiden van graven, het gerinkel van een spade en een pikhouweel op steen. Hij voer naar de achtersteven van de *Marea*, bond zijn jol vast, hees zijn rugzak op zijn rug en sprong aan boord.

Toen hij eenmaal in de stuurhut stond deed Worth zijn uiterste best om rustig adem te halen en het beven van zijn handen te beheersen. Hij was echt een wrak aan het worden van die speed, hij stond zo strak als een veer. Hij zou hier en nu zijn slag slaan en daarna was het afgelopen. Dan had hij niets meer nodig. Hij hoorde zijn hart bonzen, voelde het bloed door zijn oren suizen. Op het dashboard van de stuurhut stond een fles Jim Beam. Die greep hij, en hij nam een flinke slok. En nog een. Langzaam kwam hij tot rust.

Geconcentreerd controleerde hij de schakelaar van de accu – die stond uit. Hij haalde de gereedschapskist uit zijn rugzak, pakte zijn schroevendraaier en schroefde het elektrische paneel los. Hij zette het weg en zag een massa draden lopen, allemaal keurig van kleurcode voorzien en gebundeld. Hij wist exact wat hem te doen stond.

30

Tegen drie uur die middag kon Mark Corso eindelijk opgelucht ademhalen. Toen hij die ochtend op kantoor gekomen was, de dag na de rampzalige stafbespreking, had hij tot zijn opluchting geen ontslagbrief op zijn bureau gevonden. De hele dag had hij als een gek aan de SHARAD-gegevens zitten werken, en nu was de klus geklaard.

En het resultaat mocht er wezen, al zei hij het zelf: de grafieken en alles keurig achter elkaar gezet, gebonden, in een omslag en die weer in een stofomslag, de illustraties helder en scherp, ontdaan van ruis en digitaal bewerkt.

Er was geen akelig bezoekje geweest van Derkweiler, geen memo of telefoontje als waarschuwing. Hij had zijn baas de hele dag niet gezien. Hij had een fout gemaakt met de periodiciteit, maar hij wist zeker dat hij met de gammastralingsgegevens geen fout had gemaakt. Die gegevens waren echt, daar was hij zeker van, en heel misschien zou Chaudry erover nadenken en beseffen dat deze toestand de moeite waard was om te onderzoeken.

Mark Corso stak het pakket onder zijn arm, slikte moeizaam en liep de gang in op weg naar Derkweilers kantoor. Hij klopte snel aan, hoorde 'Binnen', en duwde ietwat nerveus de deur open. Daar zat Derkweiler achter zijn bureau, met de halvemanen van beginnende zweetkringen onder zijn oksels. 'Aha. Corso.'

'Ik kom de SHARAD-gegevens brengen,' zei Corso, met alle koele waardigheid die hij kon opbrengen. Hij klopte op de map onder zijn arm en slikte even voordat hij een drietal ingestudeerde zinnen uitsprak: 'Ik bied mijn verontschuldigingen aan voor de presentatie van gisteren. Ik had me laten meeslepen door de gammagegevens. Ik verzeker u dat het niet nogmaals zal gebeuren.'

Derkweiler zat hem indringend aan te kijken. Niet met een echt starende blik, maar wel star, met roodomrande ogen. Zo te zien moest hij de hele nacht opgebleven zijn.

'Meneer Corso... nou, het spijt me dat ik dit moet zeggen.' Met een zucht legde Derkweiler zijn handen op het bureau. 'Gisteren heb ik de administratieve voorbereidingen getroffen voor... een einde aan uw arbeidsovereenkomst. Het spijt me bijzonder.'

Corso was met stomheid geslagen.

'Wij zijn een semi-overheidsinstelling en daarom duurt het even voordat de ontslagprocedure de hele molen door gegaan is. Het spijt me dat u moest wachten. Maar volgens mij weten we allebei dat dit niets worden kan.' Hij bleef Corso strak en koeltjes aankijken.

'Maar doctor Chaudry...?'

'Doctor Chaudry en ik zijn het hier volledig over eens.'

Corso probeerde nog eens te slikken. Hij leek zichzelf niet in beweging te kunnen krijgen. Hij leek de blikken man uit het land van Oz wel: helemaal stram en bewegingloos.

'Nou,' zei Derkweiler, en hij klopte op de tafel. 'Dat is het dan. Je hebt tot het eind van de dag. Het spijt me vreselijk, maar het lijkt me het beste.'

'Maar... wilt u die SHARAD-gegevens nog hebben?' vroeg Corso. Meteen besefte hij hoe idioot dat klonk.

Er streek een zweem van ergernis over Derkweilers gezicht. Hij stak zijn hand uit en pakte de map aan. 'Dan heb je kennelijk niet gehoord wat ik op de vergadering zei: dat ik die gegevens zelf wel zal analyseren. Daar ben ik de hele nacht mee bezig geweest.' Hij strekte zijn arm uit naar de prullenbak en liet de map erin vallen. 'Nu hoef ik ze niet meer.'

Corso voelde een dieprode blos opkomen bij die volslagen overbodige geste. Derkweiler bleef hem aanstaren. 'Verder nog iets, of zijn we uitgesproken?'

Corso draaide zich stijfjes om en liep het kantoor uit.

'Doe je de deur achter je dicht?'

Corso trok de deur dicht en bleef in de gang trillend staan. Zijn schok en ongeloof veranderden in een gevoel van fysiek onbehagen en vervolgens in woede. Dit kón niet. Dit was niet eerlijk. Zijn werk in de prullenbak gooien... dat was nergens voor nodig geweest. Dat mocht hij niet laten gebeuren.

Hij draaide zich om en opende nogmaals de deur – en betrapte Derkweiler op heterdaad terwijl die over de prullenbak gebogen zijn map tussen het afval vandaan viste.

Dat was de druppel die de emmer deed overlopen. Corso merkte dat zijn mond openging en dat de woorden naar buiten stroomden alsof iemand anders aan het woord was. 'Wat zie ik daar, ranzige vetklep?'

'Pardon?'

'Moet ik het nog een keer zeggen?' Wie sprak die woorden? Waar kwamen die vandaan? Nooit in zijn leven was Corso zó kwaad geweest.

Derkweiler liep rood aan en liet de map weer in de prullenbak vallen. Daarna leunde hij achterover en vouwde zijn handen achter zijn hoofd, zodat Corso uitzicht kreeg op vochtplekken onder zijn oksels. 'Een knallend afscheid, zie ik. Verder nog iets?'

'Inderdaad, ja. Ik sta ervan te kijken iemand als jou bij NPF aan te treffen, en dan nog wel in een hoge positie. Jij bent de vleesgeworden middelmaat. Jij én Chaudry. Ik heb bewijs geleverd dat er iets gevaarlijks, misschien zelfs iets catastrofaals, aan het gebeuren is op of in de buurt van Mars. Die gegevens heb ik je op een presenteerblaadje aangeboden en je ziet het niet eens. Je bent geen haar beter dan de inquisitie die Galilei levenslang gaf.'

'Aha, dus jij kunt je met Galilei meten?' Derkweilers gezicht werd doorkliefd door een kille, harde glimlach die even snel weer verdween. 'Nou, Corso, nu je je hart gelucht hebt, verzoek ik je linea recta naar je kantoor te gaan en daar te blijven. Je hebt een kwartier om je bureau leeg te ruimen. Daarna komt Bewaking om je naar buiten te begeleiden. Duidelijk?'

Hij draaide zich om in zijn stoel, draaide Corso zijn brede rug toe en begon op zijn toetsenbord te rammelen.

Een kwartier later verliet Corso de NPF via de hoofdingang, geflankeerd door twee bewakers. Hij had een kartonnen doosje bij zich met daarin zijn schamele bezittingen: zijn ingelijste diploma's van Brown en het MIT, een geode die als presse-papier dienstdeed en een foto van zijn moeder.

Toen hij het hete zonlicht in stapte en door de zee van glimmende auto's op het enorme parkeerterrein liep, kreeg Mark Corso plotseling een geniale inval. Hij bleef staan en liet bijna zijn bezittingen vallen. Hij herinnerde zich een klein, ogenschijnlijk onbelangrijk feitje: Deimos, een van de Marsmaantjes, draaide in een baan van dertig uur om de planeet heen. Dat verklaarde de abnormale periodiciteit.

De bron van de gammastraling lag niet op Mars, maar op Deimos.

31

Terwijl de mist langzaam overging in miezerregen, veegde Abbey als een razende rotsen en stenen weg van de krater, wrikte ze los met het houweel en smeet ze over de rand. De meteoriet had zich door bijna een halve meter aarde in de rotsbedding daaronder geboord, onderweg zand uitspuwend en een massa steenslag en modder achterlatend. Het verbaasde haar hoe klein de krater was: maar een meter diep en anderhalve meter in doorsnee. Het miezerde nu onophoudelijk en de bodem van de krater veranderde in een omgewoelde massa, een grote plas blubber vermengd met steenbrokken.

Abbey wrikte een groot stuk los en rolde het naar de rand van de krater, waarna Jackie het greep en wegsleepte.

'Er liggen hier heel wat rotsen,' zei Jackie. 'Hoe weten we welke de meteoriet is?'

'We herkennen hem meteen. Hij ziet er anders uit, want hij is van metaal gemaakt: nikkelijzer.'

'En als hij te zwaar is om te tillen?'

Abbey wrikte nog een steen uit de bodem los, tilde hem op en smeet hem over de rand. 'We verzinnen wel iets. Volgens de krant was hij zo'n vijfenveertig kilo.'

'Volgens de krant was hij misschien *niet zwaarder dan* vijfenveertig kilo.'

'Hoe groter hoe beter.' Abbey ruimde nog wat kleinere stenen weg en gooide een paar scheppen vol vette modder weg. Het hield nu op met zachtjes regenen. Ondanks haar regenjack was ze algauw doorweekt. De kille modder bleef over de rand van haar laarzen heen klotsen tot haar voeten bij iedere beweging door een laag blubber sopten.

'Haal jij de emmer en het touw even uit de sloep?'

Jackie verdween de mist in en kwam vijf minuten later terug. Abbey bond het touw aan het handvat en schepte de modder op, waarna Jackie de emmer omhoogzeulde en leegkiepte. En nog eens, en nog eens.

Grommend van inspanning hees Abbey een zoveelste emmer modder omhoog. Ze pakte de schep en stak die tastend de modder in; de punt ketste op het gesteente af. 'Dat is de bedding, hier zo.' Ze stak de schep nog eens de grond in. 'Hij moet hier liggen, midden tussen die kapotgeslagen rotsen.'

'En hoe groot is hij?'

Abbey dacht even na en maakte een hoofdrekensommetje. Wat was ook weer het soortelijk gewicht van ijzer? Zeven komma nog wat. 'Een meteoriet van vijfenveertig kilo,' zei ze, 'moet een doorsnede hebben van zo'n vijfentwintig, dertig centimeter.'

'Meer niet?'

'Dat is groot zat.' Abbey stak de punt van het houweel tussen twee rotsbrokken in en wrikte ze met een zuigend moddergeluid los om ze de helling op te worstelen. Ze zat onder de modder en de regen sijpelde langs haar nek onder haar kleren, maar het kon haar niets schelen. Ze stond op het punt de ontdekking van haar leven te doen.

Randy Worth schroefde het motorpaneel van de *Marea* weer op zijn plaats en veegde zijn vettige vingerafdrukken weg. Hij deed een stap opzij en scheen met zijn lantaarn in de motorbehuizing. Alles zag er normaal uit, er was geen spoor te bekennen van zijn bezigheden. Hij plaatste het luik terug en draaide de klemmen ervoor. Ook hier veegde hij zijn vette vingersporen weg.

Het gereedschap verdween weer in de rugzak, die hij dichtritste en over zijn schouder slingerde. Hij stond op en keek om zich heen, en controleerde of echt niets verried dat hij daar geweest was. Alles was schoon. Hij controleerde de motorinstellingen, de zekeringen en de meter van de accu om te zien of die weer in dezelfde stand stonden.

Gebukt liep hij de stuurhut uit en bleef even staan luisteren naar de geluiden van het eiland. De regen dreunde nu op het dak en veranderde de gladde zeespiegel in een pokdalig landschap, maar daarbovenuit hoorde hij de geluiden van graven, het rinkelen van metaal op steen, opgewonden stemmen. Zo te horen waren die twee nog wel even bezig.

Hij liep naar de achtersteven, maakte zijn jol los en klom erin. Zijn huid jeukte, zijn hoofd kriebelde en achter zijn ogen was iets raars gaande. Hij moest wat roken, en snel ook. Hij had er hard genoeg voor gewerkt; hij had het verdiend. Hij trok uit alle macht aan de roeispanen, zo hard dat een ervan uit de dol schoot. Vloekend en met trillende handen stak hij hem terug en roeide verder. Even later was de *Marea* in de mist verdwenen, en weer even later was zijn eigen bark te zien, onder de roest- en olievlekken.

Hij klom aan boord en ging naar de kajuit, waar hij op de tast op zoek ging naar zijn spul en zijn pijp. Met bevende vingers pakte hij een blokje, probeerde het in de pijp te stoppen, liet het vallen, ging vloekend op zoek, zag kans het in de pijp te krijgen en hield er de vlam bij.

O... jezus, dát was genieten. Met een kreun van genoegen leunde hij achterover. Hij kreeg een erectie van de rush, en begon te denken aan wat hij met die twee hoeren zou doen als hij ze te pakken had.

Abbey ging door met modder scheppen en rotsen loswrikken. Geleidelijk aan begon de bodem van de krater zichtbaar te worden, waar de rotsbedding opengebroken was. De regen hield aan en nam toe, en ze hoorde de eerste golven van de vloed tegen de onzichtbare rotsen in de diepte beuken. Het begon zwaar weer te worden; ze konden maar beter opschieten.

Ze trok een uitzonderlijk grote steen los, en Jackie klom de krater in om haar te helpen het gevaarte naar buiten te werken. Ze tastte nog wat rond met de punt van haar schep en liet zich op handen en knieën vallen om met haar blote handen in de kille modder rond te wroeten. 'Hij heeft de zaak hier echt aan diggelen geslagen. Maar volgens mij zitten we er niet ver vandaan.'

'Je ziet er niet uit,' zei Jackie lachend.

'Moet je horen wie het zegt.'

Meer rotsen en meer modder kwamen het gat uit. De kille regen stroomde langs haar nek. Ze hield op met graven om nogmaals met haar handen door de modder te zoeken.

'Abbey, we vinden die meteoriet niet.'

'Hij ligt hier ergens. Dat kan niet anders.'

Ze ging op haar knieën zitten en schepte de modder van de granieten bodem weg. De regen begon de ondergrond schoon te spoelen. Met stijgende opwinding zag Abbey een straalvormig patroon van barsten in de grond verschijnen, maar keer op keer stroomde de modder het gat weer in. 'Hij móét hier liggen,' zei ze op luide toon, alsof ze hem wilde bezweren. Nog meer modder en steen gingen de emmer in. 'Waar ligt dat kreng?'

'Het was toch hoop ik niet een van de stenen die we overboord gesmeten hebben?' vroeg Jackie.

'Ik zeg toch, het is nikkelijzer!'

'Rustig maar. Ik vraag het alleen maar.'

Uitgeput en langzamerhand ietwat moedeloos tastte Abbey rond over de bodem van de kuil. Misschien zat de meteoriet zo stevig klem dat hij aanvoelde als een deel van de rotsbedding. Ze schepte zoveel modder en grind op als ze kon en vulde de emmer nog een paar maal.

'Jackie, haal een emmer water, dan spoelen we dat gat schoon.'

Jackie verdween met de emmer de heuvel af en kwam even later terug met een emmer vol zeewater. Abbey pakte hem aan en kiepte hem over de modderige laag steenbrokken heen.

Er klonk een gorgelend geluid en het water liep weg door een gat in de bodem, net alsof het door het afvoerputje van de gootsteen verdween.

'Wat krijgen we nou?' Ze stak haar vingers in het gat.

'Ik haal nog een emmer.'

Het water klotste over de rand toen Jackie met de volle emmer de heuvel op rende. Abbey griste haar de emmer uit handen en goot het water in het gat. Opnieuw verdween het water als door een gootsteengat, en ditmaal werd er een keurige ronde opening in de rotsbodem zichtbaar, met een doorsnede van een centimeter of tien, die regelrecht de aarde in leidde. Rondom het gat was een uitwaaierend web van barsten te zien.

Abbey trok haar handschoen uit en stak haar hand in het gat om zo diep als ze kon rond te tasten. De wanden van de put waren glad als glas, een cilindrisch gat, volmaakt rond als een boorgat.

Ze pakte een kiezelsteen en liet die midden in het gat vallen. Een hele tijd later hoorde ze in de diepte een vage plons.

Abbey keek op naar Jackie. 'Hij is er niet. De meteoriet is niet hier.'

'Waar is hij dan?'

'Hij is gewoon steeds dieper gevallen.' En ondanks haar pogingen om zich te vermannen barstte ze in tranen uit.

32

In de kloosterruïne wemelde het van de vluchtende dorpelingen. De monniken waren bezig zieke mensen in het platgebombardeerde heiligdom onder te brengen en liepen af en aan met voedsel en water. Kinderen huilden, en de jammergeluiden van hun moeders vermengden zich met het geroezemoes van verwarde, angstige stemmen. Terwijl Ford om zich heen keek op zoek naar de abt, zag hij tot zijn verbijstering in oranje pijen gehulde monniken rondlopen met zware bewapening, met ammunitieriemen over hun schouders, om de paden vanuit de bergen te bewaken. In de verte, boven de heuveltoppen, zag hij een zwarte rookzuil de hete lucht in kringelen.

Na een tijd vond hij de abt, over een zieke jongen heen geknield en bezig hem te troosten en water te laten drinken uit een oude colafles. De abt keek naar hem op. 'Hoe hebt u dat voor elkaar gekregen?'

'Dat is een lang verhaal.'

Hij knikte en beperkte zich tot: 'Dank u.'

'Ik zoek een rustig plekje om te telefoneren,' zei Ford.

'Het kerkhof.' De abt gebaarde naar een mossig pad. Ford liet het chaotische tafereel bij het klooster achter zich en liep naar een uitgedund deel van het bos. Tussen de bomen daar stonden tientallen lage torens, stoepa's, elk met de as van een gerespecteerde monnik. Ooit waren de stoepa's verguld en beschilderd geweest, maar in de loop der tijden waren ze vaal geworden; van sommige waren stukken afgebrokkeld die nu op de grond lagen. Ford vond een rustig plekje tussen de graven, pakte zijn satelliettelefoon, stak de stekker in een palmtop en koos een nummer.

Even later klonk Lockwoods slaperige stem in zijn oor. In Washington was het twee uur 's nachts. 'Wyman? Is het gelukt?'

'Je bent een smerige leugenaar, Lockwood.'

'Ho eens even. Wat bedoel je?'

'Je wist verdomd goed waar die mijn lag. Dat ding is enorm, zoiets zie je niet over het hoofd op de satellietfoto's. Waarom heb je me wat voorgelogen? Waar was die hele farce voor nodig?'

'Overal zijn redenen voor; uitstekende redenen. Ter zake: heb je die locatiegegevens waar ik je om had gevraagd?'

Ford onderdrukte zijn woede. 'Ja. Foto's, stralingsmetingen, satellietcoördinaten. De hele hap.'

'Uitstekend. Kun je ze doormailen?'

'Die gegevens krijg je zodra ik tekst en uitleg heb.'

'Dit is niet het moment voor spelletjes.'

'Ik speel geen spelletjes. Ik wil gewoon een uitwisseling van inlichtingen. Bij jou op kantoor.'

Een lange stilte. 'Dat is geen slimme houding tegenover ons.'

'Ik ben ook niet slim. Dat wist je allang. O en trouwens, ik heb die mijn opgeblazen.'

'Wát?'

'Opgeblazen. Weg. *Sayonara.*'

'Ben je geschift? Ik zei toch dat je er met je vingers af moest blijven!'

Ford deed zijn uiterste best om de opborrelende woede te beheersen. Hij haalde diep adem en slikte. 'Ze hadden complete dorpen tot slavernij gedwongen. Mannen, vrouwen, kinderen. Honderden mensen waren op sterven na dood. Ze waren een massagraf aan het vullen met doden. Daar móést een einde aan komen.'

Het bleef stil. 'Nu, dat valt niet meer ongedaan te maken,' merkte Lockwood op. 'Ik zie je op kantoor zodra je hier zijn kunt.'

Ford verbrak de verbinding, koppelde de telefoon los en schakelde hem uit. Hij haalde een paar maal diep adem om bij zijn positieven te komen. Het was stil op het kerkhof; de schemering viel in en de laatste sprankjes daglicht streken over de boomkruinen en besprenkelden het kerkhof met spikkels groengouden licht. Langzaam voelde hij zich tot rust komen. Die beelden zouden hem zijn leven lang bijblijven; hij wist dat ze voorgoed op zijn netvlies gebrand stonden.

En dan het probleem van de mijn zelf; daar had hij het met Lockwood niet over gehad. Het was zo'n vreemd, zo'n volslagen bizar idee, dat hij niet wist wat hij ervan denken moest. Maar de onuitgesproken conclusie was angstaanjagend.

33

Aan het roer van zijn eigen boot gezeten trok Worth een blikje bier open en keek naar de regen die in vlagen tegen de ruiten sloeg. Die meiden zaten al ruim twee uur op dat eiland. Dat moest wel een joekel van een schat zijn, dacht hij.

Voor de zoveelste maal controleerde hij de RG .44 Mag, het wapen waarmee hij op zijn vijftiende Harrison's Grocery had beroofd. Hij hief het omhoog, kneep één oog samen en keek met het andere langs de korrel, en woog het in zijn hand. Een tijdje geleden had hij geprobeerd het naar de lommerd te brengen voor geld om speed te kopen, maar niemand wilde het kopen. Ze zeiden dat het een flutding was. Wat wisten zij ervan? Een paar avonden geleden deed hij het nog prima; Worth grijnsde bij de herinnering aan alle kikkers die hij en zijn oom met het pistool in roze wolkjes hadden doen opgaan.

Hij loerde langs de loop en deed alsof hij richtte op een meeuw die op het water bij de achtersteven dobberde. Kon hij die maar neerknallen: dat zou een mooie verenwolk opleveren! Maar dat zou te veel herrie maken: dat risico mocht hij niet nemen. 'Beng, beng,' zei hij. De meeuw vloog weg.

Hij legde het pistool op het dashboard naast vier doosjes met kogels, een jachtmes met een vast lemmet, een rol prikkeldraad, een betonschaar, touw en een rol tape. Dat laatste zou hij waarschijnlijk niet nodig hebben, maar je wist maar nooit. Hij nam nog een ferme slok bier en luisterde. Afgezien van het ruisen van de regen was het stil in de mist, afgezien van de sporadische kreten van een onzichtbare meeuw. Hij voelde de speedbugs alweer onder zijn huid wakker worden, maar hij negeerde ze. Hij mocht beslist niet stoned zijn als het straks zover was.

Hij voelde de boot iets deinen; de achtersteven deinde met de opstekende bries mee. Het afgelopen halfuur waren de golven komen opzetten, lang en laag, als teken dat er zwaar weer op til was. Hij keek op zijn horloge. Vijf uur. Het werd al laat. Nu het vloed aan het worden was, konden ze onmogelijk bij Shark Island voor anker blijven liggen; te gevaarlijk. Ze zouden de schat aan boord halen en koers zetten naar de eilanden dichter voor de kust, waarschijnlijk terug naar die inham op Otter Island waar ze zich ook schuil hadden gehouden na die toestand op het eiland van de admiraal.

Hij hoorde iets en spitste zijn oren. In de verte hoorde hij stemmen over het water aandrijven, het gekners van roeiriemen in de dollen. Ze kwamen eraan. Hij hoorde hen de riemen wegleggen en van alles de boot in laden: spullen die neerploften, het metalen gekletter van een spade. De stemmen klonken zacht, heel zacht. Nu het regende was de mist minder dicht geworden, maar het zicht was nog steeds minder dan honderd meter.

Worth keek alles nog één keer na. Hij was er klaar voor.

Hij hoorde de motor van de *Marea* aanslaan. Even draaide hij stationair terwijl ze het anker lichtten. Waarschijnlijk zaten ze op ditzelfde moment te kloten met de marifoon en de radar en vroegen ze zich af waarom die het niet deden. Als ze slim geweest waren, hadden ze een walkietalkie en een navigatiesysteem meegenomen, maar toen hij de *Marea* doorzocht had hij geen van beide gevonden.

De motor van de *Marea* ronkte een paar maal en Worth zag de groene vlek van de boot over zijn radarscherm schuiven. Hij keek op zijn horloge: negen over vijf.

Hij stelde het bereik van de radar in op drie kilometer, zette hem scherp en keek hoe de *Marea* in westelijke richting voer, op weg naar de eilandjes voor de kust, precies zoals hij verwacht had. Toen de *Marea* de lijn van één zeemijl op de radar was gepasseerd, startte Worth zijn eigen motor, hees het anker en voer hen op een afstand achterna. Er lag zes mijl open water tussen de boot en de beschutting van de eilanden, en hun snelheid was zes knopen. De zee werd met de minuut ruwer.

Na zowat een mijl nam hij gas terug. De *Marea* lag stil. Snel zette hij zijn eigen motor uit en bleef stilliggen. Niets. De motor van de *Marea* had het opgegeven: ze lagen stil op het water, konden geen kant uit, omringd door mist, zeven mijl voor de kust en met kapotte radioapparatuur.

Hij startte zijn motor weer en zette volle kracht vooruit, recht op de *Marea* af. Het beeld werd zichtbaar op de radar, kwam steeds dichterbij: een halve mijl, een kwart mijl, driehonderd meter...

Op honderd meter afstand maakte hij visueel contact en doemde de *Marea* uit de mist op. Een van de meisjes zat met de marifoon te hannesen, de ander had het motorluik opengezet en zat met een lantaarn naar binnen te loeren. Ze draaiden zich om en keken hem sprakeloos aan.

Hallo, stelletje teven.

Op zo'n zeven meter van de *Marea* wendde hij de steven onder een rechte hoek naar stuurboord, zette de motor eerst even in z'n vrij en meteen daarna op volle kracht achteruit, zodat de boot plotseling tot stilstand kwam. Met beide handen greep hij zijn RG, richtte op de meisjes en opende het vuur.

34

Met een klap trok Mark Corso de deur van zijn flat achter zich dicht. Hij draaide de sleutel in het slot om, zette de doos op tafel en rommelde jachtig in het gootsteenkastje, op zoek naar een schroevendraaier. De baby huilde weer, de airco kreunde als tevoren en op de boulevards jankten de sirenes, maar voor Corso was het niet meer dan achtergrondruis. Hij had andere zaken aan zijn hoofd. Hij stak de schroevendraaier in zijn achterzak, pakte een keukenstoel en droeg die naar het midden van de woonkamer, klom erop en schroefde de lamp van het plafond los. Hij trok de fitting weg en stak zijn hand door het gat om de computerschijf te pakken.

Even later had hij zijn pc opgestart en de externe schijf aangesloten. Met koortsige vingers typte hij het wachtwoord, zo haastig dat hij het driemaal achter elkaar fout deed voordat hij zichzelf tot kalmte wist te manen. Snel zocht hij op hoe lang Deimos er ook weer over deed om de baan rond Mars te voltooien; dat was 30,4 uur, dus langer dan de Marsdag van 24,7 uur. Daarna zette hij de gammastralingsgegevens op het scherm en zocht de periodiciteit daarvan op. Dertig komma vier uur.

Honderden uren had hij naar superscherpe foto's van het Marsoppervlak zitten kijken, op zoek naar iets anders, iets afwijkends, iets wat een bron van gammastraling kon zijn. Maar de satelliet had hogeresolutiefoto's gemaakt van vierhonderdduizend vierkante kilometer Marsoppervlak en het was zoeken naar een naald in een heel véld met hooibergen. Deimos was iets anders. Deimos was piepklein, een aardappelvormig rotsblok van twaalf bij vijftien kilometer. Wat de bron van de gammastraling ook was, op Deimos moest zoiets te vinden zijn.

Met ingehouden adem zocht hij in de mappen en bestanden op de schijf van 160 terabyte tot hij het mapje DEIMOS had gevonden. Een maand of vier geleden, bedacht hij zich nu, was de MMO vlak langs Deimos gekomen en had hij met grondradar opnamen van het oppervlak gemaakt met een uitzonderlijk hoge resolutie. Sinds de opnamen van de Viking 1 in 1977 was dit de eerste keer dat er foto's gemaakt waren van Deimos.

Hij opende het bestand en zag dat er maar dertig foto's bij zichtbaar licht waren gemaakt, en twaalf radaropnamen.

Hij opende de eerste foto, vergrootte die tot de hoogste resolutie, legde er een raster overheen en voerde een visuele inspectie uit van ieder vak, stuk voor stuk, op zoek naar iets afwijkends. Deimos had een voornamelijk glad oppervlak zonder hobbels of bobbels, voor het grootste deel overdekt met een dikke laag stof als een grijze deken, slechts op zijn plek gehouden door de zwakke zwaartekracht van de maan. Er was een handvol kraters te zien, waarvan er maar twee een naam hadden gekregen: Swift en Voltaire.

Hij probeerde zichzelf tot kalmte te manen en methodisch te werk te gaan. Een voor een inspecteerde hij de vakken. De resolutie was zo hoog dat je de rotsblokken op het oppervlak zag liggen, al waren sommige nog geen meter in doorsnee.

Toen hij klaar was met de eerste foto ging hij naar de tweede, en naar de derde. Er verstreek een uur, twee uur, en uiteindelijk was Corso klaar. Niets had hij gevonden: niets dan een paar grote, diepe kraters, rotsen, stukjes lava en eindeloze velden en duinen van regoliet.

Hij stond op. Plotseling was hij uitgeput en ontmoedigd. De gedachte kwam bij hem op dat hij misschien simpelweg achter een dwaallicht aan joeg. Misschien zag hij gewoon de gloed van de hele maan, veroorzaakt door kosmische straling. En misschien was de maan zelf zo klein dat hij in de gegevens kon worden aangezien voor een puntbron.

Met die ontmoedigende gedachte in het achterhoofd zette hij een pot koffie. Terwijl die liep, overdacht hij zijn eigen situatie. Die was rampzalig. Hij had geen cent te makken. Hij had de huur van zijn appartement al opgezegd, en daarbij de borg en de huur van de afgelopen maand verspeeld. Hij had twee maanden vooruitbetaald en een borg gegeven voor het duurdere appartement dat hij zich momenteel niet meer kon veroorloven. Hij had niet meer genoeg over om zijn spullen van de ene naar de andere flat te verhuizen, laat staan om terug te gaan naar Brooklyn. Want dat zou hij moeten doen: terug naar Brooklyn. Hij kon zich niet permitteren om hier te blijven zoeken naar een nieuwe baan, want hij moest ook zijn studielening en zijn creditcardrekeningen afbetalen. Hij had sowieso geen zin om in Californië te blijven. Hij haatte alles aan Californië, behalve Marjory. *Marjory.* Ze hadden hem bij de NPF met zoveel haast de deur uit gezet dat hij niet eens afscheid van haar had kunnen nemen, zich laten opmonteren door haar komische opmerkingen en haar ietwat schuine grappen.

Het enige wat hem nog kon redden waren de achtduizend dollar waarop hij recht had als ontslagpremie en vakantiegeld.

Hij schonk een mok koffie in, deed er een enorme hoeveelheid melk en suiker in en nam een slok. Hij moest de radarbeelden van Deimos nog doornemen, maar hij betwijfelde of die iets zouden opleveren. De radarresolutie was dertig meter, dus heel wat meer dan de ene meter van de foto's. Maar er waren dan tenminste minder foto's die hij moest doornemen.

Met tegenzin liep hij terug naar de computer en opende de radarbeelden. Die waren met de computer bewerkt tot lange, verticale plakken van het Deimos-oppervlak. De radar was honderd meter onder de grond doorgedrongen en op de beelden waren lange, zwarte stroken te zien, linten, met de structuur van het oppervlak en de lagen daaronder afgetekend in rood en oranje.

Bijna meteen viel hem iets vreemds op. Onder de Voltaire-krater was een dichte, symmetrische knoop te zien die op de opname feloranje oplichtte. Hij kneep zijn ogen samen en probeerde te begrijpen wat hij zag. Even later leunde hij achterover: dat was natuurlijk de meteoriet die de krater had geslagen. Daar was niets raadselachtigs aan. Bij de NPF hadden ze hem waarschijnlijk allang bestudeerd en moesten ze tot dezelfde conclusie gekomen zijn.

Toch opende hij de foto van Voltaire en bestudeerde die opnieuw. Dit was de diepste en de meest recente krater op Deimos, zo diep dat een deel van de kraterbodem in de schaduw lag.

Hij leunde voorover en tuurde naar het scherm. Daar was iets te zien, daar in die schaduw.

Met de fotosoftware op de schijf maakte Corso het beeld lichter. Hij vergrootte het contrast, bracht kunstmatig kleur aan, maakte de randovergangen scherper en manipuleerde vrijwel iedere pixel om zo veel mogelijk visuele informatie uit de kleinste en onduidelijkste pixels van de foto te halen. Hier hield hij zich al bijna een jaar mee bezig, en hij wist precies hoe hij het beeld tot leven moest wekken – als dit een echt beeld was, geen toeval. Het was een moeizaam, delicaat proces dat bijna een uur in beslag nam. Iedere keer dat het beeld op het scherm ververst werd, nam zijn verbazing toe: hij doorliep alle stadia van verrassing naar verbijstering, tot hij uiteindelijk met stomheid geslagen was. Want wat hij daar zag, diep in de schaduwen van de Voltaire-krater, was geen natuurlijk voorwerp. Er was geen twijfel mogelijk. Dit was geen bug, geen foutje in de software.

Het was een constructie, een kunstmatig voorwerp, een machine.

Zwaar ademend stond hij op en liep naar het raam. Hij leunde op de vensterbank en stak zijn hoofd in de zwakke stroom koele lucht uit de airco, ademde diep in en probeerde te kalmeren. De zon was aan het ondergaan boven het kruispunt en wierp een bruinig licht over het landschap van autowrakken, verkeerslichten, hoogspanningskabels en sjofele bedrijfjes, doorspikkeld met slaphangende palmbomen.

Een machine. Een buitenaardse machine.

Plotseling voelde Mark Corso zich rustig worden. Verbazingwekkend rustig. Dit was veel groter dan zijn miezerige persoonlijke probleempjes. Hij wist weer waarom hij ooit de keuze gemaakt had voor de wetenschap. Juist om dit soort redenen.

Nu hij werkloos was, had hij tijd om over dingen na te denken en te beslissen wat hij doen zou. De gegevens waren geheim, en het feit dat hij ze in bezit had was een misdrijf. Hij kon zijn ontdekking dus niet zomaar bekendmaken. Als hij dit aan de NPF meldde, zouden ze daar beslist wel een manier vinden om zelf met de eer te gaan strijken en hem misschien zelfs achter de tralies te doen belanden. Hij moest zijn stappen dus rustig overwegen, de zaken doordenken, niets overhaasts doen. Hij had tijd en rust en ruimte nodig om de juiste beslissingen te nemen. Want wat hij nu ging doen zou niet alleen zijn eigen toekomst bepalen, maar misschien die van de hele planeet.

Hij haalde nog eens diep adem, stond op en begon zijn flat leeg te ruimen. Hij ging terug naar Brooklyn.

35

Er klonk een daverende knal, en nog een. De ronden spatten door de glasvezelruiten van de stuurhut heen en het regende scherpe splinters neer op Abbey. Met een gil smeet ze zich op het dek neer, haar brein een en al paniek. De boot was plotseling uit de mist verschenen, met volle kracht vooruit op hen afkoersend, en terwijl de achtersteven wegdraaide en met een enorm gebrul achteruitvoer, had ze oog in oog gestaan met Randall Worth, die een gigantisch pistool op haar en Jackie richtte en schoot.

'Wat is dat?' schreeuwde Jackie, die plat op haar buik aan dek lag.

Boem! Boem! Nog twee kogels daverden door de ruiten, en een derde blies een gat ter grootte van een tennisbal pal naast haar hoofd.

'Jackie!' krijste ze. 'Jackie!'

'Hier ben ik,' klonk Jackies verstikte stem.

Abbey draaide zich om en zag haar vriendin met haar handen voor haar hoofd geslagen in de hoek ineengedoken zitten. 'Naar beneden!' gilde ze, terwijl ze naar de trap kroop. 'Onder de waterlijn!' Ze kwam bij het trappetje aan en stortte zich halsoverkop de diepte in, zodat ze op de vloer van de kajuit viel. Even later volgde Jackie haar, gillend en met haar handen voor haar gezicht.

'Jackie, ben je gewond?' gilde Abbey.

'Dat wéét ik niet,' snikte Jackie.

Abbey betastte Jackies hele lichaam, maar vond geen bloed afgezien van een paar schrammen van rondvliegende glasvezelscherven.

'Wat is dat in godsnaam?' gilde Jackie zonder haar armen voor haar hoofd weg te halen. 'Wat ís dat?'

'Worth. Die staat op ons te schieten.'

'Waarom?' huilde Jackie.

Abbey schudde haar door elkaar. 'Hé. Luister naar me.'

Jackie verslikte zich in een snik.

Een nieuwe ronde pistoolvuur ramde door de kajuit, scheurde door de romp en de patrijspoorten boven de britsen. Een van de schoten blies een gat bij de waterlijn en het water gutste naar binnen.

Jackie krijste en sloeg haar handen weer voor haar gezicht.

'Luister nou even, verdomme!' Abbey probeerde Jackies handen weg te trekken. 'We zitten onder de waterlijn. Hier kan hij ons niet raken. Maar dadelijk gaat hij ons enteren. We moeten ons verdedigen. Is dat duidelijk?'

Jackie knikte, nog nahikkend.

Abbey keek om zich heen. Het was een enorme bende: de slaapzakken lagen opgefrommeld in een hoek, in de gootsteen stond vuile afwas en alles was overdekt met scherven. Door het gat in de romp stroomde het water naar binnen, en ze hoorde de automatische buiswaterpompen draaien.

Onder de gootsteen staat de gereedschapskist. Zonder overeind te komen stak ze haar hand uit en rukte het kastje open.

Er schalde een stem over het water. 'Hé dames! Raad eens wie eraan komt?' Weer zes schoten uit het pistool, die boven hun hoofd door de kajuit vlogen. Gebukt sleurde Abbey de gereedschapskist naar buiten en maakte hem open, zodat het gereedschap over de vloer rinkelde. Ze zocht, en vond een vismes en een hamer. 'De pepperspray. Waar hebben we die?'

Jackie hapte naar adem. 'In de rugzak, bij de achtersteven.'

'Shit.' Abbey stak het mes in haar riem en gaf de hamer aan Jackie. 'Hier, pak aan.'

Jackie greep de hamer.

Boem! Boem! Boem! Boem! Boem! Boem! Weer een reeks schoten. De splinters vlogen door de kajuit en er steeg een verstikkende wolk van kunststofdeeltjes op. Abbey kroop naar de kajuitdeur, draaide de sleutel om en kroop terug.

'We zinken,' zei Jackie.

'Dat is wel het minste van onze problemen.'

Ze hoorde het rommelen van Worths motor toen hij op hun boot afvoer. Vooruit, neutraal, een paar slagen achteruit, en even later voelde ze zijn boot tegen die van hen aanbotsen. Met een dreun landde Worth zelf aan dek.

'Fuck, fúck,' hijgde Jackie. 'Hij komt aan boord.'

Abbey probeerde niet te gaan hyperventileren. Ze moesten een plan trekken. 'Ga jij op de vloer liggen,' zei ze. 'Midden in de hut. Doe alsof je neergeschoten bent. Ik verstop me naast de deur. Als hij binnenkomt, spring ik hem op z'n nek en steek hem met het mes.'

'Ben je gestoord? Die vent heeft een pistool!'

'Maar hij staat bol van de drugs. Doe wat ik zeg. Ga liggen.'

Hulpeloos huilend rolde Jackie zich op de vloer op.

Abbey dook het ruim in en trok de deur bijna helemaal achter zich dicht, maar liet hem op een kier zodat ze de treden naar het dek nog kon zien. Ze spande al haar spieren, klaar om te springen.

Ze hoorde de dreunende laarzen van Worth. 'Daar ben ik dan!'

Abbey greep het mes stevig vast en tuurde door de kier.

Met trage schreden liep hij over het dek, de stuurhut in. Hij rammelde aan de deur. 'Nou zullen we eens zien wat díéper is, smerig nikkerwijf! Jij en die lesbovriendin van je. Die schat van jullie gaat met mij mee, en ik zal jullie een lesje leren dat je bij zal blijven!'

Een schat? Die idioot had hun verhaal geloofd. Ze hoorde zijn moeizame, hortende ademhaling en de onzekere trilling in zijn stem. Dat laatste joeg haar nog meer angst aan dan de schoten.

'We... we hébben geen schat,' zei Jackie, in een bal op de grond opgekruld en half stikkend van de angst.

Een schor gelach. 'Dacht je soms dat ik achterlijk was, stom rund? Mij hoef je niks voor te liegen. Ik kom de schat halen – en jullie een gezonde dosis respect bijbrengen!'

'Ik zwéér dat we geen...'

Ze werd onderbroken door een trap tegen de dunne deur, die bijna doormidden ging. Jackie gilde. 'Néé! Niet doen!'

Abbey wachtte gespannen.

Nog een trap en de deur begaf het en bleef in twee delen in het kozijn hangen. Boven aan de trap stond Worth gebukt omlaag te kijken, met een enorm pistool in zijn hand. '*Wendy, I'm home!*' riep hij, met een valse Jack Nicholson-grijns op zijn gezicht. Hij trapte de twee stukken deur weg en zette een enorme laars op de bovenste tree. Langzaam daalde hij de trap af tot hij onder aan het trapje stond. Jackie lag opgerold op de vloer te huilen. Hij hield het pistool opzij en richtte het op haar.

'Waar is de schat?'

'Nee, echt, ik zweer het... er ís helemaal geen schat...' snikte Jackie, met haar handen voor haar gezicht in foetushouding. 'Geen schat... ik zweer het... alleen een krater...'

'Bullshit!' schreeuwde hij, en hij dreigde met het pistool. 'Je moet me niet zitten fucken!'

Nog één stap.

Hij deed nog een stap.

Abbey sprong uit het ruim tevoorschijn en bracht met al haar kracht het mes omlaag, in de richting van zijn rug. Maar hij hoorde haar, stak zijn vrije arm omhoog en mepte haar weg. Het mes vloog haar hand uit en in het wilde weg vuurde hij zijn pistool op haar af. Weer een gat in de romp, ver beneden de waterlijn.

Er spoot een fontein van zeewater naar binnen.

Abbey wierp zich op hem, maar hij stompte haar in de maag en ze viel op haar knieën en bleef machteloos naar adem zitten happen terwijl het ijskoude zeewater over haar heen gutste.

'Waar heb je die schat, teef?' Hij greep haar bij haar haar, rukte haar hoofd opzij en ramde het pistool in haar oor.

Ze zag kans wat lucht naar binnen te zuigen. Hij gaf een ruk aan haar hoofd en zette de loop van het pistool in haar mond. 'Hé, Jackie! Zeg waar die schat ligt of ik haal de trekker over.'

'Het was een leugen, van die schat,' hijgde Jackie. 'Je moet me geloven, het was gewoon een smoes om...'

Hij haalde de pal over. 'Hou op met die leugens, graftak, of ze gaat eraan! Waar ligt de buit? Ga hem halen, nú!'

Abbey probeerde iets te zeggen, maar er kwam geen woord over haar lippen. Het water steeg snel.

'Je laatste kans!'

'Oké, oké, ik zeg het!' gilde Jackie. 'Hou op, dan zeg ik het!'

'Wáár?' krijste Worth met overslaande stem.

'Achter in de cockpit, onder het luik. Met tape onder het dek geplakt, boven de roerinrichting.'

'Schiet op, ga halen dat ding! De boot zinkt!'

Jackie kwam overeind. Ze droop van het water, dat al vijftien centimeter hoog stond.

'Hé, Abbey! Meegaan!' Hij rukte het pistool zo ruw uit haar mond dat een van haar tanden brak en hees haar overeind. Hij duwde haar het trappetje op en schoof haar door de stuurhut naar de achtersteven toe.

'Openmaken!' schreeuwde Worth naar Jackie. Hij bleef naar haar kijken terwijl hij het pistool tegen Abbeys hoofd drukte.

Jackie probeerde het luik open te maken. Ze frunnikte met de hendel, maar kreeg er geen beweging in.

'Opschieten, of je vriendin gaat eraan!'

Ze rukte en rukte. 'Ik krijg hem niet los! Hij klemt, het lukt me niet in mijn eentje!'

Worth schoof Abbey naar het dek toe. 'Ga haar helpen!' Zijn gezicht was vertrokken en vuurrood. De pezen van zijn nek bolden op, zijn vettige haar plakte aan zijn schedel en hij stonk uit zijn mond vol rotte tanden.

Abbey rende over het dek en greep de ene kant van de hendel, terwijl Jackie de andere kant vasthield. Even keken ze elkaar aan, en daarna deden ze samen alsof ze probeerden het luik te openen. Maar het zat klem.

'Nog een keer!'

Opnieuw trokken de meisjes uit alle macht aan de hendel.

'Naar de andere kant toe,' zei Worth. 'Allebei. Daar zo.' Hij wees met het pistool.

Abbey en Jackie liepen naar de andere kant van de boot. Daar bleven ze op een kluitje staan en Abbey stootte Jackie even aan. Ze rolde met haar ogen in de richting van de hamer die ze nog bij zich had, en Jackie nam hem in haar hand.

Langzaam, zonder zijn blik van hen af te wenden, legde Worth zijn pistool neer, greep het handvat van het luik en draaide het om. Moeiteloos kreeg hij het los.

'Stelletje slappe wijven,' zei hij, terwijl hij het luik wegschoof. Hij aarzelde, maar wierp wel een hebberige blik op de donkere opening. Onwillekeurig stak hij zijn hoofd naar binnen om onder het dek te kijken.

Abbey sprong over het dek heen en bracht de hamer met beide handen omlaag, net toen hij zijn hoofd weer naar buiten trok. Met een misselijkmakend geluid trof de hamer zijn achterhoofd, als een slaghout dat een holle boom raakt. Worth zakte naar voren. Er zat een deuk in zijn schedel en daaruit welde bloed op, dat het dek op gutste en zich vermengde met het stromende regenwater. Worth trok nog even grotesk met zijn pink en bleef daarna stilliggen. Jackie sprong op de rugzak af, haalde de pepperspray tevoorschijn en spoot daarmee Worths stilliggende gestalte onder.

Een hele tijd bleef het stil, en toen zei Jackie verbijsterd: 'O god. Hij is dood.'

Abbey bleef zwijgend staan kijken. Het leek onecht, iets uit een film. Ze kon zich niet verroeren, ze kreeg geen lucht.

'Abbey?' zei Jackie. 'We zinken.'

De boot van haar vader was aan het zinken. Ze stond als verlamd. Ze liet de hamer vallen en rende naar het motorpaneel. Beide pompen werkten op volle kracht, maar nog voordat ze klaar was met haar inspectie klonk er een hevig gesis toen het stijgende water de accubehuizing bereikte, zodat de stoppen doorsloegen. De elektrische systemen vielen uit en de pompen kwamen gonzend tot stilstand.

Jackie kwam in actie. Ze rende de kajuit in, zompte door het stijgende water en bekeek de gaten. Ze greep een deken en wat losliggend touw en sleepte die aan dek. 'Abbey! Help eens even!' Ze gooide haar het touw toe. 'Knip die lijn in vier stukken en bind die aan de hoeken van de deken!'

Abbey deed wat haar gezegd was en Jackie trok haar schoenen uit, kneep haar neus dicht en sprong in het water. Even later kwam haar hoofd weer boven.

'Geef me een uiteinde van die deken! Die binden we om de boot heen om die gaten te dichten!'

Abbey gooide de deken overboord. Jackie greep één kant en zwom daarmee onder de boot door, zodat de deken de gaten afdekte. Aan de andere kant kwam ze boven met de lijnen in haar hand. Naar lucht happend riep ze: 'Pak aan!'

Abbey bond de lijnen aan de reling en hees Jackie aan boord. De *Marea* begon slagzij te maken.

'Werkt dat, denk je?' vroeg Abbey.

'Misschien houden we het daarmee iets langer uit. We nemen Worths boot om de *Marea* naar het dichtstbijzijnde eiland te slepen en het strand op te varen,' antwoordde Jackie. 'Kom mee.' Met Abbey in haar kielzog sprong ze van haar vaders boot over op de *Old Salt*, die nog met stationair draaiende motor op het water lag, en greep het roer. Ze zette de hendel op volle kracht vooruit, de motor brulde en de boot zwoegde voorwaarts, de negen ton wegende *Marea* meeslepend. Jackie stuurde bij om het dode gewicht te compenseren.

'Waar gaan we naartoe?' riep Abbey.

'Franklin. We zetten beide boten op het strand. Dat is de enige oplossing. Abbey, kijk eens naar die knopen – die mogen niet losschieten.'

Terwijl Abbey de knopen naliep trok Jackie de radio naar zich toe en begon een noodsignaal uit te zenden. 'Dit is de *Marea*, *Marea*, *Marea*, positie 43.50 noord, 69,23 west. Mijn schip zinkt en we hebben een zwaargewonde passagier. Er is een tweede schip ter plekke en we worden gesleept. Ik verzoek om onmiddellijke bijstand. Over.'

Ze hield op met uitzenden en ging zitten wachten. Even later kwam het antwoord.

'*Marea*, dit is de kustwacht van Tenants Harbor. Het dichtstbijzijnde schip op uw positie is kreeftenvisser *Misty Sue*, ten zuiden van Friendship Long Island, die u met een snelheid van tien knopen komt helpen. De *Misty Sue* zal met u communiceren via kanaal zes. Over.'

'Is er niemand dichterbij?' riep Jackie. 'We zinken!'

'Er zijn niet veel schepen buitengaats, *Marea*. We hebben de *Admiral Fitch* van de kustwacht op pad gestuurd vanuit Tenants Harbor met een verpleegkundige aan boord, over.'

'Ik ga proberen het schip op het strand van Franklin te laten lopen,' zei Jackie.

'*Marea*, wat is de aard van de verwonding?'

'Volgens mij is hij dood. Schedel ingeslagen met een hamer.'

Stilte. 'Kunt u dat even herhalen?'

'Ik zei, hij is dóód. Randall Worth. Hij heeft onze boot onder vuur genomen en geënterd. Poging tot diefstal. Dus hebben we hem dood gemept.'

Een korte stilte. 'Zijn er verder nog gewonden?'

'Nee, niet echt.'

'Dan is dit dus een plaats delict en moet het schip als zodanig worden beschouwd. U dient rekening te houden met...' De stem zeurde voort. Ze kropen over het water met een vaartje van drie knopen, steeds trager naarmate de *Marea* meer water maakte. Abbey ging benedendeks kijken; de deken had het instromende water een tijdlang vertraagd maar niet tegengehouden. Het was nog zes kilometer naar Franklin; bij deze snelheid was dat meer dan een uur.

'Fuck!' zei Jackie hardop, terwijl ze de kustwacht wegdraaide en kanaal zes koos. 'Dit is de *Marea*, oproep voor *Misty Sue*. Wat is uw positie?'

'We varen net de zee-engte bij Allen Island binnen. Wat is daar aan de hand?'

'Ik sleep een zinkende boot. Ik heb meer sleepvermogen nodig. Ik wil hem op het strand van Franklin laten lopen.'

'Daar kan ik over... veertig minuten zijn.'

Worths boot zwoegde voort en zeulde de zinkende *Marea* met zich mee. De *Marea* maakte nu zware slagzij en Worths boot werd moeilijk bestuurbaar vanwege het dode gewicht.

'We moeten de *Marea* lossnijden,' zei Jackie. 'Als hij zinkt, kapseizen we en zinken wij ook.'

'Nee!' zei Abbey. 'Alsjeblieft niet. We maken hem van de zijreling los en binden hem aan de achtersteven. Dan slepen we hem achter ons aan en komen we sneller vooruit.'

'Proberen maar.'

Abbey maakte de *Marea* los en knoopte een kabel van de ankerlier vast aan de achtersteven van Worths boot.

'Dat houdt niet,' zei Jackie.

'Beter dan daarnet.'

Jackie nam wat gas terug en voerde de spanning langzaam op. De *Marea* hing nu zo schuin naar bakboord dat het water door een van de spuigaten naar binnen begon te stromen. Worths boot brulde en trok aan de kabel, die strak als een snaar stond, maar desondanks kwamen ze amper vooruit.

'Abbey, in godsnaam, hij zinkt! En hij trekt ons mee!'

'Nee, toe nou, het is mijn vaders enige boot! Gewoon gas geven!'

Jackie duwde de hendel zo ver mogelijk naar voren. De motor krijste van de inspanning, er klonk een knal als een geweerschot en de knoop sprong los, met meeneming van een stuk achtersteven. Worths boot sprong naar voren nu de spanning weg was. Jackie smeet het roer naar bakboord en stuurde de boot terug naar de *Marea*. Maar het was te laat. Met een zucht ging de kreeftenvisser op zijn zij liggen. De laatste lucht stroomde naar buiten, en toen glipte hij onder de golven en verdween. Een olievlek was het enige wat restte.

'O god,' zei Jackie. 'Worth was nog aan boord.'

Abbey keek vol afgrijzen naar het water, nog niet in staat te bevatten wat er zojuist was gebeurd. 'Mijn vaders boot... gezónken.'

36

Vanuit de miezerregen dook de boei bij de monding van Round Pond Harbor op, dobberend op de aanzwellende golven. Abbey stond aan het roer van Worths boot en volgde de *Admiral Fitch*, de kustwachtboot, de haven in. Zowat een mijl buitengaats had het schip hen ingehaald – te laat om nog iets te kunnen uitrichten – en nu voer de kustwacht triomfantelijk voor hen uit. De mist was bijna opgetrokken en de wereld lag erbij in een vochtige, sombere schemering. Toen de pieren in zicht kwamen, zag Abbey een massa flitsende lichten op het parkeerterrein langs de kade.

'Zo te zien hebben we een welkomscomité.'

In de haven nam ze gas terug. Ze wierp een blik op Jackie. Die zag er vreselijk uit: haar haar hing in natte slierten rond haar gezicht en ze had donkere kringen onder haar ogen. Haar handen, gezicht en kleren zaten onder de modder.

'Wat moeten we zeggen?' vroeg Jackie.

'Alles, behalve de meteoriet. We zeggen dat we op zoek waren naar de schat van Dixie Bull. Precies wat ze dachten.'

'Eh... waarom zeggen we het niet gewoon van die meteoriet?'
'Omdat we daar misschien nog steeds aan kunnen verdienen.'
'Hoe dan?'
'Geen idee. Daar moet ik nog even over nadenken.'
Een lange stilte. 'Misschien kunnen ze mijn vaders boot bergen,' zei Abbey. 'En 'm weer aan de praat krijgen.'
'Natuurlijk bergen ze die,' zei Jackie. 'Die boot is een plaats delict en er is een lijk aan boord. Maar hij is total loss, Abbey. Gezonken in water van tientallen meters diep. Sorry.'
Abbey keek naar haar vriendin en zag dat de tranen over haar wangen stroomden. 'Hé, Jackie. Hé... je hebt je best gedaan om hem te redden.' Ze sloeg een arm om Jackie heen. 'God, het spijt me dat ik je op dit avontuur heb meegesleept. Net als alle andere krankzinnige toestanden waarin je door mijn toedoen bent beland. Ik snap niet waarom je nog mijn vriendin wilt zijn.'
'Ik ook niet,' antwoordde Jackie.
'Je bent een schat, Jackie. En je hebt mijn leven gered.'
'En jij het mijne. En jij bent ook een schat.'
Abbey moest zelf ook een traan wegvegen. 'Ach, fuck, we komen er wel uit.'
Toen de dokken zichtbaar werden, zag Abbey wel tien politieauto's met de zwaailichten aan lukraak neergezet op het parkeerterrein staan. En daarachter, op het gazon van de Anchor Inn, was zo te zien de halve stad samengedromd om hen te zien binnenlopen. Samen met nieuwsploegen en tv-camera's.
'O god, moet je eens zien. Wat een mensen!' zei Jackie. Ze veegde haar gezicht af en snoot haar neus. 'En ik zie er níét uit.'
'Zet je schrap voor je kwartier in de schijnwerpers.'
Nu hoorde ze ook het geroezemoes komen aanwaaien over het water, de prevelende menigte, de schreeuwende agenten, het sissen van de politieradio's. Zelfs de vrijwillige brandweer was uitgerukt, korps Samoset nr. 1, met hun gloednieuwe brandweerwagen. Ze hadden oliejassen aan en Pulaski-houwelen bij zich en ze hadden het allemaal geweldig naar hun zin.
'RBM *Fitch* voor *Old Salt*, meld u,' ruiste de officieuze stem over de radio.
'Hier de *Old Salt*.' Abbey werd al beroerd bij het uitspreken van de naam van Worths schijtbak van een barrel.
'*Old Salt*, de politie verzoekt u af te meren op plek 1 van het handelsdok en meteen van boord te gaan zonder iets mee te nemen. U

mag de motor niet uitzetten en de boot niet afmeren. De politie komt aan boord en neemt het schip over.'

'Oké.'

'RBM *Fitch*, over.'

De *Fitch* voer langzaam naar het openbare dok, en de kustwachtmannen sprongen in hun gesteven uniformen aan wal en meerden af met militair aandoende efficiency. Abbey voer naar de plek vlak achter de *Fitch*. De politie zwermde over het dok en sprong meteen aan boord om het schip vast te leggen. Met Jackie aan haar zijde stapte Abbey van boord. Er kwam een agent met een klembord aanlopen.

'Mevrouw Abbey Straw en mevrouw Jacqueline Spann?'

'Dat klopt.'

Abbey keek naar het parkeerterrein. Het leek wel of de hele stad haar van achter een politiekordon stond aan te gapen. Een eindje verderop stonden de camera's te draaien. Ze hoorde een kreet, een schermutseling. 'Dat is mijn dochter, halvegare! Abbey! *Abbey!*'

Dat was haar vader. Eerder dan verwacht.

'Laat me los!'

Hij kwam de groene heuvel af rennen, zijn geruite hemd hing uit zijn broek, zijn baard fladderde. Beukend holde hij de houten trap op, langs de aasschuur, de pier af. Boven aangekomen greep hij beide handrelingen beet en kwam met verwilderde haardos op haar af rennen.

'Pap...'

De agent deed een stap achteruit toen haar vader haar bereikte. Hij sloeg zijn armen om haar heen en er welde een enorme snik op uit zijn brede borstkas. 'Abbey! Ze zeggen dat hij je bijna vermoord had!'

'Pap...' Ze spartelde even tegen, maar hij was niet van plan haar los te laten. Hij klemde haar nog steviger tegen zich aan, en nog een keer, terwijl zij daar met een onbeholpen en vernederd gevoel stond. *Wat een vertoning, en dat waar de hele stad bij is.*

Hij hield haar bij de schouders en deed een stap achteruit. 'Ik heb me zo'n vreselijke zorgen gemaakt. Kijk nou, je tand! En je lip bloedt. Heeft dat brok ellende...?'

'Pap... dat is niks, die tand... je boot is gezonken.'

Hij keek haar verbijsterd aan.

Ze liet haar hoofd hangen en barstte in tranen uit. 'Het spijt me.'

Een lange stilte en daarna slikte hij, althans dat probeerde hij. Zijn adamsappel bewoog even op en neer. Maar na een tijdje sloeg hij zijn armen weer om haar heen. 'Ach, nou ja. Een boot is maar een boot.'

Vanuit de stad klonk hier en daar gejuich.

DEEL 2

37

Toen Ford het kantoor binnenkwam, zat Lockwood aan zijn bureau. Een brigadegeneraal met grijzend haar en een kreukelig velduniform zat naast hem. Ford herkende de generaal: het was de verbindingsofficier van het Pentagon met het Bureau voor Wetenschaps- en Technologiebeleid.

'Wyman,' zei Lockwood terwijl hij opstond. 'Je kent luitenant-generaal Jack Mickelson van de luchtmacht, vicedirecteur van het nationaal geospatiaal inlichtingenbureau. Hij heeft de leiding over GEOINT.'

Ford stak zijn hand uit naar de generaal, die ook opstond. 'Goed u weer te zien, generaal,' zei hij met iets kils in zijn stem.

'Het doet me genoegen u te zien, meneer Ford.'

Hij schudde de hand van de generaal: een zachte hand, niet de gebruikelijke keiharde greep van de soldaat die altijd en overal zijn mannelijkheid moet bewijzen. Ford herinnerde zich dat hij dat een prettig trekje van Mickelson had gevonden. Nu was hij niet meer zo zeker of hij de man wel echt mocht.

Lockwood liep om zijn bureau heen en gebaarde naar de zithoek van zijn kantoor. 'Zullen we?'

Ford ging zitten. De generaal nam tegenover hem plaats en Lockwood koos de bank.

'Ik heb generaal Mickelson erbij gevraagd omdat ik weet dat jij respect voor hem hebt, Wyman. En omdat ik hoop dat we deze kwesties snel kunnen oplossen.'

'Mooi. Laten we dan meteen ter zake komen,' zei Ford, en hij keek Lockwood aan. 'Je hebt gelogen, Stanton. Je hebt me op een gevaarlijke missie gestuurd, je hebt me misleid over het doel van die missie, en je hebt informatie achtergehouden.'

'Wat hier gezegd gaat worden, is geheim,' zei Lockwood.

'Je weet best dat je dat tegen mij niet hoeft te zeggen.'

Mickelson leunde met zijn ellebogen op zijn knieën. 'Wyman... als ik je zo mag noemen? Ik ben Jack.'

'Met alle respect, generaal, ik hoef geen verontschuldigingen en geen kletsverhalen. Ik wil alleen weten wat er aan de hand is.'

'Uitstekend.' Zijn stem was net rauw genoeg, zijn blauwe ogen stonden vriendelijk, zijn zelfbewuste houding werd verzacht door het nonchalante uniform en zijn ontspannen opstelling. Ford voelde zijn irritatie al bij voorbaat toenemen.

'Zoals je misschien weet hebben we een netwerk van seismische sensoren over de hele wereld om clandestiene kernproeven op te sporen. Op 14 april om zestien voor tien 's avonds heeft ons netwerk een mogelijke ondergrondse kernproef waargenomen in het gebergte van Cambodja. Dus zijn we op onderzoek uitgegaan. Al snel bleek dat het hier om een meteorietinslag ging, en we vonden de krater. Rond datzelfde tijdstip werd er een meteoor waargenomen boven de kust van Maine. Die is in de oceaan neergekomen. Twee inslagen tegelijk. Onze wetenschappers lieten weten dat het waarschijnlijk een kleine asteroïde was die in de ruimte doormidden was gebroken. De twee helften zouden zover uiteengedreven zijn dat ze op volslagen verschillende plekken zijn neergekomen. Dat schijnt wel vaker te gebeuren.'

Hij zweeg even toen er vanaf Lockwoods bureau een zachte waarschuwingstoon klonk, en even later kwam er een assistent binnen met koffie op een serveerwagen; een zilveren pot, demi-tasses en suikerklontjes in een blauw glazen schaaltje. Ford schonk een kop zonder melk en suiker in en dronk die leeg. Donker, sterk, vers gezet. Mickelson nam geen koffie.

Toen de assistent weg was, ging Mickelson verder. 'Een meteorietinslag behoort niet tot onze missie, dus hebben we de informatie gearchiveerd en verder niets. Daarmee zou de zaak voor ons afgelopen geweest zijn. Maar...'

Bij die woorden nam de generaal een dunne blauwe map uit zijn aktetas, legde die neer en sloeg hem open. Erin zat een satellietfoto van wat Ford meteen herkende als de honingsteenmijn in Cambodja.

'Plotseling verschenen er radioactieve edelstenen op de markt. Dit werd een groot probleem voor onze mensen van Terrorismebestrijding, die bang waren dat de stenen het materiaal zouden vormen voor een kernbom. De eerste de beste met beschikking over een doodgewoon scheikundelokaal kan op basis van die stenen het benodigde americium 241 vervaardigen.'

'En die inslag in Maine? Is die onderzocht?'

'Ja, maar die meteoriet is zo'n vijf mijl voor de kust ingeslagen en valt niet te bergen. We hebben niet eens de exacte locatie kunnen bepalen.'

'Aha.'

'Maar goed, we wisten van die inslagkrater in Cambodja, we wisten dat de stenen zo'n beetje uit die regio kwamen maar we konden het verband niet hardmaken. Dat viel alleen op de grond te bewijzen.'

'En daar verscheen ik ten tonele.'

Mickelson knikte. 'Jij hebt alles te horen gekregen wat je weten moest.'

'Generaal, met alle respect: u had me meer back-up moeten geven, ik had een briefing moeten krijgen, ik had de satellietbeelden moeten zien. Dat had u voor een CIA-agent ook gedaan.'

'Eerlijk gezegd is dat precies waarom we voor deze missie verder wilden gaan dan de CIA. Het enige wat we wilden was een stel ogen ter plekke. Op de grond. Onafhankelijke bevestiging. We hadden niet verwacht...' – hij schraapte even zijn keel en leunde achterover – 'dat u de mijn daadwerkelijk zou vernietigen.'

'Ik geloof nog steeds niet dat u me de volledige waarheid vertelt.'

Lockwood leunde naar voren. 'Natuurlijk vertellen we niet de volledige waarheid. In godsnaam, Wyman, wanneer krijgt iemand in dit werk nu ooit de volledige waarheid te horen? We wilden die mijn intact bestuderen. Je hebt een enorm probleem gecreëerd.'

'Ook dat is een nadeel van het werken met freelancers,' merkte Ford kil op.

Lockwood slaakte een geïrriteerde zucht.

'Waarom was die mijn zo belangrijk?' informeerde Ford. 'Kunnen jullie me dat dan tenminste vertellen?'

'De meteoriet schijnt een zeer ongebruikelijke samenstelling gehad te hebben, zoals te zien is aan onze analyse van de edelstenen.'

'Namelijk?'

'Als we dat al wisten, maar zover is het nog niet, dan konden we je dat niet vertellen. Laat ik ermee volstaan te zeggen dat het iets is dat we nog nooit eerder gezien hebben. En mag ik dan nu de gegevens, Wyman?'

Ford had de soldaten al op de gang voor Lockwoods deur zien staan en hij wist heel goed wat er zou gebeuren als hij niet aan het verzoek voldeed. Maar dat was niet erg: hij had nu waarvoor hij gekomen was. Hij haalde een USB-stick uit zijn zak en legde die op tafel. 'Hier staat het allemaal op, versleuteld en wel: foto's, satelliet-coördinaten, video.' Hij gaf hun het wachtwoord.

'Bedankt.' Lockwood grimlachte en pakte de stick op. Hij haalde een witte envelop uit zijn zak en legde hem op tafel. 'De tweede helft van je honorarium. Je wordt vanmiddag om twee uur in Langley verwacht voor een volledige debriefing. In de DCI-vergaderzaal. Dan is je opdracht werkelijk voorbij.' Lockwood streek met een hand over zijn roodzijden das, trok zijn blauwe pak recht en voelde even aan het grijze haar boven zijn oren. 'Ik moest je namens de president bedanken voor je inspanningen, hoewel je de instructies dus niet eh... helemaal hebt opgevolgd.'

'Helemaal mee eens,' zei Mickelson. 'Wyman, je hebt het prima gedaan.'

'Graag gedaan,' zei Ford licht ironisch. En op nonchalante toon voegde hij daaraan toe: 'O, nog één ding; dat had ik bijna vergeten.'

'Ja?'

'Je zei dat de asteroïde doormidden gebroken is en dat de twee stukken op aarde zijn neergekomen.'

'Precies.'

'Dat klopt niet. Er is maar één object neergekomen.'

'Onmogelijk,' zei Mickelson. 'Onze wetenschappers zijn ervan overtuigd dat er twee inslagen hebben plaatsgevonden: één in de Atlantische Oceaan en één in Cambodja.'

'Nee. Die mijn in Cambodja was geen inslagkrater.'

'Wat was het dan wel?'

'Een uitgang.'

Lockwood keek hem met open mond aan en Mickelson kwam uit zijn stoel overeind. 'Wou je daarmee zeggen...?'

'Inderdaad. De meteoriet die in Maine is ingeslagen, is door de aarde heen gedrongen en in Cambodja weer uitgetreden. Dat zie je bevestigd in de gegevens op die stick.'

'Maar hoe zie je het verschil tussen een inslag- en een uitgangskrater?'

'Zoiets als de inslag- en uittredewonden van een kogel: die eerste is keurig symmetrisch, de tweede een rafelige bende. Je ziet vanzelf wat ik bedoel.'

'Wat kan er in godsnaam dóór de aarde heen?' vroeg Mickelson zich af.

'Dat,' zei Ford, terwijl hij zijn cheque oppakte, 'is een verdomd goede vraag.'

38

Abbey had als avondeten cheeseburgers gemaakt, maar ze hadden te lang in de pan gelegen en waren gortdroog, de kaas was aangebrand en het brood was klef. Haar vader zat tegenover haar aan tafel zwijgend te kauwen, met neergeslagen blik en traag malende kaken. Hij was al de hele avond onheilspellend zwijgzaam.

Hij legde de half opgegeten burger op zijn bord, schoof het zonder overtuiging van zich af en keek Abbey voor het eerst in tijden aan. Zijn ogen waren bloeddoorlopen. Even dacht ze dat hij weer aan het drinken geslagen was; na de dood van haar moeder was hij een tijd lang stevig aan de drank geweest. Maar nee, dat was het niet. Hij rook niet naar bier.

'Abbey?' Zijn stem klonk schor.

'Ja pap?'

'Ik heb bericht gehad van de verzekering.'

Ze voelde de hap cheeseburger in haar keel blijven steken. Met moeite slikte ze hem door.

'Het verlies wordt niet gedekt.'

Een lange stilte.

'Waarom niet?'

'Het was een bedrijfspolis. Je was niet aan het vissen. Wat jij aan het doen was beschouwen zij als recreatie.'

'Maar... je kunt toch zéggen dat ik aan het vissen was?'

'Er ligt een rapport van de kustwacht, een proces-verbaal van de politie, er zijn krantenberichten. Jij was niet aan het vissen. Einde verhaal.'

Abbey kreeg een droge mond. Ze probeerde iets te verzinnen, maar er schoot haar niets te binnen.

'De boot was nog niet afbetaald en totdat dat zo is krijg ik nooit een lening voor een nieuwe. Ik zit met een tophypotheek. Het weinige spaargeld dat ik had is in jouw anderhalf jaar klooien aan de universiteit gaan zitten.'

Abbey slikte nogmaals en bleef strak naar haar bord zitten kijken. Haar mond was gortdroog. 'Ik zal je het geld van het café geven. En ik verkoop de telescoop.'

'Dank je. Ik neem je hulp graag aan. Jim Clayton heeft me een baan aangeboden als maat voor komend seizoen. Met jouw verdiensten en mijn inkomen hoeven we het huis niet te verkopen, als het een goed seizoen wordt.'

Abbey voelde een grote traan uit haar oog kruipen en langs haar neus rollen. Daar bleef hij even hangen voor hij op haar bord viel. En toen nog een traan, en nog een. 'Het spijt me zo vreselijk, pap.'

Ze voelde zijn ruwe hand naar de hare tasten en een kneepje geven. 'Weet ik.'

Ze liet haar hoofd hangen en de tranen drupten op haar cheeseburger, zodat die doorweekt raakte. Na een tijdje liet haar vader haar hand los en stond op van zijn plek. Hij liep naar zijn oude stoel met schotse ruiten in Black Watch-patroon bij de haard, nam plaats en pakte *The Lincoln County News*.

Abbey ruimde de tafel af, schraapte de resten van de borden in de bak voor de kippen en deed de afwas. De schone borden stapelde ze op het aanrecht op. Haar vader had het erover gehad dat hij ooit een vaatwasser wilde aanschaffen, maar dat zou er nu wel nooit van komen.

Nou, dacht Abbey met een eigenaardig gevoel van verdoving en afstandelijkheid, ze had het leven van haar vader nu wel zo'n beetje helemaal verpest.

39

'U hebt uw bestemming bereikt,' zei de koele vrouwenstem van het navigatiesysteem. Wyman Ford parkeerde de auto in het zand voor de winkel en stapte uit. Hij keek om zich heen: het veld tegenover de winkel stond vol lupines met bloemknoppen die op barsten stonden. Boven op de heuvel achter hem stonden twee kerken aan de straat, een bruine van de vrije evangelische gemeente en een wit godshuis van de methodisten. Langs de weg stonden een tiental gepotdekselde houten huizen en in het scheefgezakte gebouwtje met houten tegeltjes was de dorpswinkel gevestigd.

Dat was het hele dorp.

Ford keek in zijn notitieboekje. De stadjes New Harbor, Pemaquid, Chamberlain en Muscongus waren doorgestreept en er stond dus nog maar één plaatsnaam op het lijstje.

Round Pond.

De weg liep langs de winkel en eindigde bij de haven. Achter een bosje pijnbomen zag hij nog net een haven vol vissersboten met een reepje oceaan daarachter.

Hij liep de dorpswinkel in, waar de plaatselijke jeugd onder enorm rumoer goedkoop snoep aan het kopen was. Hij liep wat rond en keek wat er zoal verkocht werd: snoep, maar ook ansichtkaarten, modelbootjes, speelgoed, poppen, vliegers, cd's van plaatselijke bands, kalenders, jam en gelei, en een stapel kranten. Hij had het gevoel dat hij regelrecht zijn kinderjaren binnengewandeld was.

Hij pakte een krant, *The Lincoln County News*, en ging tussen de kinderen in de rij staan. Een paar minuten later waren de kwetterende kinderen vertrokken met hun papieren zakken vol lekkers. Een middelbareschoolmeisje stond aan de kassa. Hij legde de krant op de toonbank en zei met een glimlach: 'Ik wil graag wat snoep.'

Ze knikte.

'Doe mij maar... even kijken... een toverbal – die heb ik in geen jaren gezien – en een paar babbelaars, een dropveter en een zuurstok.'

Ze vergaarde het gevraagde in een zak en legde die op de krant. 'Dat wordt dan twee dollar tien.'

Hij viste in zijn zak en pakte zijn portemonnee. 'Ik heb gehoord dat er hier een paar maanden geleden een meteoor voorbij is gekomen.'

'Klopt,' zei het meisje.

Hij zocht tussen de dollarbiljetten in zijn portemonnee. 'Heb jij hem gezien?'

'Ik zat binnen, maar ik heb het licht wel gezien. Dat heeft iedereen gezien. En daarna was er een klap, net een donderslag. Toen we naar buiten gingen was er nog een lichtgevend spoor in de lucht te zien.'

'En is die meteoriet nog gevonden?'

'O nee, die is in zee gevallen.'

'Hoe weten ze dat?'

'Dat stond in de krant.'

Ford knikte en viste eindelijk de biljetten tevoorschijn.

'Is de haven die kant uit?'

Ze knikte. 'Langs de winkel en rechtsaf, dan kom je vanzelf bij de werf.'

'Kan ik ook ergens levende kreeft kopen?'

'Bij de coöp.'

Hij pakte de zak snoep en de krant en liep terug naar zijn auto.

Hij stopte de toverbal in zijn mond en keek naar de voorpagina van *The Lincoln County News*. Met koeienletters stond daar de kop:

LIJK EN VUURWAPEN GEVONDEN OP GEZONKEN BOOT

Bij het artikel stond een wazige foto van een kustwachtschip op zee, terwijl de bemanning bezig was met enterhaken een lijk aan boord te trekken. Fords belangstelling was gewekt en hij las het artikel. Toen hij de bladzij omsloeg zag hij een foto van de twee meisjes die waren aangevallen, een schoolfoto van de dode agressor, en een aantal foto's van de geruïneerde boot die het dok in gesleept werd. Dit was groot nieuws in Round Pond – een overval op volle zee, compleet met enteren, poging tot moord en een gezonken boot. Het had iets te maken met een legendarische schat. Zijn onderzoeksinstinct werd erdoor gewekt: het verhaal bevatte gaten, onlogische sprongen, dingen die smeekten om uitleg.

Hij sloeg het blad om en las het verslag van de jaarlijkse bonenmaaltijd bij de Seaside Grange, klachten over een nieuw verkeerslicht, een artikel over een soldaat die terug was uit het Midden-Oosten. Hij nam de politieberichten door, las een verontwaardigd redactioneel stuk over een slecht bezochte vergadering van de schoolraad, bekeek de onroerendgoed- en personeelsadvertenties en las de brieven aan de redactie.

Uiteindelijk vouwde hij de krant op, gecharmeerd van het beeld dat hij van Round Pond had gekregen. Een rustig vissersdorpje in New England, onvoorstelbaar pittoresk, met een stagnerende economie. Ooit zouden projectontwikkelaars hun klauwen uitslaan naar dit soort gehuchtjes en dan was het allemaal afgelopen. Hij hoopte dat het nooit zover zou komen.

Hij startte de auto en reed de weg af naar de haven. Bijna meteen kwam die in het zicht: rechts de kreeftencoöp, de pier, een havenrestaurantje. En verder een haven vol vissersboten en een sterke geur van gezouten visaas.

Hij parkeerde en liep naar de coöp, een houten schuur aan de pier, met houten dienluiken die openstonden en bakken vol water met levende kreeften. Op een schoolbord stonden met krijt de dagprijzen geschreven. Een kale man met oranje lieslaarzen kwam naar het raam toe.

'Wat kan ik voor u doen?'

'Vist u in deze wateren hier?'

'Ik niet, maar mijn dochter wel. Ik verkoop ze alleen maar.'

Ford zag achter in de schuur een jonge vrouw bij de kreeftenpannen staan.

'Hebt u die meteoor gezien?'

'Nee. Ik was al naar bed.'

'En uw dochter? Ik heb belangstelling voor die meteoor.'

Hij draaide zich om. 'Martha, ik heb hier iemand die wil weten of jij die meteoor hebt gezien.'

Ze kwam aanlopen, intussen haar handen afdrogend. 'Jazeker. Pal boven het dak. Ik zag hem door het raam toen ik de afwas deed.'

'Welke kant ging hij uit?'

'Vlak langs Louds Island op zee af.'

Ford stak zijn hand uit. 'Wyman Ford.'

De vrouw pakte zijn hand. 'Martha Malone.'

'Ik ben op zoek naar die meteoriet. Ik ben wetenschapper.'

'Ze zeggen dat hij in zee is gevallen.'

'Bent u een vissersvrouw?'

Ze lachte. 'U bent zeker niet van hier. Ik ben kreeftenvisser.'

'Ik zal u zeggen wat het probleem is.' Ford besloot direct ter zake te komen. 'Die nacht was de oceaan zo glad als een spiegel. De weerboei een eind verderop heeft niet de geringste rimpeling geregistreerd op het moment van de inslag. Hebt ú daar een verklaring voor?'

'Het is een heel grote zee, meneer Ford. Dat ding kan wel honderd mijl uit de kust neergekomen zijn.'

'Hebt u niets opgevangen in de trant van dat iemand een krater had gevonden of omvergeblazen bomen?'

Ze schudde haar hoofd.

Ford bedankte haar en liep terug naar zijn auto. Hij stak een babbelaar in zijn mond en zoog er bedachtzaam op. Toen hij achter het stuur zat klapte hij het dashboardkastje open, haalde het notitieboekje eruit en streepte Round Pond door.

Dat was het dan. Enfin, het was de moeite van het proberen waard geweest.

40

Abbey Straw bracht twee mandjes met gebakken oesters en een twee-tal margarita's naar het tafeltje van het stel uit Boston. Ze zette het eten en de glazen neer. 'Kan ik u verder nog iets brengen?'

De vrouw bestudeerde haar glas en tikte met haar lange nagels op irritante wijze tegen de rand. 'Geen zout, had ik gezegd.'

'O, sorry, ik breng u een nieuw glas.' Abbey griste het glas van tafel.

'En denk maar niet dat je gewoon het zout kunt wegvegen, want dat proef ik,' zei de vrouw. 'Ik wil een níeuw glas.'

'Uiteraard.'

Net op het moment dat ze wilde weglopen, zei de man met een ge-baar naar zijn bord: 'Is dit alles, voor veertien dollar?'

Abbey draaide zich om. De vent woog minstens honderdtien kilo en had een ballerig shirt met strakgespannen naden aan op een groe-ne broek. Hij was kaal met een vetkuiltje midden op de kale plek. Uit zijn oren sproot dik zwart haar.

'Is alles naar wens?'

'Veertien dollar voor tien oesters? Wat een afzetterij.'

'Ik haal er nog een paar bij.'

Onderweg naar de keuken hoorde ze de man luidkeels tegen zijn vrouw praten. 'Daar heb ik wel zó de pest aan, van die tenten waar ze denken dat ze toeristen een poot uit kunnen draaien.'

Abbey liep terug naar de keuken. 'Ik moet er nog wat oesters bij hebben voor tafel vijf.'

'Hoezo, hadden ze wat?'

'Geef nou maar.'

De chef mikte drie kleine oesters op een schoteltje.

'Meer.'

'Meer krijgen ze niet. Zeg maar dat ze een hoge boom in kunnen.'

'Méér, zei ik.'

De chef legde er nog twee op het ontbijtbord. 'Stelletje teringlij-ers.'

Abbey stak haar hand uit, schepte nog een handvol oesters op, sta-pelde die op het bord en draaide zich om.

'Ik had toch gezegd, níet aan mijn kachel komen.'

'Val dood, Charlie.' Ze liep de keuken uit en zette het bord voor de man neer. Die had zijn tien oesters al op en ging meteen verder met de nieuwe. 'En meer tartaarsaus.'

'Komt eraan.'

Net op dat moment ging een lange man aan een van haar tafeltjes zitten. Onderweg naar de keuken om de saus te halen, bleef ze even staan om hem een menu te geven. 'Koffie?'

'Ja, graag.'

Terwijl ze hem een kop inschonk, hoorde ze de stem van de querulant uit Boston boven het geroezemoes uit stijgen. 'Weet je wat het is, ze denken dat we allemaal bulken van het geld. Je hóórt ze gewoon hun lippen likken als het zomer wordt en de toeristen uit Boston arriveren.'

Abbey was even afgeleid en de koffie die ze aan het inschenken was, klotste over de rand van de kop.

'O, sórry.'

'Geeft niet,' zei de lange man. 'Echt niet.'

Voor het eerst keek ze de man aan. Een vierkant gezicht, een grote haakneus, een brede kaak – mager en sterk maar toch op de een of andere manier vriendelijk. Toen hij glimlachte veranderde zijn gezicht helemaal.

'Hallo-o? Tartaarsaus?' klonk een luide stem aan het aangrenzende tafeltje.

De lange man knikte en knipoogde naar haar. 'Ga daar eerst maar naartoe.'

Haastig liep ze weg om de saus te halen.

'Daar mag de gezondheidsinspectie wel eens naar kijken,' zei de man terwijl hij de saus uit haar hand griste en over zijn oesters lepelde.

Met haar boekje in de hand liep ze naar de lange man terug. 'Wat kan ik u brengen?'

'Een broodje kabeljauw, graag.'

'En verder nog iets, behalve koffie?'

'Gewoon water.'

Ze aarzelde en wierp een blik op het tafeltje met het echtpaar uit Boston om te zien of daar nog iets nodig was, maar het echtpaar zat te eten. Hij volgde haar blik. 'Sorry van daarnet.'

'Kun jij niks aan doen. Woon je hier in de buurt?'

Dit gebeurde de laatste tijd iets te vaak naar haar smaak. 'Nee,' zei ze. 'Ik woon op het schiereiland.'

Hij knikte peinzend. 'Aha. Dan heb jij zeker wel goed zicht gehad op die meteoriet van een paar maanden geleden?'

Meteen was Abbey op haar qui-vive, verbaasd over de onverwachte vraag. 'Nee.'

'Heb je het spoor van de meteoriet niet gezien, of de klap gehoord toen hij door de geluidsbarrière ging?'

'Nee, beslist niet, nee hoor.' Met het gevoel dat haar ontkenning overdreven moest overkomen, ratelde ze verder. 'En bovendien is het een meteoor, geen meteoriet.'

De man glimlachte weer. 'Die twee termen haal ik altijd door elkaar.'

Snel ging ze verder. 'Bijgerechten? Een salade misschien? Of frites?'

'Nee, dat is alles.'

Ze gaf de bestelling door en liep haastig terug naar het tafeltje met de mensen uit Boston, die intussen uitgegeten waren. 'Kan ik u verder nog iets brengen?'

'Wat, heb je ons tafeltje nú alweer nodig?'

De vrouw merkte op: 'Onvergeeflijk, zoals ze proberen je zo snel mogelijk de deur uit te werken.'

Ze keek of aan de andere tafeltjes alles in orde was, pakte het broodje kabeljauw en bracht het naar de klant.

'Hé, waar blijft de rekening?' klonk het aan het Boston-tafeltje. 'Je ziet toch dat we klaar zijn?'

Ze pakte het bonnetje van de tafel, liep ermee naar de kassa, sloeg de bedragen aan, printte de rekening, nam de bon mee naar de tafel en legde hem neer. 'Een prettige dag nog.'

De man vouwde de rekening open en ging demonstratief de bedragen zitten controleren. 'Wat een afzetterij.' Hij legde een stapeltje geld op de tafel, een massa munten en verfrommelde bankbiljetten, en liet die in een hoop op de rekening liggen.

Even later vertrok de lange man, met achterlating van zo'n grote fooi dat hij het gemis aan fooi van het echtpaar uit Boston goedmaakte. Terwijl ze zijn tafeltje afruimde, vroeg ze zich af waar die gerichte vragen over de meteoor vandaan gekomen waren. Een vriendelijke man, zo te zien, maar die vragen vertrouwde ze niet helemaal. Helemaal niet, zelfs.

41

Wyman Ford was de Wiscasset Bridge al over toen hij uiteindelijk voor een antiekwinkel stopte. Hij zette de auto op de handrem en bleef een tijd zitten nadenken. Hij kon er niet direct de vinger op leggen, maar ergens klopte er iets niet. Het had te maken met de eigenaardige reactie van het meisje in het restaurant en dat krankzinnige verhaal in het plaatselijke krantje. Hij had het blad op de passagiersstoel neergelegd en pakte het nu nog eens op. De dienster in het restaurant was het meisje uit het nieuwsbericht, dat leed geen twijfel. Zij was op zoek geweest naar die piratenschat. En toen hij naar de meteoriet had geïnformeerd, was ze plotseling nerveus gaan doen. Waarom? En hoeveel diensters in dit soort gehuchten wisten het verschil tussen de termen meteoor en meteoriet?

Hij zette de auto weer in de versnelling en maakte rechtsomkeert. Tien minuten later liep hij het restaurant weer binnen. Daar liep het meisje nog druk rond, en hij bleef bij de ingang naar haar staan kijken. Dit was beslist het meisje uit het krantenbericht, en meteen ook de enige Amerikaan van Afrikaanse afkomst die hij in zijn hele reis door Maine gezien had. Kort zwart haar dat rond haar gezicht krulde, heldere zwarte ogen, lang en slank en met een atletische bouw. Ze liep rond met een ironische, misschien zelfs sardonische, blik in haar ogen. Geen spoor van make-up. Een oogverblindend mooie vrouw. Een jaar of eenentwintig?

Zodra hij de eetzaal binnenliep zag ze hem. Haar gezicht kreeg een licht argwanende uitdrukking. Hij knikte naar haar en glimlachte.

'Iets vergeten?' vroeg ze.

'Nee.'

Haar gezicht verstrakte nog meer. 'Wat wilt u dan?'

'Sorry, ik wilde niets oprakelen, maar was jij niet degene die betrokken was bij dat voorval waarover ik in de krant gelezen heb?'

Nu werd haar blik zonder meer kil. Ze sloeg haar armen over elkaar. 'Als u niets wilt oprakelen, doe dat dan ook niet.' Ze draaide zich om en wilde weglopen.

'Wacht even. Heel even maar. Dit is belangrijk.'

Ze wachtte.

'Je corrigeerde me toen ik in plaats van meteoor meteoriet had gezegd.'

'Nou, en?'

'Hoezo ken jij het verschil?'

Ze schokschouderde, sloeg haar armen weer over elkaar en keek naar de tafeltjes die onder haar hoede vielen.

Ford wist niet eens zeker waar hij met die vragen heen wilde, wat hij hoopte te horen. 'Het moet wel een spannend moment geweest zijn toen die meteoor door de lucht floot.'

'Hoor eens, ik moet weer aan het werk.'

Ford keek haar strak aan. Ze was vreemd nerveus. 'Weet je zeker dat je hem niet gezien hebt? Niet eens het lichtspoor? Dat moet wel een halfuur lang te zien geweest zijn.'

'Dat heb ik toch al gezegd. Ik heb niets gezien.'

Haar blik was gespannen. Waarom loog ze? Hij hield aan, nog steeds zonder te weten wat hij wilde bereiken. Het was te zien dat ze niet gewend was aan liegen, en op haar gezicht stonden verwarring en schrik te lezen. 'Waar was je toen hij viel?'

'In bed. Ik sliep.'

'Om kwart voor tien 's avonds, op jouw leeftijd?'

Ze keek hem nu recht in zijn gezicht. 'U hebt wel heel veel belangstelling voor die meteoriet!'

'In zeker opzicht.'

Ze kneep haar ogen samen. 'Bent u er soms naar op zoek?'

'Het is dat je het vraagt, maar: inderdaad.'

Daar leek ze over na te denken, en even later brak er een glimlach door. 'U wou hem vinden?'

'Dat lijkt me bijzonder interessant.'

Ze deed een stap zijn richting uit en zei zachtjes: 'Over een half-uur ben ik vrij. Kom naar het leescafé verderop in de straat.'

Een halfuur later kwam ze aanlopen. In plaats van haar uniform had ze nu een spijkerbroek en een geruite blouse aan.

Ford stond op en vroeg haar te gaan zitten.

'Koffie?'

'Een driedubbele espresso met twee melk en vier suiker.'

Ford bestelde koffie voor haar en voor zichzelf en bracht de koppen naar het tafeltje. Ze keek hem recht aan en haar bruine ogen stonden verontrustend waakzaam. 'Begint u maar. Vertel me maar eens wie u bent en waarom u op zoek bent naar die meteoor.'

'Ik ben planetair geoloog…'

Ze snoof sarcastisch. 'Hou toch op met die bullshit.'

'Hoezo zou ik dat niet zijn?'

'Een planetair geoloog zou de woorden meteoor en meteoriet nooit door elkaar halen. Een echte planetair geoloog zou de wetenschappelijke term "meteoroïde" gebruikt hebben.'

Ford keek haar verbijsterd aan. Dus zo snel was hij al tegen de lamp gelopen. Ontmaskerd door een dienster uit een gehucht op het platteland. Snel glimlachte hij om zijn verwarring te maskeren. 'Jij bent een slimme meid.'

Met haar armen op tafel over elkaar geslagen bleef ze hem strak aankijken.

Ford stak zijn hand uit. 'Als we nou eens begonnen met kennismaken. Ik ben Wyman Ford.'

'Abbey Straw.' De koele hand gleed even de zijne in.

'Ik ben een soort privédetective. En ik heb belangstelling voor die *meteoroïde*. Die probeer ik op het spoor te komen.'

'Waarom?'

Even wilde hij met een nieuwe leugen op de proppen komen, maar hij besloot het bij een halve waarheid te houden. 'Ik werk voor de regering.'

'O?' Ze leunde voorover. 'En waarom heeft de regering daar belangstelling voor?'

'Die meteoroïde was niet helemaal... normaal, en dat is interessant. Maar daar moet ik meteen bij zeggen dat ik hier niet in officiële functie ben. Je zou kunnen zeggen dat ik aan het freelancen ben.'

Daar moest Abbey zo te zien even over nadenken, en na een tijdje zei ze peinzend: 'Ik weet heel wat over die meteoroïde. Wat hebt u voor die informatie over?'

'Pardon.' Ford was verbluft. 'Wou je me laten betálen voor je inlichtingen?'

Abbey bloosde. 'Ik heb geld nodig.'

'Wat voor informatie heb je?'

'Ik weet waar hij neergekomen is. Ik heb de krater gezien.'

Ford kon zijn oren amper geloven. Kon dat echt zo zijn? 'Vertel daar eens iets meer over?'

'Zoals ik al zei: ik heb geld nodig.'

'Hoeveel?'

Ze aarzelde even. 'Een ton.'

Ford keek haar met open mond aan voordat hij in lachen uitbarstte. 'Ben jij nou helemaal geschift?'

Haar gezicht betrok. 'Ik vraag het alleen omdat... eh... omdat het me een ton gekost heeft om die krater te vinden.'

'Voor honderdduizend dollar vind ik die krater zelf wel vijf keer.'

'Ik zal u wat zeggen, meneer Ford. U kunt honderd jaar in die baai blijven zoeken zonder hem ooit te vinden. Die vind je alleen als je precies weet waar je zoeken moet. Hij is heel klein, en vanuit de lucht is hij onzichtbaar.'

Ford leunde achterover en nam een slok van zijn koffie. 'Als je me nou eens vertelde hoe je die ontdekking gedaan hebt en waarom ze je een ton gekost heeft.'

Het meisje nam een grote slok van haar koffie. 'Oké. Op 14 april had ik net een telescoop gekocht. Daarmee was ik een tijdopname van het sterrenbeeld Orion aan het maken. Breedbeeld. Op dat moment kwam de meteoor voorbij en had ik de streep ervan op de film. Of digitaal vastgelegd.'

'Heb je er een foto van?' Ford kon zijn geluk amper op.

'En toen kreeg ik een idee: ik heb de gegevens van de GOMOOS weerboei op het internet opgezocht. Geen golf te bekennen. Dus leek het me dat hij op een eiland terechtgekomen moest zijn in plaats van in zee. En met een driehoeksmeting op basis van de foto kon ik een lijn trekken waarop hij gevallen moest zijn. Ik heb de kreeftenboot van mijn vader geleend en ben samen met een vriendin op zoek gegaan.'

'Vanwaar die belangstelling voor meteorieten?'

'Meteorieten zijn een boel geld waard.'

'Ha, je hebt een neus voor zaken.'

'We wilden niet dat mensen wisten wat we gingen doen, en daarom hebben we laten doorschemeren dat we op zoek gingen naar een piratenschat.'

'Het begint me duidelijk te worden,' zei Ford.

'Ja. Maar onze stalker was aan de speed, en was zo stoned dat hij het verhaal geloofde. Hij heeft ons aangevallen en mijn vaders boot tot zinken gebracht. En de verzekering betaalt niet uit.'

'Wat rot.'

'Dus nu moet mijn vader een boot afbetalen die niet meer bestaat. Misschien moeten we ons huis uit. U snapt: ik heb geld nodig. Ik moet hem een nieuwe boot bezorgen.'

In haar ogen welden de tranen op. Ford deed alsof hij niets zag. 'Je hebt de krater gevonden,' zei hij op effen toon. 'En hoe zag de meteoriet zelf eruit?'

'Ik zei toch niet dat ik een meteoriet had gevonden?'

Ford voelde zijn hartslag versnellen. Intuïtief wist hij dat ze de waarheid sprak. 'Heb je geen meteoriet gevonden in die krater?'

'Nu komen we bij de informatie waarvoor u zult moeten betalen.'

Ford keek haar een tijdje strak aan. Uiteindelijk opende hij zijn mond. 'Mag ik vragen waarom iemand met zo'n stel hersenen een baantje in een restaurant in een gehucht als Damariscotta heeft?'

'Ik heb mijn studie niet afgemaakt.'

'Waar heb je gestudeerd?'

'Princeton.'

'Niet mis. En wát heb je gestudeerd?'

'Ik moest eigenlijk mijn deelcertificaten halen voor geneeskunde, maar ik heb ook een heleboel natuurkunde en astronomie gedaan. Te veel. Daardoor ben ik gezakt voor organische scheikunde, en dat heeft me mijn beurs gekost.'

Ford dacht een tijdje na. Ach, wat maakte het ook uit. 'Toevallig heeft er net een paar dagen geleden iemand een ton op mijn rekening gestort. Ik heb het geld niet nodig. Jij mag het hebben, om een nieuwe boot mee te kopen. Maar daar zitten wel een paar voorwaarden aan vast. Vanaf nu werk je voor mij. Je houdt je volslagen gedeisd, je zegt niets, tegen niemand, ook niet tegen je vriendin. En het eerste wat we met die nieuwe boot gaan doen is de krater bezoeken. Akkoord?'

Ford moest bijna een zonnebril opzetten, zo stralend glimlachte ze naar hem. Ze stak haar hand uit. 'Akkoord.'

42

Mark Corso gooide de post op een tafeltje en liet zich in een fauteuil vallen. Hij logeerde tijdelijk bij een vriend, die een appartement in een souterrain aan Upper West Side had. Zijn hoofd viel tegen het kussen en hij sloot zijn ogen. Hij voelde zich loom, en achter zijn ogen manifesteerde zich een beginnende kater. De afgelopen drie dagen had hij dubbele diensten gedraaid bij Moto, van één uur 's middags tot één uur 's nachts, en om de tijd door te komen had hij onder de bar een rij cocktails binnen handbereik gehouden. Ondanks de lange uren verdiende hij niet genoeg om zijn deel van de huur te betalen, dus zat hij met een schuld aan zijn vriend. Hij had die ontslagpremie van de NPF nodig, en snel ook. In zijn weinige vrije tijd had hij links en rechts gesolliciteerd. De foto's op de vaste schijf waren intussen bijna een obsessie geworden en hij had ze eindeloos zitten bijschaven en oppoetsen. Hij had amper geslapen. En daarbij miste hij Marjory Leung ook nog eens. Heel erg. Dag en nacht fantaseerde hij over haar lange, naakte, soepele lichaam. Hij had haar nog een paar maal gesproken, maar het was duidelijk dat het geen relatie zou worden; verder dan een warme vriendschap kwamen ze niet.

Hij streed tegen zijn slaap, schudde zichzelf wakker en keek naar de post. Bedroevend weinig reacties op zijn banenzoekerij en sollicitaties. Met tegenzin griste hij de stapel van de tafel, scheurde de eerste envelop open en las de bovenste regel. Hij verfrommelde het blad tot een prop, liet die vallen, en opende de tweede brief. En de derde, en de vierde.

De berg proppen aan zijn voeten groeide gestaag.

Bij de zesde en laatste brief verstarde hij. Die was van de personeelsafdeling van CalTech, waar de NPF onder viel. Hij dacht dat er een cheque in zou zitten, maar toen hij de envelop had geopend trof hij alleen een brief aan. Ongelovig las hij de tekst, en herhaalde malen keerde zijn blik terug naar de eerste alinea.

Na het lezen van uw werknemersdossier en het bericht van ontslag wegens wanprestatie van uw voormalig supervisor bij de National Propulsion Facility is bepaald dat u niet in aanmerking komt voor ontslagpremie of voor uitbetaling van niet-opgenomen vakantiedagen als uiteengezet in uw arbeidsovereenkomst. We verwijzen naar de clausules 4.5.1 tot en met 6 in het *Werknemershandboek...*

Hij las de brief tweemaal door en mikte hem daarna op tafel. Dit mocht hij niet laten passeren. Ze waren hem twee weken salaris en twee weken aan ongebruikte vakantiedagen schuldig: meer dan achtduizend dollar. Na zes jaar studie en met tachtigduizend dollar aan studieschuld op zijn teller en nog geen vijfhonderd dollar op zijn rekening moest hij dus bij een vriend in de kelder logeren? Zonder baan, zonder vooruitzichten, en met een dikke stapel creditcards waarop geen cent krediet meer stond? Hij kon niet eens de achterstallige huur betalen.

Langzaam maar onherroepelijk voelde hij zich boos worden. Die hufters bij de NPF zouden hem zijn geld geven. Ze waren hem achtduizend dollar schuldig en hij zou zorgen dat hij zijn geld kreeg, hoe dan ook. Er moest een manier zijn om hen in de tang te nemen.

De deur ging open en zijn huisgenoot stond op de drempel. 'Hé, Mark. Sorry dat ik zit te zeiken over die huur, maar ik heb het geld nodig. Nú.'

Met zijn koffers naast zich stond Mark Corso op de drempel van de flat in Greenpoint waar zijn moeder woonde. Hij belde aan. De kater was nu onmiskenbaar aanwezig: zijn ogen bonsden bijna uit de kassen en hij had een gortdroge mond. Hij had zich er niet toe kunnen zetten om van tevoren te bellen. Binnen hoorde hij schuifelende voeten, het geluid van sleutels die in het slot werden omgedraaid, en daarna zijn moeders bevende, onzekere stem.

'Wie is daar?'

'Ik. Mark.'

Het laatste slot werd geopend en daar stond zijn moeder: kort, gezet, staalgrijs haar. Haar gezicht lichtte op van vreugde. 'Mark!' Haar armen werden om hem heen geslagen in een verstikkende omhelzing, eenmaal, en nog een keer. 'Wat heb je daar nou, koffers? Kom je weer thuis wonen? Blijf daar niet in de kou staan, kom binnen! Kom je logeren of zomaar even langs? Wat zie je er moe uit!' Nog een omhelzing, en ditmaal biggelde er een vreugdetraan over zijn moeders wang.

Ze trok haar lijdzaam volgende zoon de woonkamer in en duwde hem in de richting van de bank.

'Ik zal iets lekkers voor je maken, een boterham met pindakaas en marshmallow, blijf jij maar even lekker zitten. Wat ben je mager!'

'Ik hoef niks, mam!'

Corso schopte zijn schoenen uit, ging met zijn handen boven zijn hoofd op de bank liggen en staarde naar de kringetjes van het sierpleister op het plafond van zijn ouderlijk huis. Hij dacht aan het geld dat de NPF hem schuldig was. Ze konden hem niet zomaar twee weken salaris door de neus boren. En vakantiedagen? Die had hij verdiend. Dit kon echt niet. Hij vroeg zich af of Derkweiler zijn sollicitatiepogingen misschien aan het saboteren was – hij maakte nergens ook maar een schijn van kans. Onvoorstelbaar: hij had de wetenschappelijke ontdekking van een generatie gedaan, hij kon er niets mee, en zijn collega's behandelden hem als een stuk vuil.

Maar hij had een troef in handen: de vaste schijf. Hij vroeg zich af wanneer ze zouden merken dat die er niet meer was. In zijn hoofd begon een idee te groeien. Jaren geleden, herinnerde hij zich, was er bij Los Alamos National Labs een vaste schijf met geheime gegevens kwijtgeraakt. Dat had de voorpagina van *The New York Times* gehaald, waarna de directeur en een stel wetenschappers waren ontslagen. Misschien moest de NPF-schijf ergens in een FBI-kantoor opduiken. Alleen al het feit dat het ding zich buiten NPF-terrein bevond, was genoeg voor een schandaal. En wie kreeg dan de schuld? De directeur van de missie.

Hij hees zich overeind. Dat was het! Chaudry kon zijn carrière wel op zijn buik schrijven als bekend werd dat een van zijn medewerkers het pand verlaten had met een vaste schijf vol geheime gegevens in zijn tas. En Derkweiler kon het dan verder ook wel vergeten. Hij had ze bij de ballen! Maar het had geen zin om hen enkel en alleen uit wraak in het ongeluk te storten. Nee... Hij zou dreigen naar de FBI te gaan, maar dat was dan de negatieve prikkel voor de stouteriken. De roe, zogezegd. Aan de positieve kant had je het lekkers. En dat was dat hij een ontdekking in handen had die hen allebei beroemd zou maken, en hemzelf ook. Mits ze zo verstandig waren hem weer aan te nemen.

Kijk, dáár kon hij iets mee. Een snel telefoontje, niets zwart op wit. Hij zou niets meer vragen dan wat hem toekwam, iets wat Chaudry hem kon bezorgen met één haal van zijn pen: hem weer in dienst nemen. Met zijn ontdekking zou alles vergeven en vergeten zijn. Hij begon enthousiast te raken. Als Chaudry zijn toenaderingspoging afkapte en melding maakte van een gestolen schijf, lag zijn eigen carrière aan duigen. Dan zou hij nooit meer met geheim materiaal werken. Chaudry was slim, hij hield het hoofd koel, en bovenal was hij ambitieus. Hij zou meteen zien hoe hij hier beter van kon worden.

Corso keek op zijn horloge. Tien uur in de ochtend in New York, dus zeven uur in Californië. Dan was Chaudry dus nog thuis: ideaal.

Binnen dertig seconden had hij via het internet het telefoonnummer opgezocht. Langzaam, weloverwogen koos Corso het nummer. Zijn hart bonsde in zijn borstkas terwijl hij zijn boodschap repeteerde. *Ik heb een vaste schijf van de NPF in handen met daarop geheime gegevens, alle hogeresolutiebeelden van de planeet. Die heeft Freeman me gestuurd voordat hij vermoord werd. En op die schijf staat een foto van een buitenaards voorwerp. Een machine. Geloof me, niemand kan dat ding vinden. Maar ik wel.*

Dus we pakken het zo aan: jullie nemen mij weer in dienst, ik geef die schijf terug, en niemand hoeft ooit te weten dat er een lek ge-

weest is. En we delen samen de roem van de grootste wetenschap-
pelijke ontdekking aller tijden. Weiger je dat, dan doe ik de schijf
anoniem op de post naar de FBI *en dan is je carrière voorbij. Over.*
Nop. Weet je nog van die toestand in Los Alamos?
De keus is aan jou. Denk er maar eens goed over na voordat je
iets stoms doet.

De telefoon begon te rinkelen. 'Hallo?' klonk Chaudry's koele
stem.

43

Ford stapte vanuit de sloep op de rotsen van Shark Island en ademde de zilte lucht diep in. Het was een hele opluchting om weer op
vaste bodem te staan: de boottocht had hem een wee gevoel in zijn
maag bezorgd, al was de zee spiegelglad. Hij moest toegeven dat hij
geen zeeman was. Op deze schitterende zomerdag baadde het eiland
in warm zonlicht en lag de oceaan te glinsteren van het vasteland tot
aan de horizon. Meeuwen krijsten en vlogen rond hun hoofd rond,
geïrriteerd dat ze werden opgeschrikt op hun normaal zo rustige plek
op de rotsen.

'Kijk uit voor uw Gucci's,' zei Abbey.

Achter haar aan klom hij naar de hoogste punt van het eiland, tussen rotsblokken en doornige struiken door, en even later stond hij
aan de rand van een kleine krater. De regen van de afgelopen dagen
had het puin op de bodem van de krater schoongewassen. Midden
op de rotsbodem, omringd door barsten, zag Ford een kogelrond gat
met een doorsnee van een centimeter of tien.

Hij haalde diep adem. Wat kon er een inslaggat van tien centimeter maken, door twaalfduizend kilometer planeet heen schieten en
bij uittreding een gat van dertig meter achterlaten?

'We waren op zoek naar een meteoriet,' zei Abbey, 'en dit is wat
we vonden: een gat.' Een teleurgesteld lachje.

Ford haalde een draagbare geigerteller uit zijn tas vol apparatuur.
Die registreerde een normale achtergrondstraling van zo'n 0,05 millirem per uur. Hij maakte een paar foto's en nam de satellietcoördinaten van het gat op. Daarna hurkte hij om de straling in het gat zelf
te meten. Hij zwaaide de meter heen en weer en uiteindelijk regis-

treerde hij een iets verhoogde straling van 0,1 millirem per uur.

'Krijg ik nu kinderen met twee hoofden?'

'Dat lijkt me niet.'

Hij liet zich de krater in zakken, knielde, stak zijn hand in het gat en tastte rond. De wanden waren glad en glazig, net als die van het aanzienlijk grotere gat in Cambodja. Het buitenaardse voorwerp, wat het ook geweest was, had een ronde cilinder in de rots uitgehouwen, zo perfect alsof het met een boor gedaan was. Vanuit de opening liep een reeks barsten in een stralenkrans naar buiten, maar er was geen teken van geweld en bijna niets van het gebruikelijke explosieve contact dat bij inslag optreedt. Het gat zag er verbluffend netjes uit, de grond was amper omgewoeld. Het leek wel of een of andere ongewone kracht de energie van de inslag had geabsorbeerd of opgeheven. Datzelfde moest gebeurd zijn aan de andere kant van de aarde, in Cambodja. De uittredekrater had enorm moeten zijn, alsof je een kogel door een pompoen heen schoot, en de schokgolf alleen al had aan de andere kant het puin naar buiten moeten slingeren zodat er een actieve vulkaan of een magma-eruptie was ontstaan. Maar niets daarvan. Beide gaten waren op de een of andere manier vanzelf dichtgegaan, aan beide zijden. Geen magma, geen uitbarsting, alleen een beetje reststraling. Dit kón helemaal niet. Als iets zo groot was en zo'n snelheid had dat het zelfs steen kon doen verdampen en dwars door de aarde heen kon boren, dan had dat voorwerp het hele eiland aan flarden moeten scheuren.

Ford tuurde met een lantaarn het gat in; dat liep zover zijn licht reikte loodrecht de diepte in. Hij huiverde. De hele toestand had iets angstaanjagends. Hij mat de opening op, noteerde de invalshoek en maakte nog wat foto's. Hij pakte zijn steenhamertje en kapte daarmee een paar stukjes van de rand van het gat en de glazige binnenwand weg, die hij in plastic zakjes opborg. Verder nam hij wat monsters van zand en van de begroeiing.

'Hoe is het in vredesnaam mogelijk,' vroeg Abbey, 'dat een meteoor die groot genoeg is om de hele kust van Maine te verlichten, maar zo'n klein gat achterlaat?'

'Dat is een goede vraag.' Ford kwam overeind en veegde het zand van zijn knieën.

'Hoe diep denkt u dat hij gegaan is tot hij uiteindelijk tot stilstand kwam?'

Ford schraapte zijn keel en keek haar aan. 'Hij is niet tot stilstand gekomen.'

'Hoe bedoelt u?'

'Hij is dwars door de aarde heen gegaan.'

Ze keek hem sprakeloos aan. 'Dat meent u niet.'

'Jawel. Hij is in het noordwesten van Cambodja naar buiten gekomen. Alleen was hij op dat moment een stuk groter. Het gat daar was geen tien centimeter maar drie meter in doorsnee.'

'Holy shit.'

'Hij is met zo'n kracht uit de grond geblazen dat er zo'n twee vierkante kilometer jungle is platgelegd.'

'Enig idee wat het was?'

Ford begon zijn spullen en monsters op te bergen. 'Geen flauw idee.'

'Het klinkt mij in de oren als een miniatuur zwart gat. Dringt helemaal door de aarde heen, wordt onderweg steeds groter en laat sporen van straling achter.'

'Dat is een interessante hypothese.'

'Bent u er al achter waar hij vandaan kwam?'

Ford hees de tas over zijn schouder. 'Nee.'

'Waarom niet?'

Ford zuchtte. 'Hoe kom je daarachter?'

'U hebt een foto van het object bij inval, u hebt het punt van inval en de hoek, het exacte tijdstip van inslag, het punt van uittreding en de hoek... nou, met zoveel informatie lijkt me dat u de baan rond de aarde terug kunt rekenen. Dat doen ze aan de lopende band met ECO's.'

'ECO's?'

'Earth Crossing Objects. Voorwerpen met een baan die vlak bij de aarde komt. Een bekend probleem bij omloopdynamica.

Ford keek haar aan. 'Kun jíj dat doen?'

'Geef me een uur de tijd en een MacBook met Mathematica erop geïnstalleerd.'

44

Corso opende de voordeur van zijn moeders flat en liep langzaam naar binnen, voorzichtig om zijn moeder niet wakker te maken. Hij struikelde over het kleed in de gang, vloekte en liep de woonkamer in, waarbij hij de tochtdeur dichtdeed om de herrie tegen te houden. Hij was net klaar met zijn dienst bij Moto, hoewel hij nog even was blijven plakken om zelf wat te drinken. En nu was het twee uur in de ochtend. Elf uur 's avonds in Californië.

Elf uur. Met een rood hoofd liet hij zich op de bank zakken. Eerder die dag had hij Marjory gebeld, een bijzonder onbevredigend gesprek; hij moest het kort houden omdat ze op kantoor was. Hun relatie was net een week oud geweest toen hij vertrokken was; wat hij met haar had, was iets wild en erotisch, en zou de lange afstand niet overleven.

God, wat erg. Hij had nog nooit zo gelachen met een vrouw. En hij had een wanhopige behoefte om iemand te spreken, de mening te horen van iemand die de spelers kende, het terrein kende.

Hij pakte de telefoon en koos het nummer. Het toestel ging vier keer over en toen hoorde hij haar stem, klein en heel ver weg.

'Mark?'

'Ja, hoi, met mij.'

'Gaat het?'

'Prima, uitstekend. Hoor eens, ik moet je ergens over spreken... iets op het werk. Iets heel belangrijks.'

Stilte. 'Wat dan?' Haar stem klonk argwanend. Ze had hem behoorlijk duidelijk gemaakt dat ze niet betrokken wilde raken bij zijn toestanden of haar eigen carrière op het spel zetten voor hem.

'Ik heb een vaste schijf van de NPF. Met geheime gegevens. Daar staan alle hogeresolutiefoto's op.'

'O shit. Mark, hou alsjeblieft op. Dit wil ik niet weten.'

'Je móét het weten. Ik heb iets gevonden. Iets ongelooflijks.'

'Ik wil nu écht niets meer horen. Ik hang op.'

'Nee, wacht nou! Ik heb een foto gevonden van een buitenaards... apparaat of toestel op...' Hij zweeg even. *Niet de echte locatie noemen!* 'Op Mars.'

Stilte. 'Wacht eens even. Wát zei je?'

'Ik heb een foto gevonden. Een heel, heel erg heldere foto van een heel, héél erg oude constructie op het oppervlak van Mars. Onmiskenbaar.'

'Je bent bezopen.'

'Inderdaad, maar die ontdekkingen heb ik gedaan toen ik nuchter was. Marjory, je wéét dat ik niet gek ben, je weet dat ik aan het MIT de beste van mijn jaar was en je weet dat ik de jongste medewerker van de complete Marsmissie was. Je weet: als ik je zeg dat dit echt is, dan ís het ook echt. Volgens mij is die machine de bron van de gammastraling.'

Hij hoorde haar ademhaling aan de andere kant van de lijn. 'Heel wat rotsformaties kunnen er kunstmatig uitzien.'

'Dit is geen rotsformatie. Het is iets met een doorsnede van circa zes meter en het bestaat uit een volmaakt cilindervormige buis met een rand, met een doorsnede van zowat twee meter. Die steekt buiten het oppervlak uit, omringd door vijf volkomen sferische uitsteeksels. Het geheel is gemonteerd op een vijfhoekig plateau dat deels ondergesneeuwd is met regoliet.'

'Hoe weet je dat het iets ouds is?'

'Door de regoliet. En je ziet putjes en erosie van micrometeoroïden. Het moet miljoenen jaren oud zijn.'

Weer een stilte. 'Waar op Mars staat dat ding? Ik wil de beelden zien.'

'Sorry, dat zeg ik niet.'

'Waarom niet?'

'Omdat ik hem gevonden heb en omdat ik er mijn naam aan verbonden wil zien. Dat snap je hopelijk.'

'Ik snap het. Maar... wat wou je hieraan doen? Hoe wou je je naam hieraan verbinden?'

'Ik heb Chaudry gebeld.'

'Jezus! Heb je hem verteld dat je een schijf met geheime data hebt gestolen?'

'Ik heb hem niet persoonlijk gestolen, maar inderdaad, ik heb het hem wel verteld. Ik heb gezegd dat ik met schijf en al terugkwam als hij me weer in dienst nam, en dat alles dan vergeven en vergeten was en dat we samen de ontdekking bekend konden maken. Zo niet, dan zou ik de schijf naar de FBI sturen en dan is zijn carrière naar de maan.'

'O god. En toen?'

'Die hufter geloofde me niet. Hij geloofde niet dat er een buitenaardse machine bestond. Hij noemde me een psychopathische leugenaar. Hij wilde niet eens geloven dat ik een vaste schijf met geheime gegevens in handen had. Dus heb ik hem een detail van het hogeresolutiebeeld gestuurd, als bewijs. Geen foto van de machine natuurlijk, want dan had hij hem aan de hand van het gegevensbestand zelf gevonden. Maar ik heb hem een superhoge resolutie van een andere foto gestuurd. Nou, hij wist niet hoe snel hij terug moest bellen, de klootzak.'

'Je bent geschift.'

'Er staat veel op het spel.'

'En?'

'Het werkte in mijn nadeel. Hij zei dat hij geen vinger voor me zou uitsteken. En nu kon ik ook geen vinger meer naar hem uitsteken. Want als ik die schijf anoniem naar de FBI stuurde en hij daarvoor zou opdraaien, dan zou hij mij meeslepen in zijn val. Dat zei hij letterlijk: *Als ik eraan ga, dan ga jij mee.* We hebben elkaar in de tang.'

Een lange stilte. 'Hij heeft anders wel gelijk.'

'Dat besef ik intussen ook. Die klootzak heeft me schaakmat gezet.'

'Wat nu?'

'Dit is nog lang niet voorbij. Ik speel met de gedachte om met de schijf naar de *New York Times* te gaan. Ik zweer dat deze ontdekking op mijn naam zal komen, al is het mijn laatste daad.' Hij aarzelde. 'Ik wil jouw mening graag horen. Ik wil weten wat jij ervan vindt. Ik loop hier al zo lang over te piekeren dat ik zowat uit elkaar spring.'

Een hele tijd hoorde hij niets dan de interlokale ruis op de lijn, het vage geluid van muziek op de achtergrond. 'Doe voorlopig even niets,' zei Leung langzaam. 'Ik vraag me af of de *Times* wel zo'n goed idee is. Geef me een paar dagen om erover te denken, oké? Blijf gewoon zitten waar je zit en verroer je niet.'

45

Aan tafel bij het avondeten had Abbey niet kunnen verzinnen hoe ze het haar vader moest vertellen, en nu, terwijl ze om zes uur in de ochtend haar koffer de trap af zeulde, had ze nog steeds geen idee hoe ze het nieuws moest brengen.

Hij zat aan de keukentafel met een mok koffie voor zijn neus de *Portland Press Herald* te lezen. Met een schok drong het tot haar door hoe moe hij eruitzag. Zijn lichtbruine haar zat in slierten aan zijn voorhoofd geplakt, hij had zich niet geschoren en hij zat met kromme schouders. Hij was niet lang, maar hij was altijd stevig en gespierd geweest, met een rechte rug. Nu zag hij eruit alsof hij ieder moment in elkaar kon zakken. Sinds de dag waarop zij zijn boot tot zinken had gebracht en daarmee zijn bron van inkomsten had weggenomen, had hij nooit meer aan haar kop zitten zaniken over haar studie en haar toekomst, was er geen klacht meer over zijn lippen gekomen over de kapitalen die zij hem had gekost. Het leek wel of hij de hoop had opgegeven. Als hij het erom gedaan had, had hij haar geen rotter gevoel kunnen bezorgen.

Toen ze haar koffer bij de deur zette, keek hij verbaasd op. 'Wat is dat nou? Ga je ergens heen?'

Ze probeerde een vrolijke glimlach tevoorschijn te toveren. 'Ik heb een nieuwe baan.'

Zijn wenkbrauwen schoten de hoogte in. 'Ga zitten, neem een kop koffie en vertel me wat je gaat doen.'

De zon stroomde door het raam naar binnen en ze zag het blauw van de haven in de verte, bespikkeld met vissersboten. Door het tegenovergelegen raam zag ze het grote veld achter het huis, met hoog, groen gras. Over een halfuur kwam de auto. Ze pakte een mok uit de kast, schonk die vol, kiepte er de gebruikelijke vier theelepels suiker en een ferme scheut room in, roerde en ging zitten.

'Ga je weg bij het restaurant?'

'Ja. Ik heb een echte baan gevonden.'

'Bij de supermarkt? Ik zag een briefje dat ze daar op zoek waren naar zomerhulp.'

'Ik ga naar Washington.'

'Washington? Washington D.C., bedoel je?'

'Ja, voor een week of twee, en daarna kom ik misschien terug. Het is een baan waarbij ik af en toe op reis moet.'

Haar vader boog zich met een onzekere blik op zijn gezicht naar haar over. 'Op reis? Wat ga je dan in vredesnaam doen?'

Ze slikte. 'Ik werk voor een planetair geoloog. Als assistent.'

Haar vader keek haar met samengeknepen ogen aan. 'Heb jij dan verstand van geologie?'

'Dit is geen geologie. Dit is planetaire geologie. Planeten, pap. Dat is zoiets als astronomie. Die wetenschapper heeft een adviesbureau voor de regering.' Ze zweeg even en bedacht wat ze afgesproken hadden. 'Hij zat een paar dagen geleden in het restaurant, en toen raakten we aan de praat. En toen bood hij me een baan aan als assistent.' Ze nam een enorme slok koffie en glimlachte nerveus.

'Nee maar, Abbey, dat is fantastisch. En als ik vragen mag: betaalt het goed?'

'Uitstekend. En ik heb zelfs een bonus gekregen bij ondertekening van het contract...'

'Wát zeg je?'

'Een bonus. Omdat ik die baan heb aangenomen. Dat doen ze soms, dan krijg je geld omdat je de baan hebt aangenomen.'

Haar vader kneep zijn ogen tot spleetjes. 'Dat geldt voor hoogopgeleide mensen. Wat voor opleiding heb jij?'

Abbey had een pesthekel aan liegen. 'Ik heb astronomie- en natuurkundecolleges gevolgd aan Princeton.'

Hij bleef haar strak aankijken. 'Weet je zeker dat dit allemaal door de beugel kan?'

'Natuurlijk! Hoor eens, over een kwartiertje word ik opgehaald, dus we moeten afscheid nemen. Maar ik moet je eerst nog iets zeggen...'

'Opgehaald? Jij?'

'Precies. Met de auto. Naar het vliegveld. Ik vlieg naar Washington.'

'Ik wil die werkgever van jou ontmoeten. Ik wil hem spreken.'

'Pap, ik ben geen kind meer. Ik kan echt wel voor mezelf zorgen.' Ze slikte en wierp een blik uit het raam.

Met gefronste wenkbrauwen zette haar vader zijn koffiemok neer. 'Ik wil die vent spreken.'

'Dat gebeurt echt wel een keer. Dat beloof ik.' Ze wees uit het raam. 'Kijk eens naar de haven.'

'Wat?' Haar vaders gezicht was hoogrood van de zorgen.

Nu of nooit, dacht Abbey. 'Gewoon, kijk eens naar je steiger!'

Hij draaide zich om en tuurde door het raam naar buiten. Meteen schoof hij geërgerd zijn stoel achteruit. 'Verdikkeme, nou ligt een of andere idioot op mijn plek afgemeerd!'

'Ellendige dagjesmensen ook altijd,' merkte Abbey op. Het was een bekend thema: de toeristen die de lege aanlegplekken van de vissers in beslag namen.

'Komt daar een beetje uit Massachusetts aanzetten, en meteen maar denken dat ze over de hele haven kunnen beschikken!'

'Misschien moet je de naam van de boot opschrijven en aan de havenmeester melden.'

'Inderdaad.' Hij rommelde door het tijdschriftenmandje en haalde er een verrekijker uit. Hij tuurde erdoorheen. 'Wat krijgen we nou?'

'Hoe heet hij, die boot?'

'Moet dit soms een grap verbeelden?'

Abbey kon zich niet langer inhouden. 'Pap, het is de *Marea II*. Een twaalf meter Willis Beal, tweehonderdvijftien pk Volvo-motor met nog geen tweehonderd uur op de klok, een katrolmechanisme, een pomp, aquaria, alles. In 2002 door RP Boatworks gebouwd. Klaar om te vissen. Hij is niet helemaal gloednieuw, maar ik had maar een ton.'

De verrekijker begon te beven. 'Wat... wil je daarmee zeggen?'

Vanaf de oprit klonk een claxon.

'Oeps, daar is de auto.'

'Maar ik kan onmogelijk... de afbetaling...'

'Hij is vrij op naam. Heb ik voor je gekocht met het geld van mijn bonus. Alle papieren zijn aan boord. Ik moet ervandoor.'

'Abbey... wacht... Heb je een nieuwe boot voor me gekocht? Wacht nou even, in vredesnaam...'

'Ik heb mijn mobieltje bij me, ik bel je onderweg.'

Ze rende het huis uit, smeet haar koffer op de achterbank van de terreinwagen en sprong er zelf achteraan. Met een verwarde blik in zijn ogen kwam haar vader naar de deur. Vanuit de auto, die met grote vaart het grind van de oprit af en de straat op reed, zwaaide ze naar hem.

46

De assistent-manager van het Watergate Hotel moest op de loer gelegen hebben: zodra Ford de met glas en chroom ingerichte lobby binnenliep, kwam hij met zijn handen voor zijn buik ineengeklemd vanachter zijn balie aandraven. Een klein mannetje in hotel-zwart, met een geknepen, overdreven nederige uitdrukking op zijn gezicht. 'Meneer Ford?'

'Ja?'

'Mijn excuses dat ik me met uw zaken bemoei, maar het gaat om dat meisje in de kamer die u hebt geboekt.'

Ford ontwaarde een toon van afkeuring in de bezorgde stem. Misschien was het een vergissing geweest om haar in het Watergate onder te brengen. Er waren meer dan genoeg onopvallender en goedkopere hotels in Washington. Hij trok zijn wenkbrauwen op. 'Wat is daarmee?'

'Ze is in geen twee dagen de deur uit geweest, ze staat niet toe dat het personeel de kamer schoonmaakt of de minibar aanvult, ze laat op de idiootste uren van de dag en de nacht eten bezorgen en ze neemt de telefoon niet op.' Hij stond nu letterlijk te handenwringen. 'En, eh... een uur geleden is er geklaagd over herrie.'

'Herrie?'

'Gillen. Joelen. Het klonk als een soort... feestje.'

Ford probeerde zijn gezicht in de plooi te houden. 'Ik zal eens poolshoogte gaan nemen.'

'We maken ons zorgen. Het hotel is nog maar pas gerenoveerd. De gasten zijn aansprakelijk voor iedere vorm van schade aan de kamers...' De afkeurende stem stierf weg tot een veelbetekenende stilte.

Ford stak zijn hand in zijn zak en drukte de man een briefje van twintig in de hand. 'Geloof me, het komt allemaal goed.'

De assistent-manager wierp een laatdunkende blik op het briefje en stak het weg, waarna hij zich achter zijn balie terugtrok. Ford liep naar de liften en bedacht intussen dat het hele avontuur wel eens duurder kon uitpakken dan hij zich had voorgesteld.

Hij klopte aan, en Abbey deed de deur open. In de kamer was het een enorme bende, met vuile afwas, pizzadozen en lege verpakkingen van Chinees afhaaleten in de gang opgestapeld. Het rook naar verschaald eten. De vuilnisbak puilde uit van de lightcola-blikjes, de vloer was bezaaid met papieren en het bed was een puinhoop.

Ze zag hem om zich heen kijken.

'Wat is er?'

'Wel eens gehoord van roomservice? Of van kamermeisjes? Die horen bij de folklore in dit soort grote hotels.'

'Ik kan me niet concentreren met mensen om me heen.'

'Je zei dat het je een uur zou kosten.'

'Nou, dat was dan een vergissing.'

'Jij? Een vergissing?'

'Hé, als je nou eens gewoon ging zitten om te kijken wat ik gevonden heb.'

Hij keek haar vorsend aan; ze zag er uitgeput uit, met haar haar in de war en vol klitten; haar ogen waren bloeddoorlopen en haar kleren zagen eruit alsof ze erin geslapen had. Maar de blik in haar ogen was er een van pure triomf. 'Je gaat me toch zeker niet zeggen dat je het probleem hebt opgelost?'

'Heeft een olifant een dikke reet?'

Hij grimaste even. 'Misschien zou je een woordenboek van dit soort uitdrukkingen moeten uitgeven.'

Ze pakte zonder op te staan een blikje cola light uit de minibar. 'Jij ook een?'

Hij huiverde. 'Nee, dank je.'

Ze installeerde zich voor de computer en hij nam naast haar plaats. 'Het probleem was iets ingewikkelder dan ik had gedacht.' Ze nam een grote slok cola om de spanning nog wat op te voeren. 'Alle objecten in het zonnestelsel beschrijven een curve: een ellips of een hyperbool. Een hyperbole baan betekent dat het voorwerp van buiten het zonnestelsel komt en het weer zal verlaten, met een snelheid die hoger is dan de ontsnappingssnelheid. Maar ons Object x verplaatste zich in een elliptische baan.'

'Object x?'

'Het beestje moet toch een naam hebben.'

Ford leunde voorover. 'Dus je wilt zeggen dat het afkomstig was van bínnen het zonnestelsel?'

'Precies. Ik had de invalshoek op de aarde, en een foto van Object x toen het binnenkwam. Wat nog ontbrak was de snelheid. Maar nu blijkt dat de universiteit van Maine in Orono een traceringssysteem voor meteoroïden heeft. Ze hadden geen foto van x, maar ze hadden wel een opname met de akoestische handtekening – dat zijn die dreunen die je hoort als er iets door de geluidsbarrière heen gaat – en zij waren gekomen op een snelheid van exact twintig komma negen kilometer per seconde. Heel wat langzamer dan de honderdduizend kilometer per uur waarvan in de eerste krantenberichten sprake was.'

Ford knikte. 'Tot zover kan ik je volgen.'

'Het zat dus in een elliptische baan. Het hoogste punt, het verst weg van de zon, is waarschijnlijk het beginpunt van de reis.'

'Aha.'

Ze drukte een paar toetsen in, en er verscheen een schema van het zonnestelsel op het scherm. Ze typte een opdracht en er werd een ellips weergegeven. 'Dit is de baan van Object x. En let op: het hoogste punt ligt precies in de baan van Mars. En nu komt het: als je terugrekent, dan zie je dat Mars zelf exact op dat punt van zijn baan was toen x aan zijn reis naar de aarde begon.'

Ze leunde achterover. 'Object x,' sprak ze, 'komt van Mars.'

Er viel een lange stilte in de hotelkamer. Sprakeloos keek Ford naar het scherm. Het leek onvoorstelbaar. 'Weet je dat zeker?'

'Driemaal gecontroleerd.'

Ford wreef over zijn kin en leunde achterover. 'Dan moesten we maar eens langsgaan bij mensen die verstand hebben van Mars.'

'Waar zitten die?'

Ford dacht even na. 'Momenteel zijn ze bezig Mars in kaart te brengen. Bij de NPF, de National Propulsion Facility in Pasadena. In Californië. Daar moeten we heen, rondsnuffelen, kijken of zij iets ongebruikelijks hebben gevonden.'

Abbey hield haar hoofd scheef en keek hem aan. 'Weet je, Wyman, één ding snap ik niet. Waarom doe je dit allemaal? Wat word jij hier beter van? Je krijgt er geen geld voor, is het wel?'

'Ik maak me ernstige zorgen. Ik weet niet waarom, maar al mijn inwendige alarmbellen ratelen en ik móét erachter komen wat hier aan de hand is.'

'Waarover maak je je precies zorgen?'

'Als dat een miniatuur zwart gat was, dan heeft onze planeet zojuist een kus gekregen van Magere Hein. Dan waren we op een haar na dood geweest. Maar stel dat er nog meer van die gaten rondzweven?'

47

Harry Burr stond te wachten op het parkeerterrein van het enorme winkelcentrum in Connecticut. Hij leunde op de bumper van zijn gele Volkswagen New Beetle en rookte een sigaret: American Spirit. Het bericht was de vorige avond binnengekomen, *dringend*. Burr had nog nooit een opdracht gehad die níét dringend was. Als iemand iemand anders dood wilde hebben, was het nooit van: 'Doe rustig aan, wij hebben alle tijd.'

Bedachtzaam rolde hij de sigaret tussen duim en wijsvinger heen en weer. Hij voelde de sponzige filter, zag de rook vanuit de gloeiende askegel opkrinkelen. Een smerige gewoonte, ongezond, onaantrekkelijk, onopgevoed. Een echte professor rookte niet, of hoogstens een pijp. Hij gooide de peuk op de cementvloer van de parkeergarage en maalde hem met een paar draaien van de hak van zijn molière tot een rafelig plukje. Ooit zou hij stoppen, maar niet nu.

Er reden een paar auto's langs, en een daarvan minderde vlak bij hem vaart. Een lelijke Amerikaanse wagen, een recent model Ford Crown Victoria – zwart, uiteraard. Wie zijn opdrachtgevers ook waren, ze keken te veel tv. Hijzelf was dol op zijn New Beetle, die ideaal was voor zijn soort werk. Niemand verwachtte een huurmoordenaar met een Beetle. Of een die eruitzag als een professor: een duur tweedjasje met leren elleboogstukken, een bandplooibroek en geruite sokken.

Burr keek naar de langzaam naderende zwarte auto. Hij had geen idee wie zijn opdrachtgever was, en dat interesseerde hem ook niet, maar hij wist bijna zeker dat het iets semiofficieels was. Dat soort werk had hij de laatste tijd wel vaker gehad.

De Crown Vic stopte en het verduisterde raampje – een verduisterd raampje! – schoof omlaag. Het was dezelfde Aziatische man die hij al eerder gesproken had, met een blauw pak en een zonnebril. Toch begon hij aan de uitwisseling van wachtwoorden. 'Gaat u hier weg?' vroeg hij.

'Nee, over zes minuten pas.'

Dat vonden ze geweldig, dat soort dingen. Als reactie werd er een hand naar buiten gestoken met een dikke, bruine envelop. Burr pakte hem aan, opende hem, keek even naar de stapel bankbiljetten en mikte ze op de rechterstoel.

'Het gaat ons met name om die vaste schijf,' zei de man. 'De bonus wordt verhoogd naar twee ton als we die intact in handen krijgen. Duidelijk?'

'Duidelijk.' Met een neutrale glimlach wuifde Burr de auto weg. De Ford vertrok met demonstratief gierende banden. Welja, dacht hij, ga een beetje de aandacht zitten trekken, waarom niet?

Hij ging weer in de auto zitten en opende de envelop. De inhoud viel eruit: een informatieblad, foto's en geld. Veel geld. En er zou nog veel meer komen. Dit was een goedbetaalde klus. Een uitstekend betaalde klus, kon hij wel zeggen.

Hij schoof het geld in het dashboardkastje, bekeek de foto's en las de opdracht door. Hij trok waarderend zijn wenkbrauwen op: dit werd een fluitje van een cent. Een vaste schijf te pakken krijgen en een nerd om zeep helpen. Er moest wel iets heel bijzonders op die schijf staan.

Hij viste een glanzende reclamefoto van een vaste schijf uit de stapel en keek ernaar, schoof hem terug, bekeek de andere en las de taakomschrijving nog eens door. Vanavond zou hij dat nog eens grondig overdoen, wat dingen nazoeken, en dan morgen de klus klaren. Hij kon zich amper meer voorstellen hoe het geweest was in de dagen vóór Google Earth, MapQuest, Facebook, YouTube en allerhande andere manieren om het internet in te zetten als instrument om de privacy te schenden. Binnen een halfuur kreeg hij voor elkaar wat vroeger een week lang speurwerk had gekost.

Harry Burr legde de papieren weg en stond zich een momentje van tevreden introspectie toe. Hij was goed, en niet alleen doordat hij een gymnasiumopleiding had en de complete eerste declinatie uit zijn hoofd kon opdreunen. Hij was goed doordat hij niet van moorden hield. Het deed hem niets. Hij hoefde het niet te doen, het was nergens voor nodig, het was iets heel anders dan eten of seks. Hij was goed doordat hij zich in zijn slachtoffers kon inleven. Hij wist dat het echte mensen waren, hij kon zich in hun plaats indenken, hij zag de wereld door hun ogen. Dat maakte het een stuk gemakkelijker om hen te doden.

En tot slot was Harry Burr efficiënt. In zijn vorige leven, toen hij iemand anders was, een ballerig lullo'tje uit Greenwich, ene Gordie Hill, had hij van zijn vader geleerd wat efficiency is. Die had beschikt over een enorme voorraad aan spreekwoorden en gezegden die hij kon ophoesten: van uitstel komt afstel; praatjes vullen geen gaatjes; de weg naar de hel is geplaveid met goede voornemens. 'De overwinnaar hoeft nooit te zeggen of hij de waarheid heeft gesproken,' had hij gezegd toen hij de keuken uit liep nadat hij Gordies moeder had doodgeschoten. En daarna was er nooit meer iets van hem vernomen. Een paar jaar later had Harry gehoord dat dat een citaat van Hitler was geweest. Lachen, hoor.

Harry Burr glimlachte. Hij was 'beschadigd', of althans dat was na de moord de mening geweest van de stoet schoolpsychologen, maatschappelijk werkers, hulpverleners en andere professionals die advies gaven à raison van honderd piek per uur. Nou, dan kon hij dat toch maar beter uitbuiten? Hij viste het verfomfaaide sigarettenpakje uit de zak van zijn shirt. Hij haalde de laatste eruit, stak hem aan en stopte het lege pakje weer in zijn zak. Wat had kerkvader Augustinus ook weer gezegd? 'God geve me kuisheid, maar nu even niet.' Binnenkort zou hij stoppen met roken, maar nu even niet.

48

Achter Fords rug bleef Abbey staan wachten terwijl hij op de open deur klopte van het kantoor van doctor Charles Chaudry, directeur van de Marsmissie. Ze had het heet in het kriebelige nieuwe mantelpak dat ze van Ford aan had gemoeten; juni was toch al een hete maand in Californië.

De directeur stond op en liep met uitgestrekte hand om zijn bureau heen.

'Mijn assistente, Abbey Straw.'

Abbey schudde de koele hand. Chaudry was een knappe man met een smal, gebeeldhouwd gezicht, donkerbruine ogen, een verende tred, een atletische bouw en een open persoonlijkheid. Hij had zo'n strak paardenstaartje dat je wel vaker ziet bij Californiërs van een bepaalde leeftijd.

'Kom binnen,' zei hij, met een bijna zangerige tenorstem.

Ford liet zich in een stoel zakken en Abbey volgde zijn voorbeeld. Ze probeerde niet te laten merken hoe nerveus ze was. Ergens vond ze het geweldig om deel uit te maken van zo'n spannend avontuur, van het spinsel van leugens en bedrog waarmee ze hier waren binnengedrongen. Die Ford, die er zo uitgestreken en gewoon uitzag, bleek een enorme subversieveling te zijn. Daar hield ze wel van.

Ze zaten in een groot, spartaans ingericht kantoor met ramen die uitzicht boden op de grijsbruine bergen die meteen achter het enorme parkeerterrein begonnen. Twee wanden met boeken droegen bij aan de prettige, erudiete sfeer. Het hele vertrek was keurig opgeruimd en schoon.

'Zo,' zei Chaudry, en hij vouwde zijn handen. 'U schrijft dus een boek over onze Marsmissie.'

'Inderdaad,' antwoordde Ford. 'Een groot, schitterend fotoboek. En ik heb me laten vertellen dat u de leiding hebt over de kaarten en de fotografie van het oppervlak.'

Chaudry knikte.

Ford begon vol enthousiasme het boek te beschrijven: de lay-out, waar het over moest gaan en natuurlijk alle prachtige foto's die erin zouden komen. Abbey was verbijsterd over de verandering: van zijn gebruikelijke droge, onderkoelde manier van doen was niets meer te merken en hij borrelde over van enthousiasme. Chaudry hield zijn handen voor zijn borst, de vingertoppen tegen elkaar gezet, en luisterde wellevend.

Ford begon aan zijn slotpleidooi. 'En omdat dit een NASA-project is, behoren de foto's tot het publieke domein. Daarom zou ik graag toegang willen tot al uw foto's, en wel die met de hoogste resolutie.'

Chaudry legde zijn handen op het bureau en leunde voorover. 'Inderdaad, de foto's behoren tot het publieke domein. Maar niet die met de hoogste resolutie.'

'We gaan *double trucks* en *gatefolds* gebruiken, dus we hebben de hoogst mogelijke resolutie nodig.'

De directeur leunde achterover. 'De hogeresolutiefoto's zijn streng geheim, vrees ik. Maar maakt u zich geen zorgen: we kunnen u alle illustraties bezorgen die u nodig hebt, en met een resolutie die meer dan voldoende is voor een boek.'

'Hoezo zijn die foto's geheim?'

'Standaardprocedure. De beeldvormende technologie is topgeheim, en we willen niet dat onze vijanden erachter komen hoe goed onze technologie precies is.'

'Wat is dan uw hoogste resolutie?'

'Nogmaals, over de details mag ik niets zeggen. In het algemeen kunnen we vanuit de baan om de planeet voorwerpen op de grond zien tot een grootte van vijftig centimeter. En met onze SHARAD-radar kunnen we ook nog eens tot honderd meter onder het oppervlak kijken.'

Ford floot even. 'Was daar nog iets ongewoons te zien?'

Chaudry glimlachte een stel hagelwitte tanden bloot. 'Vrijwel alles wat we zien is ongewoon. Zoiets als toen Columbus voor het eerst voet aan wal zette in Amerika.'

'Waren daar nog zaken bij die niet helemaal... natuurlijk waren?'

De glimlach vervaagde. 'Wat wou u daarmee zeggen?' informeerde hij koeltjes.

'Nou, stel dat u iets op het oppervlak zou zien dat niet van natuurlijke oorsprong was; zeg, een buitenaards ruimteschip.' Ford grinnikte even. 'Wat zou u dan doen?'

Nu was er niets over van de glimlach. 'Meneer Ford, daar mag u niet eens grápjes over maken. We hebben hier al meer – en dan bedoel ik ook echt méér – dan voldoende gekken met de idiootste theorieën. We hebben hier demonstraties voor de deur gehad van groepen die eisen dat we foto's zouden vrijgeven van de buitenaardse beschavingen die we hadden ontdekt.' Hij zweeg even en voegde er toen aan toe: 'Dat wás toch een grap, meneer Ford? Of hebt u een bepaalde bedoeling met die vraag?'

'Nee hoor,' zei Ford. 'Het was maar een grapje.'

Abbey opende haar mond. 'Dat is zo, doctor Chaudry. Ik heb ergens gelezen dat bijna veertig procent van de Amerikanen gelooft dat er ergens anders in het heelal intelligent leven moet bestaan. Als dat niet stom is!'

Chaudry ging met een ongemakkelijk gezicht verzitten.

'Juist,' zei Ford meteen, na een strenge blik in Abbeys richting, 'Doctor Chaudry, ik dank u voor uw hulp.'

Zichtbaar opgelucht stond Chaudry op. 'Meneer Ford, we zullen u met alle genoegen helpen met uw boek. Alle foto's staan online op onze website. Als u gewoon uw keuze maakt, zal onze afdeling Persvoorlichting u een dvd sturen met de foto's op de hoogste wettelijk toegestane resolutie.' Hij glimlachte ietwat gedwongen en dirigeerde hen met routineuze gebaren zijn kantoor uit.

'Nou, dat was pure tijdverspilling,' mopperde Abbey terwijl ze de lange gangen door liepen.

Ford wreef over zijn kin, keek om zich heen, sloeg een hoek om en liep een verkeerde gang in.

'Hé, Einstein,' riep Abbey hem na. 'Je gaat de verkeerde kant uit.'

Er verscheen een zweem van een glimlach op Fords gezicht. 'Verdikkeme. Het is hier ook zo groot, je zou zomaar verdwalen.' Hij liep door, nog een hoek om, een nieuwe gang in.

Abbey probeerde zijn grote passen bij te houden.

'Hou je maar gewoon aan mijn aanwijzingen,' zei Ford. Hij liep een zoveelste hoek om. Plotseling besefte Abbey dat hij de weg allang kende. Ze kwamen bij de gesloten deur van een kantoor aan. Ford klopte aan en vanbinnen klonk een redelijk geprikkelde stem: 'Kom binnen.'

Ford opende de deur en ging naar binnen. Abbey zag een grote man met een onaangenaam bol gezicht. Hij had een overhemd met korte mouwen aan, waar hammen van armen uitstaken. Het was er heet, en het rook er naar zweet.

'Doctor Winston Derkweiler?' informeerde Ford kortaf.

'Ja?'

'Ik ben van het Bureau,' zei Ford, en met een knik in Abbeys richting: 'Mijn assistente.'

Derkweiler keek van haar naar hem. 'Bureau? Welk bureau?'

'Zowat een maand geleden,' vervolgde Ford alsof hij niets gehoord had, 'is een van uw wetenschappers vermoord.'

Abbey stond versteld. Dit was allemaal nieuw voor haar. Wat een geheimschrijver, die Ford!

'Dat klopt,' zei Derkweiler. 'Maar dat onderzoek was toch afgesloten?'

Ford wendde zich tot Abbey. 'Mevrouw Straw, doet u de deur even dicht?'

'Ja meneer.' Abbey deed de deur dicht en draaide voor de zekerheid de sleutel om.

'Het onderzoek mag dan gesloten zijn, maar we zijn nog wel bezig met de schending van het ambtsgeheim.'

Derkweiler knikte even. 'Hoezo? Dat snap ik geloof ik niet helemaal.'

'Laten we zeggen dat doctor Freeman een beetje indiscreet geweest is.'

'Dat verbaast me niets.'

'Prettig dat u begrip hebt voor het probleem, doctor Derkweiler.'

'Dank u.'

Ford glimlachte. 'Ik had al gehoord dat ik op uw hulp kon rekenen. Dan wil ik nu graag een lijst hebben met namen van de medewerkers van uw afdeling.'

Derkweiler weifelde. 'Tja, over beveiliging gesproken, ik... ik zou wel graag uw badge of uw documenten of zo willen zien.'

'Uiteraard! Mijn verontschuldigingen.' Ford pakte een ietwat kaal gesleten badge, waarop Abbey een logo in blauw met wit en goud zag, en het opschrift CENTRAL INTELLIGENCE AGENCY.

'O, dát bureau,' zei Derkweiler.

Met grote snelheid verdween de badge weer in de zak van Fords pak. 'Dit blijft onder ons, begrepen?'

'Jazeker.' Derkweiler spitte wat rond in zijn dossiers en pakte een vel papier dat hij aan Ford gaf. 'Dat is het: alle medewerkers van mijn afdeling. Namen, functies, contactgegevens.'

'En voormalig personeel?'

Derkweiler fronste zijn voorhoofd en zocht verder. 'Dit is een lijst van het vorige kwartaal. Als u verder terug wilt in de tijd, kunt u het best rechtstreeks naar de personeelsafdeling gaan.'

Binnen vijf minuten stonden ze weer buiten, op het gigantische parkeerterrein opzij van het gebouw. Het was moordend heet in hun huurauto en de zitting leek wel een koekenpan. Dit was Abbeys eerste bezoek aan zuidelijk Californië en, naar ze hoopte, meteen ook het laatste. Hoe hielden ze dat hier vol, die hitte. Nee, dan had zij liever Maine in januari.

Ford startte de auto en de airco blies een stoot koude lucht naar binnen. Abbey keek hem met samengeknepen ogen aan. 'Mooi werk, special agent Ford.'

'Dank je.' Ford haalde de twee lijsten die hij van Derkweiler had gekregen uit zijn zak en gaf ze aan haar. 'Ga jij maar eens op zoek naar een balende voormalige werknemer, bij voorkeur iemand die ontslagen is.'

'Denk je dat ze iets verzwijgen?'

'Dit soort instellingen verzwijgt altíjd wel iets. Dat is de aard van het beestje. Grote bureaucratische instanties, wat ze ook doen, houden zich voornamelijk bezig met beheersing van de informatiestromen, uitbreiding van de budgetten en zichzelf in stand houden. Als ze iets ongebruikelijks hebben gevonden op Mars, kun je er donder op zeggen dat ze dat verborgen houden. Goddank zijn er altijd nog medewerkers die overal van balen. Want dát zijn de mensen die het zwijgen van de overheid doorbreken.'

49

Mark Corso opende de deur van het sjofele appartementje, nam de stapel post op het haltafeltje vluchtig door, smeet teleurgesteld de enveloppen terug en ging de woonkamer in. Hij liet zich op de bank neerploffen en zette de Xbox aan om Resident Evil 5 te spelen. Over een uur moest hij naar Moto om te werken, en hij wilde nog even wat leuks doen.

Het spel begon en binnen de kortste keren daverde de kamer van het geluid van geweervuur, explosies en uiteengereten mensenvlees. Hij speelde een minuut of tien, maar het haalde niets uit. Hij stopte het spel en zette de spelcomputer weg. Het werd stil. Er was niets meer aan, hij kon zijn draai niet meer vinden. Niet zolang die ontdekking van hem in de lucht hing en hij moest wachten, wachten, wachten tot Marjory hem terugbelde. Hij was het zat: morgenochtend vroeg ging hij met de schijf naar de *Times*.

Het was nog maar twee dagen geleden dat hij Marjory gebeld had, maar sindsdien bleef ze hem maar op het hart drukken dat hij er zijn mond over moest houden. Misschien wilde ze wat tijd rekken terwijl ze zelf op zoek ging naar de machine. Nou, dan wenste hij haar succes: ze zou het ding nooit vinden op het Marsoppervlak.

Hij dacht terug aan de journalist die hem die ochtend had gebeld. Hij was op zijn hoede geweest, had het achterste van zijn tong niet laten zien, maar hij had haar hopelijk wel zoveel informatie gegeven dat ze Chaudry het vuur na aan de schenen zou leggen. Dat hij zich beroerd zou schrikken als het stuk zelf verscheen. Hoewel – nu hij aan dat gesprek terugdacht, vroeg hij zich met een ietwat ongemakkelijk gevoel af of hij niet iets minder open had moeten zijn. Maar ze had hem gerustgesteld met de mededeling dat dit 'off the record' was, dat het haar alleen om achtergronden ging en dat zijn naam nergens genoemd zou worden.

Hij liep langs het haltafeltje en nam met een geïrriteerde blik nogmaals de post door. Zinloos: er waren geen brieven van werkgevers, niets. Hij voelde zich rood aanlopen bij de gedachte dat ze hem achtduizend dollar door de neus geboord hadden, en hij dacht terug aan de koele minachting waarmee Chaudry zijn aanbod had afgewimpeld en zijn eigen dreigementen had uitgesproken.

Met strakgespannen zenuwen liep hij de badkamer in, plensde handenvol water over zijn gezicht en droogde zich af. Het koude water maakte geen enkel verschil. Kon hij maar vast naar Moto; daar had hij afleiding, daar kon hij ontspannen met een borrel. Dat gelummel in huis de hele dag was niets voor hem.

Hij ging beslist met de *Times* praten. En dan zouden ze het niet meer wagen om hem op te pakken. Dan was hij een held, net als Daniel Ellsberg toen die de *Pentagon Papers* openbaar maakte.

Dwars door die overwegingen heen hoorde hij de diepe, elektronische klank van de voordeurbel.

'Mark?' klonk de bedeesde stem van zijn moeder uit de keuken. 'Doe jij even open?'

Corso liep naar de deur en keek door het spionnetje. Er stond een man met een tweedjasje op de stoep, zo te zien ietwat zwetend in de grauwe, al warme, ochtendlucht.

'Ja?' zei Corso door de deur heen.

Zwijgend hield de man een sleetse leren portefeuille omhoog die openviel zodat er een politiepenning zichtbaar werd. 'Inspecteur Moore.'

O, shit. Corso tuurde gespannen door het gaatje. De agent bleef daar maar staan met die penning in de lucht, bijna uitdagend. De foto leek te kloppen. Maar hij kwam zo te zien uit Washington, D.C.. Wat had dat te betekenen? Corso voelde de paniek opkomen. Dus Chaudry had hem inderdaad aangegeven.

'Waar gaat het om?' probeerde Corso te vragen, maar hij stikte bijna in de woorden.

'Mag ik even binnenkomen?'

Corso slikte. Had hij het recht om de agent toegang te weigeren? Moest hij daarvoor eerst een huiszoekingsbevel laten zien? Misschien was het maar beter om hem niet tegen zich in het harnas te jagen. Hij schoof de grendel weg, maakte de ketting los, draaide de sleutel in het slot om en opende de deur.

Moore glipte naar binnen en Corso deed snel de deur achter hem dicht. 'Waar gaat dit om?' vroeg Corso in de gang.

De man glimlachte. 'Niets ernstigs. Is er verder iemand in huis?'

Hij wilde niet dat zijn moeder hier iets van zou opvangen. 'Eh nee. Niemand.' Hij moest die vent zo snel mogelijk weg zien te werken. 'Kom binnen,' zei hij met een gebaar naar de woonkamer. Ze liepen naar binnen en Corso deed zachtjes de deur dicht. Misschien moest hij een jurist bellen. Dat zeiden ze toch altijd? Nooit met de politie praten zonder dat je advocaat erbij is. 'Ga zitten,' zei hij, op wat naar hij hoopte een ontspannen toon was. Zelf nam hij op de bank plaats.

Maar de agent bleef staan.

'Misschien moet ik even mijn advocaat bellen,' zei Corso. 'Gewoon voor de zekerheid. Waar het ook over gaat.'

De man stak zijn hand in zijn binnenzak en haalde een groot, zwart handwapen tevoorschijn. Corso keek er sprakeloos naar. 'Hoor eens, dat lijkt me nergens voor nodig.'

'Toch wel.' Hij pakte een lange cilinder en schroefde die aan het einde van de loop. En nu zag Corso dat hij zwarte handschoenen aanhad.

'Wat is dat nou?' vroeg Corso. Dit was niet normaal. Zijn hele hoofd stroomde vol verwarring en vragen.

'Niet doordraaien. Geen gegil of gejank, gewoon rustig blijven. Als je doet wat ik zeg, komt het allemaal goed.'

Corso zweeg. De kalmerende stem van de man had weliswaar een geruststellende uitwerking, maar verder snapte hij er absoluut niets van. De gedachten tolden door zijn hoofd.

De man stak zijn hand uit en greep de Xbox. Het beeld stond nog op het scherm. 'Speel je hierop, Mark?'

Corso wilde antwoorden, maar er kwam niet meer dan een gegorgel over zijn lippen.

De man drukte op de knop en het spel werd hervat. Hij draaide het volume op tot het bijna oorverdovend was.

'Hoor eens, Mark,' zei de man boven het lawaai uit, terwijl hij het wapen op hem richtte. 'Ik ben op zoek naar een vaste schijf die jij bij de NPF hebt weggenomen. Meer hoef ik niet, en zodra ik die heb, ga ik ervandoor. Waar heb je hem?'

'Ik zei dat ik een advocaat wil.' Corso stikte bijna in zijn eigen woorden. Hij slikte en probeerde op adem te komen.

'Snap je het dan nog niet, lamlul? Ik ben niet van de politie. Ik wil die schijf. Geef op of je gaat eraan.'

Het begon Corso te duizelen. Niet van de politie? Had Chaudry een huurmoordenaar op hem afgestuurd? Dit was te gek voor woorden. 'Die schijf?' stamelde hij. 'Oké, geen probleem. Ik zal je precies zeggen waar die is, ik zal je erheen brengen...'

De deur naar de woonkamer vloog open. 'Waar ben jij in vredesnaam mee...?' krijste zijn moeder vanaf de drempel, met haar schort voor en een theedoek in haar handen. Zodra ze het pistool zag, sperde ze haar ogen open. 'Aiiii!' gilde ze, en ze deed een stap achteruit. 'Een pistool! Help! Politie! Politie!'

De man draaide zich op de bal van zijn voet om en Corso nam een snoekduik om zijn moeder te beschermen. Te laat: met een gedempte knal ging het pistool af, en met volslagen ongeloof en afgrijzen zag hij zijn moeder achteruit struikelen door de kogelinslag en het bloed dat op de muur achter haar spatte. Met wijd open ogen wankelde ze tegen de muur aan, raakte een van haar schoenen kwijt en zakte zielig ineen op de grond.

Met een ongearticuleerde kreet van oerwoede pakte Corso het eerste het beste wapen dat hij voor het grijpen had, een schemerlamp, en haalde daarmee naar de man uit. Die dook weg, zodat de lamp tegen zijn schouder afketste. Hij struikelde achteruit en hief het pistool.

'Nee!' riep hij. 'Zeg nou gewoon waar die schijf...'

Brullend als een beer raasde Corso op de man af, greep zijn nek tussen beide handen en probeerde het leven er uit te persen. Hij voelde het pistool in zijn buik drukken; plotseling was er een harde duw, en nog een, zodat hij tegen de muur gesmeten werd. En toen lag hij plotseling in foetushouding bij zijn moeder op de grond en werd alles vredig.

50

Toen ze nog aan Princeton studeerde, was Abbey een paar maal met haar vriendinnen naar New York geweest. Maar daarbij waren ze altijd in de buurt van Manhattan gebleven. Terwijl ze aan de rand van het Monsignor McGolrick Park in Brooklyn stonden en de regen van de rand van haar paraplu drupte, besefte ze dat dit een heel ander New York was, een echte arbeidersbuurt met bescheiden flatgebouwen, rijtjeshuizen, herstelbedrijfjes, stomerijen en eettentjes.

Abbey keek op een verregende stadsplattegrond. 'Driggs Avenue nummer zevenentachtig,' zei ze. 'Dat moet dan aan de andere kant van het park zijn.'

'Eropaf.'

Twee dagen tevoren hadden Abbeys telefoontjes naar voormalige NPF-werknemers succes gehad: ene Mark Corso, een technisch specialist. Ze had zich voorgedaan als een journalist die bezig was met een artikel over oneerlijk personeelsbeleid bij de NPF, en daarmee had ze heel wat losgemaakt. Hij was niet alleen pissig over zijn ontslag, maar stond ook te popelen om de duisterste geheimen van de NPF openbaar te maken – althans, dat zei hij. En hij suggereerde dat hij iets wel heel bijzonders te vertellen had, waarna 'de NPF het verder wel kon schudden'.

Ze liepen het park door en staken de straat over naar een van de huisjes in een rij identieke woningen; het had vochtstrepen over de gevel en de gordijnen zaten dicht. Ze liepen naar de voordeur en Ford belde aan. Abbey hoorde het geklingel. Na een hele tijd wachten drukte hij nogmaals op de bel.

'Vier uur zei je toch?'

'Zeker weten,' zei Abbey.

'Misschien heeft hij zich bedacht.'

Abbey tastte in haar zak naar de mobiele telefoon die ze van Ford had gekregen en belde Corso's mobiele nummer.

'Hoor je dat?' Heel zacht, maar nog net waarneembaar klonk in het huis een muziekje.

Ford boog zijn hoofd naar de voordeur. 'Hang eens op en bel dan nog een keer,' zei hij.

Ze deed wat hij vroeg.

Het muziekje hield op en begon even later opnieuw.

'Het moet zijn mobiel zijn,' zei Abbey. 'Echt iets voor iemand van de NASA om de tune van *Serenity* als ringtone te kiezen.'

Ze konden niet naar binnen kijken; de gordijnen zaten strak dicht, ook op de verdieping. Het huis leek hermetisch afgesloten. De deur had drie ruitjes in een diagonaal patroon, maar die waren van geribbeld, ondoorzichtig gekleurd glas.

Ford knielde en keek naar het deurkozijn en het slot. 'Geen sporen van braak.'

'Wat nu?'

'Een anoniem telefoontje naar de politie,' zei hij, 'en dan blijven kijken.'

Ze liepen het park door naar een oude telefooncel op de hoek. Met een zakdoek tilde Ford de hoorn op en belde het alarmnummer. 'Driggs Avenue zevenentachtig,' zei hij schor. 'Noodgeval. Politie. Nu.' Hij hing op. Abbey schrok van de grimmige blik op zijn gezicht toen hij de cel uit kwam. Ze had een grapje willen maken, maar bedacht zich.

Met zijn handen in zijn zakken en Abbey aan zijn zijde slenterde Ford het park weer in. Ze bleven in een pseudoklassiek paviljoen schuilen voor de regen in afwachting van de komst van de politie. Binnen enkele minuten kwamen er twee surveillancewagens over Driggs Avenue aanrijden, met zwaailicht maar zonder sirene. Ze stopten en een stel agenten uit de voorste auto liep naar de voordeur om aan te kloppen. Geen reactie.

'Kom, we gaan maar eens kijken,' zei Ford en hij slenterde erheen. Er stonden intussen drie agenten op de deur te bonzen, terwijl de vierde in de auto met zijn politieradio bezig was. Een van de agenten haalde een koevoet uit de auto en stak die door een ruitje in de deur. Hij viste de scherven uit de sponning, stak zijn hand naar binnen en opende de deur.

De twee agenten verdwenen het huis in, een met zijn radio in de hand.

Met haastige passen stak Ford de straat over en boog zich naar het raampje van de tweede surveillancewagen. 'Probleempje?'

'Routinecontrole,' zei de agent, en gebaarde dat ze moesten doorlopen.

Plotseling kwam zijn radio tot leven. 'We hebben een tien-negenentwintig dubbele doodslag op Driggs zevenentachtig; twee surveillancewagens ter plekke, de omgeving wordt nu afgezet.' En daarna: 'Twee ambulances en een reanimatieteam onderweg, tien-dertien

Moordzaken...' Zo ging het verder, en bijna meteen werden er sirenes hoorbaar. Vanaf waar ze stond, aan de overkant van de straat, kon Abbey precies door de deuropening in de woonkamer kijken: een muur met een ster van bloedspatten en, daaronder, een blote vrouwenvoet.

51

Abbey stond ervan te kijken hoe snel het verlaten, natgeregende park gevuld raakte met mensen. Uit huizen en flats kwamen ze tevoorschijn: Pools sprekende, witharige dames, mannen van middelbare leeftijd met een bierpens, kantoorpersoneel, hiphoppers, junks, dronkenlappen, winkeliers en yuppen, massaal toegestroomd voor het onopvallende rijtjeshuis. Ford en Abbey mengden zich onder de menigte terwijl de politie de mensen terugdrong, barricades opstelde en de straat afzette. Er kwamen twee ambulances aanrijden, gevolgd door gewone auto's vol rechercheurs van Moordzaken met bruine pakken aan, een bestelbusje van de sporenrecherche en tot slot de wagens van het regionale nieuws.

Abbey drong met de anderen mee naar voren en luisterde naar het geroezemoes. Op de een of andere manier, door een soort osmose bijna, wisten de omstanders alles. Twee lijken in de gang, van dichtbij neergeschoten, het hele huis overhoopgehaald. Niemand had iets gehoord, niemand had onbekenden zien rondlopen, niemand had auto's voor de deur geparkeerd zien staan.

Terwijl de politie de aanwassende massa toeriep op afstand te blijven, knikte Ford naar Abbey. Ze liepen naar een stel buurtbewoonsters toe.

'Sorry,' zei Ford, 'maar ik ben hier nieuw. Wat is er gebeurd?'

Gretig wendden ze zich tot hem, door elkaar heen ratelend en elkaar onderbrekend, en Ford moedigde hen vol interesse aan, met tussenwerpsels en uitroepen. Opnieuw stond ze versteld van Fords kameleonachtige talent om een rol te spelen en informatie los te krijgen.

'Het zijn mevrouw Corso en haar zoon Mark... die is net terug uit Californië... aardige vrouw, man is een paar jaar geleden overleden aan een hartaanval... zwaar gehad sindsdien... wonen hier al hun hele leven... prima knul, kon goed leren, is naar de universiteit geweest... werkte bij Moto om wat bij te verdienen... het lijkt wel gisteren dat hij nog hockeyde in het park... een tragedie...'

Toen de dames niets meer te vertellen hadden, trokken ze zich terug aan de rand van de menigte. Fords gezicht stond somber. 'Wat was volgens dat personeelsdossier zijn functie?' vroeg hij aan Abbey.

'Senior Data Analysis Technician.'

Zonder nog een woord te zeggen klapte Ford zijn mobiele telefoon open en belde de centrale van de NPF. Even later was hij doorverbonden met Derkweiler.

'Met Ford van het bureau,' zei hij afgemeten. 'Die Corso die voor jullie werkte – wat deed die precies en waarom is hij ontslagen?'

Het bleef een hele tijd stil terwijl Ford stond te luisteren. Abbey hoorde het gekwaak van Derkweilers stem aan de andere kant van de lijn. Ford bedankte hem en hing op.

'Dus?' vroeg Abbey.

'Hij moest radar- en fotogegevens van de Marslander verwerken.'

'En?'

'En hij is ontslagen wegens wanprestatie. Volgens Derkweiler had hij niet de juiste "prioriteringsvaardigheden" en was hij "geobsedeerd door irrelevante gammastralingsgegevens", weigerde hij instructies op te volgen en heeft hij een rel veroorzaakt bij een wetenschappelijke vergadering.'

Abbey dacht even na. 'Geobsedeerd, zei hij?'

Ford schraapte zijn keel. 'Wat weet jij over gammastralen?'

'Dat die er niet horen te zijn op Mars.'

52

Harry Burr zat bij een Griekse eettent tegenover McGolrick Park met een cheeseburger, een kop koffie en de *Washington Post* voor zijn neus te kijken naar de regen die in steeds meanderende banen over de ruiten stroomde. Zulke stroompjes gehoorzaamden aan wiskundige wetten, regels die de chaos beschreven. In wezen net zoiets als de regels die een klus beschreven. Beheerste chaos. Want je kon onmogelijk alles voorzien. Er was altijd een element van verrassing: zoals dat oude moedertje dat in huis bleek te zijn terwijl Corso net gezegd had dat hij alleen thuis was. Of dat hij Corso had moeten doden.

Altijd dat element van verrassing.

Hij keek naar buiten; hij had een onbelemmerd uitzicht op de hoek van McGolrick Park en het rijtjeshuis waar hij had afgerekend met Corso en diens moeder. Die nerd had op het punt gestaan hem te vertellen waar de schijf zich bevond, hij piste bijna in zijn broek van de haast het hem te vertellen, en dan komt opeens dat oude mens binnenlopen.

Hij klemde zijn kop sterke koffie tussen zijn handen, bladerde door de *Post* en keek de vertoning aan. De vaste schijf had hij niet gevonden, maar hij wist in welke bar Corso had gewerkt en hij kende het adres van zijn voormalige huisgenoot. De schijf moest in de bar liggen, of bij die vriend thuis. Hij zou eerst bij de bar gaan kijken. Als Corso echt slim was, had hij hem misschien over de post naar zichzelf gestuurd of in een kluis gestopt. Maar hij wist wel bijna zeker dat Corso de schijf binnen handbereik gehouden zou hebben.

Hij nam nog een slok koffie en sloeg een pagina om alsof hij zat te lezen. Het was de hele tijd al rustig geweest in het restaurant, maar nu zat er niemand meer. De meeste klanten hadden snel hun consumptie genuttigd en waren het park in gegaan om te kijken wat daar aan de hand was. Hij hield de menigte in het oog op zoek naar iemand als een familielid, een vriend – of vriendin – aan wie Corso de schijf gegeven kon hebben.

Er waren twee mensen die zijn aandacht trokken, een zwart meisje en een lange, magere man. Die twee leken hem net iets té alert, iets te weinig betrokken bij de rest. Dat konden geen ramptoeristen zijn. Ze stonden te kijken, te observeren. Ze hadden er iets mee te maken.

Hij prentte hen in zijn geheugen voor het geval hij ze nog een keer tegen het lijf zou lopen.

53 •,

Abbey hees zich op de barkruk bij Moto en Ford nam de kruk naast haar. Dit was een ultrahippe New Yorkse bar aan de kade in Williamsburg, ingericht in zwart-wit met Japanse kamerschermen in zebraprint en massa's zwart-wit email, matglas en chroom. Achter de bar was een muur van flessen, glanzend in het koelwitte licht. Het was er, om vier uur op deze regenachtige doordeweekse middag, volslagen verlaten.

Terwijl ze plaatsnamen, kwam er een kale Japanner aanlopen met de bouw van een baksteen, een zwart gerande bril op en gestoken in traditionele kleding. Hij streek met zijn hand, waarin hij een servetje bij de hoek vasthield, langs de bar en bleef voor Abbey staan. 'Dame?'

Abbey aarzelde. 'Een Pellegrino.'

De hand gleed verder naar Ford, ditmaal met een nieuw servetje tussen duim en wijsvinger geklemd. 'Heer?'

'Een Beefeater-martini,' zei Ford. 'Graag met een schilletje citroen. Droog.'

Een snelle hoofdknik, en daarna begon de man met virtuoos doeltreffende gebaren de drankjes klaar te maken.

'U bent zeker meneer Moto,' zei Ford.

'Inderdaad!' Op Moto's gezicht brak een oogverblindende glimlach door.

'Ik ben Wyman Ford. Een vriend van Mark Corso.'

'Welkom! Maar Mark is er niet. Vanavond pas. Om zeven uur.' Met een zwierig gebaar schonk hij de martini in, gooide de cocktailshaker in de lucht, ving hem op, spoelde hem om en plaatste hem in een houder.

'Ik kom net van McGolrick Park,' zei Ford. 'Ik heb slecht nieuws, vrees ik.'

'Ja?' Moto bleef stokstijf staan bij de aanblik van Fords gezicht.

'Mark en zijn moeder zijn afgelopen nacht of misschien vanochtend vroeg vermoord. Inbraak en beroving.'

Moto stond als aan de grond genageld, volslagen verbijsterd.

'Ze zijn momenteel bij hem thuis bezig. De politie.'

Moto gaf een klap op de bar en zijn schouders zakten omlaag. Hij bracht een hand naar zijn hoofd. 'O god, o god. Wat vreselijk.'

'Gecondoleerd.'

Moto bleef even zwijgend met zijn handen voor zijn gezicht staan. 'Dat doet ook maar, dat tuig. Dus zijn moeder ook?'

Ford knikte.

'Tuig. Mark was een prima jongen. Slim. O god.' Hij was volkomen uit het veld geslagen.

Ford knikte meelevend. 'Werkte hij voor u?'

'Avond aan avond, al sinds hij terug was.'

'Wat was er gebeurd, was hij zijn baan in Californië kwijtgeraakt?'

Moto wuifde met zijn hand. 'Hij had voor de National Propulsion

Facility gewerkt, de NPF. Maar hij was ontslagen. Wat een tuig, hebben ze ze al te pakken?'

'Nog niet.'

Abbey zei: 'Ik hoop dat ze op de stoel komen.'

Moto knikte heftig. Zijn ogen waren rood.

'Mark was een oude vriend van me,' zei Abbey. 'Waar ik nu ben, dat heb ik aan hem te danken.'

Ford draaide zich naar haar om en wierp haar een strenge blik toe.

'In de eerste klassen van de middelbare school had ik bijles wiskunde van hem. Dankzij hem ben ik toen overgegaan. Ongelooflijk, ik heb hem gisteren nog gesproken. Hij zei dat hij daar bij de NPF iets belangrijks had ontdekt. Iets over gammastralen.'

Moto knikte nogmaals. 'Ze wilden hem geen ontslagpremie uitbetalen, dus hij zou ze terugpakken. Hij was er helemaal kapot van, dat ontslag. Ik had hem nog nooit zo depri meegemaakt.'

'En hoe wilde hij ze terugpakken?'

'Hij zei dat hij iets had gevonden en dat zij daar niet aan wilden. Maar hij zou ze dwingen om over de brug te komen. Ach, die stumper, hij begon op het werk ook al te drinken. En als een barkeeper zelf niet nuchter blijft...' Zijn stem stierf weg, hij wilde geen kwaad spreken van de doden.

'Wat had hij gevonden?' vroeg Abbey.

Moto bette zijn tranende ogen. 'Jezus. Wat een tuig.'

'Wat had hij gevonden?' herhaalde Abbey zachtjes.

'Weet ik niet meer. Nee, wacht even – hij zei dat hij iets op Mars gevonden had. Iets wat stralen uitzond.'

'Stralen? Waren dat soms gammastralen?'

'Volgens mij wel, ja.'

'En hoe wilde hij de NPF precies terugpakken?'

'Een tijdje geleden, hij had nogal stevig zitten innemen, heeft hij me een vaste schijf laten zien die hij van de NPF had.'

'O? En wat stond daarop?'

'Hij zei dat een professor, een vriend van hem, de schijf gestolen en aan hem gegeven had. Er stond iets op waardoor hij beroemd zou worden, iets waardoor alles anders zou worden, maar hij wou niet zeggen wat. Hij was niet meer helemaal helder.'

'Waar is die schijf nu?'

Moto schudde zijn hoofd. 'Geen idee. Wat doet het er ook toe? Dat tuig... en zijn moeder ook nog... Er loopt veel te veel tuig rond.'

Er biggelde een traan naar de punt van Moto's neus.

Er klonk geratel, en het belletje bij de deur klingelde. Snel wiste Moto zijn ogen droog, snoot zijn neus en vermande zich. Er liep een man naar binnen met een kakibroek en een grijze coltrui, met daaroverheen een tweedjasje. Hij ging aan de andere kant van de bar zitten. Abbey kneep haar ogen samen: hij leek sprekend op haar professor wiskunde aan Princeton.

Moto boog zijn hoofd. 'Sorry,' zei hij zacht. 'Een klant.' Hij liep naar de nieuwkomer.

Abbey keek Ford aan. 'Daar hebben we die gammastralen weer.'

'Daar was de moordenaar naar op zoek toen hij het hele huis overhoophaalde: die vaste schijf.'

'Ja, en ik durf te wedden dat de gegevens over de gammastraling op die schijf staan.'

Ford antwoordde niet. Abbey zag zijn blik naar de man aan de andere kant van de bar flitsen, de nieuwe klant, die over de bar geleund met zachte stem op Moto aan het inpraten was.

Het gesprek duurde een tijdje. Moto begon met enige stemverheffing te spreken, hij klonk nu boos, maar hij sprak niet zo luid dat Ford en Abbey konden verstaan wat er gezegd werd. Abbey probeerde het gesprek te negeren en na te denken over het probleem van de gammastralen op Mars, maar ze merkte dat Ford strak naar de man zat te kijken en ze vroeg zich af wat hij zo interessant vond.

'Ik zeg helemaal niks, grafzeiker!' riep Moto plotseling.

De vreemdeling zei iets op gedempte toon.

'Ik antwoord niet op die vragen! Eruit, of ik bel de politie!' Moto haalde een mobieltje uit zijn zak en begon een nummer in te toetsen. 'Ik bel het alarmnummer!'

De man haalde naar Moto uit en sloeg hem de telefoon uit handen. Op datzelfde moment stak hij zijn andere hand in zijn binnenzak en haalde daar een groot pistool uit tevoorschijn.

'Handen boven de bar,' zei hij, en terwijl Moto zijn handen in de lucht hief, richtte hij het wapen op hen. 'Jullie tweeën – ik weet waar jullie mee bezig zijn. Maak dat je hier komt.'

Voordat Abbey kon reageren, sprong Ford overeind en smeet Abbey van haar kruk af, op de grond achter de hoek van de bar. Even later opende de man het vuur en was er een vreemd, hoog geluid te horen in de bar: *kwang! kwang! kwang!* De glazen wand achter de bar spatte in scherven uiteen. Ford sleepte haar over de grond. 'Vooruit! Kruipen!'

Kwang! Scherven en drank plensden rond hen neer. Op de achtergrond hoorde Abbey Moto brullend vloeken, zijn kreten doorspekt met het woord 'tuig', en daarna volgde een reeks schoten uit een ander vuurwapen, een veel luider *boem-boem-boem-boem!*, gevolgd door het woord 'Tuig!'

Met een uiterste krachtsinspanning kroop ze achter Ford aan naar de achterwand.

Kwang! Kwang! Meer glas en flessen kwamen omlaag zetten, splinters hout en stukken isolatiemateriaal en betimmering vlogen door de lucht. Moto brulde iets Japans.

Kwang! Kwang! Boven hun hoofd spatte de bar uiteen in hout- en metaalsplinters en brokstukken pleisterwerk en glaswol.

'Hier, zeg ik!' brulde de man.

Plotseling was Moto naast hen, wankelend, hijgend en kuchend. Er spatte bloed uit zijn mond. Hij had een gigantische revolver in beide handen en draaide zich om om nog twee schoten te lossen, maar die misten doel.

Kwang! Kwang! kwam de reactie en Moto, in de borst getroffen, werd tegen de versplinterde muur gesmeten. Met één hand klauwde hij naar de schervenregen. Toen stortte hij op de grond.

Kwang! Kwang! Een kleine barkoelkast tuimelde vlak voor haar voeten op de grond, met een paar kogelgaten erin. In een wolk van condens spoot het freongas naar buiten. En daar, met glanzend tape aan de achterkant vastgeplakt, zat een smalle huls van mat aluminium met een logo erop, waarvan Abbey alleen de letters NPF zag.

Bijna zonder erbij na te denken scheurde ze de huls los en propte hem in haar broekband.

'Rennen!' zei Ford. Hij draaide zich om en greep haar bij de arm. Ze holden de deur door, een magazijn vol dozen binnen. Recht tegenover hen zagen ze een tweede deur en daar daverde Ford doorheen. Ze renden een smalle trap af naar een ondergrondse gang, renden een hoek om, een nieuwe trap op, en kwamen via een metalen vluchtdeur in een steeg terecht. Zonder haar arm los te laten zeulde hij haar de straat over, de hoek om naar een druk kruispunt. Daar bleven ze naar adem staan happen.

'Gaat het?' vroeg Ford.

'Weet niet.' Ze hijgde en probeerde uit alle macht haar longen met lucht te vullen. Haar hart bonsde. 'Je bloedt.'

Hij pakte een zakdoek en veegde zijn gezicht af. 'Dat is niets. Maar we moeten hier weg.' Hij hief zijn hand en floot om een taxi.

Ze schudde de scherven uit haar haar en probeerde zich te beheersen. Haar handen beefden. Het was afgrijselijk geweest om te zien hoe vlak voor haar ogen een man werd vermoord; ze moest weer denken aan Worth, op het dek, met het bloed dat opwelde uit zijn ingeslagen schedel. Ze bukte zich en gaf over op de stoep.

'Taxi!' riep Ford. Hij gaf haar een zakdoek.

Ze hapte naar adem, probeerde rechtop te gaan staan en veegde haar mond af met de zakdoek.

'Taxi!'

'Moeten we niet op de politie wachten?'

'Zeer zeker niet.' Hij hield een taxi aan, opende het portier en schoof haar naar binnen. 'La Guardia,' zei hij tegen de chauffeur. 'Via Grand Avenue naar Flushing. Niet via de snelweg.'

'Je zegt het maar, hoor. Maar zo doe ik er wel tien minuten langer over.'

De taxi sprong naar voren, het drukke verkeer in. 'Waarom zijn we op de vlucht?' vroeg Abbey bijna schreeuwend.

Met een bezweet gezicht leunde Ford achterover. Uit een snee op de brug van zijn neus welde bloed op. 'Omdat we niet weten wie ons zojuist wilde vermoorden.'

'Óns vermoorden? Hoezo?'

Ford schudde zijn hoofd. 'Geen idee. Maar het was een professional. Als wijlen onze dappere vriend dat kanon niet achter de bar had gehad, waren we nu allebei dood geweest. Ik moet jou in veiligheid brengen. Ik had je hier nooit bij mogen betrekken.'

Abbey schudde haar hoofd en voelde hoe het bonsde. 'Dit is gekkenwerk. Wat is hier in vredesnaam aan de hand?'

'Er is iemand op zoek naar die schijf. En te horen aan wat die vent zei, schijnt hij te denken dat wij hem hebben.'

Abbey stak haar hand onder haar jasje en haalde er de aluminium behuizing onder vandaan, met het tape er nog aan bungelend. 'Dat is ook zo. Kijk, dit zat tegen de achterkant van de koelkast aan geplakt.'

Ford keek haar aan. 'Heeft de schutter je die schijf zien meegrissen?'

'Volgens mij wel.'

'Shit,' zei Ford zachtjes voor zich uit. '*Shit.*'

54

Abbey zat in kleermakerszit op het hondennest van haar bed, met de mysterieuze computerschijf aangesloten op haar laptop. Op de zijkant stond de volgende informatie:

#785A56H6T 160Tb
VERTROUWELIJK: VERBODEN TE KOPIËREN
EIGENDOM VAN DE NATIONAL PROPULSION FACILITY
CALIFORNIA INSTITUTE OF TECHNOLOGY
NATIONAL AERONAUTICS AND SPACE ADMINISTRATION

Volgens de lichtgevende wijzerplaat van de goedkope motelklok, aan het formica nachtkastje vastgeschroefd om te voorkomen dat hij werd meegejat, was het middernacht. Om acht uur waren ze op Washington-Dulles geland, en daarna waren ze met een huurauto naar een hotel gereden dat ergens midden op het platteland lag en dat Ford ooit als schuilplaats leek te hebben gebruikt. Het was iets heel anders dan het Watergate, en Abbey vond het maar niets. Er was geen roomservice, het stonk er naar verschaalde sigarenrook en de lakens zagen er verdacht onfris uit. Ford had de kamer geboekt zonder zijn paspoort te laten zien, en hij had contant betaald. De ongure vent achter de balie had hun een vette knipoog gegeven en Abbey wist wel zo'n beetje wat voor gore gedachten er door zijn hoofd gingen.

Ford had een pizza voor haar besteld en was verdwenen. Hij had niet willen zeggen waar hij naartoe ging, maar had beloofd dat hij voor zonsopgang terug was. Hij had haar achtergelaten met een laptop en de vaste schijf en de opdracht de schijf te kraken.

Dat was gemakkelijker gezegd dan gedaan. Ze was nu al uren bezig, zonder enig succes. De vaste schijf was niet van een merk dat ze herkende of op het internet kon vinden; hij zag eruit als iets wat speciaal gemaakt was, met een enorme dichtheid. Op een normale schijf van deze afmetingen paste nooit honderdzestig terabyte. Een speciale schijf van de NPF. Met wachtwoordbeveiliging. Ze had alle voor de hand liggende mogelijkheden al geprobeerd: 'wachtwoord', 'sesamopenu', 'qwerty', '12345678' en talloze andere, veelvoorkomende combinaties die ze had gevonden op een website met vaak gebruikte wachtwoorden. Daarna was ze begonnen aan combinaties van Corso's naam, geboortedatum, zijn moeders naam en geboortedatum, diverse straat- en plaatsnamen bij hem in de buurt, cafés en scholen, sportteams, mascottes, popbands en hits uit zijn tienerjaren; kortom, alles wat ze maar kon raden naar aanleiding van zijn leeftijd en de informatie die ze over hem op het web had kunnen vinden. Tot ze plotseling bedacht dat ze dit helemaal verkeerd aanpakte. Het wachtwoord moest gemaakt zijn door die mysterieuze professor die de schijf van de NPF had gestolen. Over hem wist ze helemaal niets, niet eens zijn naam. Hoe kon ze dan ooit zijn wachtwoord raden? Of erger nog: misschien zat er nog een NPF-wachtwoord op. Dat zou dan vrijwel niet te kraken zijn.

Ze downloadde een aantal programma's van het web en probeerde met grof geweld *hashes* en regenboogtabellen te hanteren. Zonder effect. Het begon er langzamerhand hopeloos uit te zien. Voor zover zij kon zien was de schijf vergrendeld met een versleuteling van militaire kwaliteit.

Maar goed, de schijf vroeg om een wachtwoord en dat was een goed teken. Er moest een andere oplossing zijn. Ze opende haar zesde blikje lightcola en dronk met grote teugen. Daarna voelde ze zich hongerig, dus ze tastte in de pizzadoos rond en trok het laatste harde, koude stuk pizza los van de kartonnen bodem. Ze slokte het naar binnen en spoelde het weg met cola.

Ze dacht aan haar eigen wachtwoorden en hoe ze die koos. Meestal waren ze ter plekke bedacht, vaak krachttermen met tussendoor de eerste cijfers van π of e, twee getallen waarvan ze gewoon voor de lol vele cijfers achter de komma uit haar hoofd had geleerd. Haar favorieten waren E3e1t4s1t5r9o2n6t en V2a7l1d8o2o8d. Gemakkelijk te onthouden, onmogelijk te kraken. Voor de aardigheid probeerde ze beide, maar opnieuw zonder resultaat.

Ze nam een slok van de cola en dacht zich in hoe die laatste werkdag van de professor eruitgezien moest hebben, hoe het moest voelen om ontslagen te zijn en te horen te krijgen dat je voor vijven je bureau leeg moest ruimen. Hij was pissig genoeg geweest om een vaste schijf met geheime gegevens mee te jatten. Zodra hij thuisgekomen was, moest hij het wachtwoord van de schijf hebben veranderd om te zorgen dat niemand van de NPF nog bij de gegevens kon.

Met een zucht mikte ze het colablikje in de richting van de afvalbak. Het stuiterde van de rand af en rolde over de vloer, zodat de laatste restjes over de toch al vlekkerige vloerbedekking druppelden. 'Fuck,' zei ze hardop. Had ze maar een joint om zich te ontspannen, om haar gedachten te verzetten, de dingen op een rijtje te zetten.

Ze keerde terug naar haar eerdere redenering. Hij moest het wachtwoord meteen bij thuiskomst veranderd hebben, voordat hij iets anders deed. Ze kneep haar ogen dicht en probeerde zich het tafereel in te beelden: denkbeeldige professor komt thuis in een of andere sjofele bungalow in zuidelijk Californië, vlekken op het tapijt, vrouw in de slaapkamer aan het klagen over geldgebrek. Vent haalt schijf uit zijn onderbroek of waar hij hem ook maar verstopt had, plugt hem in zijn laptop. Hij is razend, hij is overstuur, hij kan niet geloven wat hem overkomen is. Hij denkt niet helder na. Maar hij moet het wachtwoord veranderen, dat is van cruciaal belang. Dus verzint hij iets nieuws en voert het in.

Wat ging er exact op dat moment door zijn hoofd?

Abbey typte: FUCKNPF. Maar niets.

En toen schoten haar de standaardregels te binnen: een deugdelijk wachtwoord moest uit ten minste acht tekens bestaan, cijfers en letters door elkaar heen, in een combinatie van hoofdletters en kleine letters.

FUCKNPFI, typte ze.

Bingo.

55

Ford stuurde de Mercedes van het autoverhuurbedrijf door de slingerende lanen van een chique buurt in Washington, met Quebec Street NW als middelpunt, tot hij een huis vond waar een feest in volle gang was. Hij parkeerde zijn auto achter de andere wagens langs de stoeprand en stapte de warme avondlucht in, ondertussen het jasje van zijn pak dichtknopend. Lommerrijke straten en fraaie villa's, vensters die geel opgloeiden in de zomerschemering. Het huis met het feest was helderder verlicht dan de meeste andere, en terwijl hij erlangs liep hoorde hij gedempte jazzmuziek naar buiten sijpelen. Met zijn handen in zijn zakken slenterde hij over straat als een buurtbewoner op een avondwandelingetje, en zo kwam hij terecht in Spring Valley Park, een lint van bomen langs een vijver. Hij liep over het bospad het park in, wachtte tot hij zeker wist dat hij alleen was en liep toen met snelle passen het bos in, stak het water over en liep op de achtertuin van Hillbrook Lane 16 af. Het was al bijna middernacht, maar het zat hem mee: er stond maar één auto op de oprit. Lockwood was nog aan het werk. Hij moest het tegenwoordig behoorlijk druk hebben – zowel overdag als 's nachts.

Hij liep in een kring om de tuin heen zonder bewijzen aan te treffen dat daar bewaking of beveiliging rondliep. Het grootste deel van het huis was in duisternis gehuld, behalve een zachte gloed achter een raam op de bovenverdieping – de echtgenote waarschijnlijk, die in bed lag te lezen. Het lichtje bij de entree was aan gelaten. Gelukkig kwam de wetenschappelijk adviseur van de president niet in aanmerking voor bescherming door de geheime dienst. Evenzogoed konden er natuurlijk alarmsystemen of bewegingsdetectoren zijn waardoor de tuinverlichting aan sprong, het gebruikelijke systeem in dit soort voorsteden, maar door heel langzaam te lopen kon hij dat risico tot een minimum beperken. Ongezien wist hij tot bijna aan de oprit te sluipen.

Hij koos een schuilplaats tussen een paar taxusbomen langs de oprit en ging daar in de diepste schaduw gehurkt zitten wachten. Misschien bleef Lockwood de hele nacht op kantoor, maar hij kende zijn gewoonten wel zo goed dat hij wist dat Lockwood niet op zijn kantoor zou slapen. Uiteindelijk zou hij naar huis gaan.

Ford wachtte.

Er verstreek een uur. Hij ging verzitten en probeerde zijn verkrampte benen te strekken. Op de bovenverdieping ging het licht uit. Er verstreek nog een uur. Maar even na twee uur zag hij koplampen op straat en hoorde hij een plotseling gerommel toen de garagedeur met de afstandsbediening werd geopend en omhoog begon te komen.

Even later zwenkten de koplampen de oprit op en schoof er een Toyota Highlander voorbij; Ford liep gebukt vanuit zijn schuilplaats en sprintte achter de auto langs de garage in. Achter de achterbumper gehurkt wachtte hij even. Niet veel later ging het linkerportier open en stapte er een lange man uit.

Ford kwam overeind en liep achter de auto vandaan.

Lockwood maakte bijna een sprong van schrik en keek hem verbijsterd aan. 'Wat krijgen we...?'

Met een glimlach stak Ford zijn hand uit. Lockwood keek er sprakeloos naar. 'Ik schrik me wezenloos. Wat doe jij hier?'

Nog steeds met een vriendelijke glimlach liet Ford zijn hand zakken en deed een stap naar voren. 'Roep je mannetje terug.'

'Waar heb je het over? Wat voor mannetje?' Lockwoods stem had een geloofwaardige klank.

'Het mannetje dat Mark Corso heeft vermoord, het mannetje dat vanmiddag probeerde mij en mijn assistente in Brooklyn te vermoorden, een café aan diggelen heeft geschoten en de barkeeper heeft gedood. Je kunt het lezen in de *Times* online. Het leek me iemand van de CIA. Op zoek naar een computerschijf.'

'Jezus christus, Wyman, je weet dat ik nooit iets te maken kan hebben met dat soort zaken. Als iemand jou om zeep wil helpen, dan is dat iemand anders. Niet wij. Vertel eerst maar eens wat je gedaan hebt om dit soort reacties over je af te roepen.'

Ford keek Lockwood aan. Die zag er aangeslagen en verward uit. Maar wás hij het ook echt? Na acht jaar Washington wilden mensen nog wel eens heel goed worden in list en bedrog.

'Ik ben nog bezig met het onderzoek.'

Lockwoods lippen verstrakten en hij leek na te denken. 'Als er iemand achter je aan zit, is dat niet de CIA. Ten eerste gaan zij een stuk subtieler te werk en ten tweede hoor je bij de familie. Het kan natuurlijk een van die nieuwe afkortingen van de militaire inlichtingendienst DIA zijn. Een zwarte operatie. Die hufters hoeven zich tegenover niemand te verantwoorden.' Lockwoods gezicht liep rood aan. 'Ik trek het onmiddellijk na en als zij het zijn, onderneem ik stappen. Maar Wyman, waar ben je in gódsnaam mee bezig? De klus is allang achter de rug. Ik heb je al eens gewaarschuwd: laat het verder rusten. En ik zeg je nogmaals: hou hier onmiddellijk mee op of ik geef je aan. Duidelijk?'

'Absoluut niet. En nog iets: mijn assistente is een twintig jaar oude studente die hier helemaal buiten staat.'

Lockwood keek naar de grond en schudde even zijn hoofd. 'Als het iemand van ons is, dan kom ik daarachter en ga ik enorm moeilijk doen. Geloof me. Maar als ik jou was, zou ik ook eens bedenken wie het verder kan zijn – en dan heb ik het níét over de overheid.' En daar voegde hij aan toe: 'Maar ik moet je nogmaals vragen: waarom doe je dit in vredesnaam? Je hebt hier niets meer bij te winnen.'

'Dat begrijp jij toch niet. Ik wil informatie hebben. Ik wil dat je me zegt wat er aan de hand is, wat jij weet.'

'Meen je dat? Ik zeg geen woord.'

'Ook niet in ruil voor wat ík weet?'

'Wat weet jij dan?'

'Dat het object niet in de oceaan voor de kust van Maine is gevallen. Het is op een eiland ingeslagen.'

Lockwood deed een stap naar voren en zei met gedempte stem: 'Hoe weet jij dat?'

'Ik ben er geweest. Ik heb het inslaggat gezien.'

'Waar?'

'Die informatie kun je krijgen... in ruil voor wat jij weet.'

Lockwood keek hem strak aan. 'Oké. Onze natuurkundigen denken dat het ding dat door de aarde heen is gedrongen een stuk vreemde materie was. Ook wel bekend als een *strangelet*.'

'Geen miniatuur zwart gat?'

'Nee.'

'Vreemde materie? Wat is dat?'

'Een superdichte vorm van materie. Bestaat uitsluitend uit quarks. En bijzonder gevaarlijk. Ik begrijp het niet goed – zoek het maar op als je er meer van wilt weten. Dat is de enige nieuwe informatie die we hebben. En nu... waar ligt dat eiland?'

'Het heet Shark. In Muscongus Bay, zo'n acht mijl uit de kust. Een klein, kaal eiland. Daar is de krater, op het hoogste punt.'

Lockwood draaide zich om, haalde zijn aktetas uit de auto en sloot het portier. Toen Ford zich omdraaide en wilde weglopen, stak Lockwood tot Fords verrassing zijn hand uit en greep de zijne. 'Hou je gedeisd, doe voorzichtig. Als ik merk dat onze mensen achter je aan zitten, dan maak ik daar meteen een einde aan, dat zweer ik. Maar bedenk wel: het kon wel eens iemand anders zijn...'

Ford draaide zich om, bukte zich onder de garagedeur door en liep via de achtertuin het donkere park in. Hij liep naar het beekje waar de bomen het dichtst op elkaar stonden, stak het water over en kwam op het pad uit. Hij liep Quebec Street op, rechtte zijn schouders, trok zijn pak goed en haalde zijn vingers door zijn haar. Alsof hij een buurtbewoner was die een avondwandelingetje maakte, liep hij met energieke pas over straat. Eenmaal dook hij weg om een surveillancewagen van de politie te ontwijken, en nadat hij een paar hoeken was omgeslagen arriveerde hij aan het begin van de straat waar hij zijn auto had geparkeerd. Daar bleef hij even in de schaduw van een stel bomen staan kijken.

Foute boel. Tussen de bomen door zag hij twee politieauto's met zwaailichten en al aan weerszijden van zijn huurauto geparkeerd staan, bezig zijn nummerbord te controleren. Had Lockwood de politie gebeld? Of misschien had hij zijn auto te lang laten staan: het feest was allang over en wie weet had een of ander paranoïde burgermannetje het alarmnummer gedraaid. Helaas had hij de Merce-

des onder zijn echte naam gehuurd, hij had geen andere keuze gehad.

Binnensmonds vloekend dook Ford weer weg in de duisternis en
begaf zich door achtertuinen en parkjes op weg naar de American
University en de bushalte aan Massachusetts Avenue.

56

Abbey zocht door de bestanden op de 160 terabyteschijf en opende
een paar willekeurige foto's. Er waren honderdduizenden, misschien
wel miljoenen foto's van Mars: spectaculaire, verbijsterende, ongelooflijke foto's van kraters, vulkanen, cañons, woestijnen, duin-
landschappen, bergen en vlaktes. De radarbeelden waren al even
adembenemend: dwarsdoorsneden van de Marskorst. Maar de gammastralingsgegevens waren niet meer dan tabellen met getallen en
een stel ondoorgrondelijke grafieken, onmogelijk te interpreteren.
Geen foto's, niets dan cijfers.

Een van de mappen trok haar aandacht: GAMMA-AFWIJKINGEN.
Daarin zat één enkel bestand met de extensie .pps. Een powerpointpresentatie dus, en die was nog maar een paar weken tevoren op de
schijf gezet.

Abbey klikte op het .pps-bestand. Er verscheen een dia op haar
scherm en de presentatie begon.

de MMO Compton
gammastralingsscintillator:
Een gegevensanalyse van gammastralingsemissie
met abnormaal hoge energie
Mark Corso, senior data-analist

Dit zag er veelbelovend uit: het moest de presentatie zijn waarover
zijn directe chef Derkweiler zo geïrriteerd was geraakt dat hij Corso
ontslagen had. Corso's obsessie. Ze klikte door naar de volgende dia,
waarop een schema te zien was van de planeet Mars met de omloopbanen van de MMO-satelliet eromheen getekend; je zag de vele
banen over elkaar heen lopen. Daarna volgde een grafiek met het opschrift THEORETISCHE SIGNATUUR VAN GAMMASTRALINGSPUNTBRON

OP HET MARSOPPERVLAK, waarop een keurig, vierkant golfpatroon was te zien. De volgende dia had de titel WERKELIJKE GAMMASTRALINGSSIGNATUUR, met een illustratie die amper zichtbaar was, en vervolgens werden beide gecombineerd tot wat haarzelf geen bijster sterke overlay leek, met enorme foutmarges en een massa achtergrondruis. Er waren pieken en dalen te zien, maar ze waren niet goed te onderscheiden, en de theoretische en werkelijke signaturen leken haar niet in fase te zijn.

Ze klikte nogmaals, maar dat was het einde.

Wat betekende dit? Het was onmiskenbaar een mondelinge presentatie, zonder schriftelijke tekst erbij.

Ze klikte er nogmaals doorheen en probeerde te snappen waar het over ging. *Theoretische gammastralingspuntbron op het Marsoppervlak.* Ze dacht terug aan haar eerstejaarscolleges natuurkunde aan Princeton en aan wat ze geacht werd te weten over gammastralen. Dat was het hoogst energetische deel van het elektromagnetische spectrum, met meer energie dan röntgenstralen. Gammastralen, gammastralen... Zoals ze al tegen Ford had gezegd, die hoorden niet van Mars te komen. Of wel soms? Had ze nu maar harder gestudeerd...

Ze googelde gammastralen en las wat ze vond. De straling werd uitsluitend door uitzonderlijk heftige gebeurtenissen veroorzaakt: supernova's, zwarte gaten, neutronensterren, botsingen tussen materie en antimaterie. Binnen het zonnestelsel, las ze, werden gammastralen maar op één natuurlijke manier voortgebracht, namelijk wanneer krachtige kosmische straling vanuit de diepe ruimte de atmosfeer of het oppervlak van een planeet raakte. Iedere kosmische straalinslag scheurde de atomen van de materie uiteen en dat leverde een flits van gammastraling op. Als gevolg daarvan gloeiden alle planeten van het zonnestelsel zwakjes in gammastraling, gebaad als ze waren in een diffuse regen van kosmische stralen vanuit de diepe ruimte. Die gloed was wijdverbreid, over de hele planeet.

Ze las een aantal artikelen door, maar het kwam allemaal op hetzelfde neer: er was geen natuurlijk proces bekend waarmee binnen het zonnestelsel een puntbron van gammastraling kon worden gecreëerd. Geen wonder dat Corso dat zo intrigerend had gevonden. Hij had een puntbron van gammastraling op Mars gevonden, en niemand bij de NPF geloofde hem. Of had het allemaal tussen zijn oren gezeten? Moeilijk te zeggen.

Ze keek naar het computerscherm, wreef in haar ogen en keek op de klok. Drie uur in de ochtend. Waar was Ford?

Met een zucht stond ze op en rommelde in het koelkastje. Leeg. Ze had al haar lightcola's achterovergeslagen, ze had alle Cheeto's en Marsen op. Misschien moest ze naar bed. Maar ze had helemaal geen zin om te gaan slapen. Ze maakte zich ernstige zorgen om Ford. Zonder veel enthousiasme begon ze de gegevens door te nemen, en daarna googelde ze de Mars Mapping Orbiter. Die was een paar jaar geleden gelanceerd en een jaar na lancering in een baan rond Mars gebracht. Een satelliet bomvol camera's, spectrometers, diepteradar en een gammastralingsscintillator. Doel: Mars in kaart brengen. Hij had de krachtigste telescoop aan boord die ooit de ruimte in gelanceerd was, de zogeheten Hirise. De specificaties daarvan waren geheim, maar er werd gezegd dat die telescoop op een hoogte van zo'n tweehonderd kilometer een object met een doorsnede van dertig centimeter kon zien. In de paar maanden dat de mmo operationeel was geweest, had hij meer gegevens naar de aarde gestuurd dan alle vorige ruimtemissies bij elkaar.

En het zag ernaar uit dat een boel van die gegevens, misschien wel alles, op de schijf stond.

Ze zette de mappen op volgorde van datum. Helemaal bovenaan stond iets van recente datum, heel recent zelfs. DEIMOS MACHINE, heette die map.

Dat klonk interessant. Ze opende de map en zag dat die meer dan dertig bestanden bevatte, met namen als DEIMOS-GROOT en VOLTAIRE-ORIG. tot VOLTAIRE-DETAIL, welke laatste op zijn beurt een sliert bestanden bevatte met de namen VOLTAIRE1 tot en met VOLTAIRE33.

Ze klikte door alle bestanden heen, het een na het ander, en keek naar de wazige, ingekleurde beelden. Elke afbeelding was scherper dan de vorige. Op de foto's was een eigenaardig ogende constructie te zien, een holle cilinder omringd door sferische uitsteeksels op een vijfkantige basis. Weggezonken in het stof. Het leek iets uit een filmset of een kunstproject of iets van dien aard.

Ze begon door alle Voltaire-beelden heen te klikken en uiteindelijk door de grotere bestanden bovenaan: DEIMOS-GROOT en VOLTAIRE-ORIG., en keek met stijgend begrip naar de beelden. Haar hart begon te bonzen toen tot haar doordrong wáár die vreemde constructie precies was gefotografeerd. Ze kreeg haast geen lucht meer. Dit was ongelooflijk, onvoorstelbaar...

Ze hoorde voetstappen bij de deur, een dreun, het klikken van het slot en plotseling vloog de deur open.

Ze rechtte haar rug. 'Dit zul je niet...'

Met een bruusk gebaar kapte Ford haar woorden af. 'Afsluiten en inpakken die boel. We moeten hier weg. Nú.'

57

Harry Burr keek om zich heen in de lobby van het goedkope hotel. Hij rook iets, dus hij keek onder zijn zool of daar hondenpoep zat. Niets – dan moest iemand anders het dus mee naar binnen genomen hebben. Hij had onderweg naar Washington meer dan genoeg tijd gehad om af te koelen. Hij had er zó dicht bij gezeten: jezus, hij had gezíen dat die meid de schijf op weg naar buiten meegriste van de achterkant van de koelkast, maar ze waren in die kuttaxi gesprongen voordat hij de klus had kunnen afmaken.

Maar ze waren niet echt ontkomen. Dankzij het nummer op het dak van de taxi en met wat hulp van een vriendje bij de politie van Washington had hij kans gezien hen tot hier te volgen. Hij liep naar de balie en drukte op het belletje. Even later kwam er een pafferige jonge man aanschuifelen. Hij droeg een riem die drie maten te kort was en een strakke inkeping in zijn vet kerfde. 'Kan ik u helpen?'

Burr mat zich een geagiteerde houding aan en antwoordde haastig: 'Dat mag ik hopen. Ik ben op zoek naar mijn dochter. Die is ervandoor met een gozer, een smeerkees, ze kende hem nota bene van de kerk, die goorlap.' Hij zweeg even en haalde diep adem. 'Volgens mij hebben ze hier de nacht doorgebracht. Ik heb een paar foto's bij me...' Hij rommelde in zijn aktetas en haalde er een stel foto's van Ford en het meisje uit. 'Dat zijn ze.' Hij zweeg en hapte naar adem.

Met zijn lippen smakkend boog de man zich traag over de twee foto's heen. Er volgde een lange stilte. Burr verzette zich tegen de verleiding om hem een briefje van twintig voor te houden, waar de vent kennelijk op stond te wachten. Burr betaalde niet graag voor informatie – soms kreeg je op die manier de idiootste dingen te horen. Mensen die zo stom waren om de informatie te bieden vanuit de goedheid huns harten hadden altijd iets waardevols te zeggen.

Na nog enig gesmak hief de flegmatiekeling zijn blik op en keek Burr aan. 'Dochter?' vroeg hij met een sceptische klank in zijn stem.

'Geadopteerd,' antwoordde Burr. 'Uit Nigeria. Mijn vrouw kon geen kinderen krijgen en we wilden een Afrikaans meisje de kans geven. Hebt u haar gezien? Ik smeek u, het gaat om mijn kind. Die smeerlap heeft haar in de kerk opgepikt, hij is tweemaal zo oud als zij en nog getrouwd ook.'

De blik zakte weer naar de foto en er klonk een diepe zucht, alsof er in een zak werd geknepen. 'Ja, die heb ik gezien.'

'Echt waar? Waar dan? Zijn ze hier?'

'Ik heb geen zin in problemen.'

'Die komen er ook niet, ik zweer het. Ik wil alleen mijn dochter redden.'

De man knikte al kauwend. Hij deed Burr denken aan een herkauwende koe. 'Als er problemen komen, moet ik de politie bellen.'

'Zie ik eruit als iemand die problemen zou veroorzaken? Ik ben nota bene professor Engelse literatuur aan Yale. Ik wil alleen maar praten. Wat is het kamernummer?'

Geen antwoord. Dit was het juiste moment om enige contanten uit te delen. Hij pakte een briefje van vijftig, en de vent griste het uit zijn hand. Steunend van inspanning liep hij het kantoortje in en kwam terug met een register. Hij opende het op het bureau en draaide het om, terwijl hij met een dikke vinger wees: *dhr. en mw. Morton.*

'De heer en mevrouw Morton? Eén kamer maar? Nummer honderdvijfenvijftig?'

De man knikte.

Harry Burr trok het gezicht van een vader die iets bedenkt wat hij liever niet voor zich ziet. 'En een paspoort, hoefden ze dan geen paspoort te laten zien?'

'Dat vergeten we wel eens te vragen,' zei de hotelier schaapachtig.

Burr keek op de plattegrond van het motel en zag dat kamer 155 in de achterste vleugel van het motel lag, op de begane grond. Het was een goedkoop motel en alle kamers hadden hun eigen voordeur, maar geen achterdeur. Des te beter.

Hij rechtte zijn rug. 'Bedankt. Heel erg bedankt.'

'Geen kik, of ik bel de politie.'

'Maak je geen zorgen.' Burr liep naar zijn auto, die nog met stationair draaiende motor stond, stak zijn hand in het dashboardkastje en voelde de geruststellende handgreep van de Israeli Desert Eagle .44 magnum halfautomaat, zijn favoriete vuurwapen. Hij greep de geluiddemper, schroefde die op de loop en legde hem op de stoel naast zich. Hij reed naar de achterkant van het motel.

Als het aan Burr lag, zou er inderdaad geen kik te horen zijn.

58

'Het raam uit? Doe niet zo idioot!' Met haar handen in haar zij stond Abbey in de deuropening van de badkamer.

Ford negeerde haar. Hij trok het goedkope aluminium schuifraam in de badkamer open en duwde Abbeys koffer naar buiten, gevolgd door de zijne. 'Nu jij.'

'Dit is krankzinnig.' Maar Abbey gehoorzaamde, stak haar hoofd het raam uit en wurmde zich naar buiten. Ford gaf haar de laptop en de schijf aan en perste zichzelf naar buiten. Ze stonden achter het motel en zagen een overwoekerde oprit naar een dienstingang, een omheining van metaalgaas, een greppel en een groot parkeerterrein rondom een sjofel ogend winkelcentrum. De hemel was grauw en er viel een licht miezerregentje.

Abbey pakte haar koffer op. 'En wat nu? Bellen we een taxi?'

'Naar het winkelcentrum.'

'Maar er is nog niets open.'

'We gaan ook niet winkelen. Kom nou maar mee.'

'Waarvoor zijn we op de vlucht?' wilde Abbey weten. 'Wat heb je gedaan?'

'Straks.'

Achter Ford aan liep Abbey de oprit af. Hij mikte hun koffers en zijn aktetas over de schutting. 'Vooruit.'

'Bespottelijk.' Abbey greep het gaas en klom de schutting over. Aan de andere kant liet ze zich vallen. Ook Ford hees zich eroverheen.

'Doorlopen.'

Op een drafje staken ze een strook grasland vol troep over. Hij sprong de greppel over en zette koers naar het parkeerterrein. Abbey hoorde autobanden knersen en toen ze zich omdraaide, zag ze een gele New Beetle de weg achter het motel af rijden. Hij kwam met krijsende remmen tot stilstand, het portier vloog open en er sprong een man naar buiten, die zich meteen op één knie liet zakken.

Ford greep haar arm en rukte haar achter een geparkeerde auto. Er klonk een *tonk* en de zijraampjes werden in een regen van glas naar buiten geblazen.

'Jezus!'

Nog een klap, en er sloeg een ronde in de auto in.

'Laag blijven. Laat die koffers maar liggen. Kom mee.'

Gehurkt rende Ford weg, van de ene naar de andere geparkeerde auto. Even later hoorde Abbey opnieuw gierende autobanden en was de Beetle ervandoor. Ze zag hem met enorme snelheid op de hoofdweg afkoersen.

'Hij komt het parkeerterrein op,' zei Ford. 'Rennen, en dan bedoel ik dus ook echt rénnen.'

Hij sprintte naar het enige deel van het parkeerterrein waar de auto's dicht opeen stonden. Zijn jasje wapperde achter hem aan en hij had zijn aktetas nog steeds bij zich. Abbey moest haar best doen om hem bij te houden. Ze keek over haar rechterschouder en zag het gele autootje over de hoofdweg scheuren, en daarna het gillen van de banden toen het schuin hangend de bocht naar het parkeerterrein nam en op hen af kwam daveren.

'Laag blijven.'

Ze hurkten achter een gehavende oude Ford pick-up en meteen ging Ford met het slot aan de slag. Even later had hij het portier open. 'Naar binnen, maar laag blijven.'

Abbey deed wat haar gezegd werd, kroop de auto in en zorgde dat ze niet te zien was. Ford kroop naast haar naar binnen, duwde zijn aktetas achter de stoel en maakte het dashboardkastje open. Hij pakte een schroevendraaier en wrikte de bekleding rond het contactslot open zodat er een paneeltje zichtbaar werd. Hij stak de schroevendraaier in het slot, draaide hem om – en de auto startte.

Abbey lag voor de stoel gehurkt, met haar hoofd omlaag.

'Oké,' zei Ford, 'hou je vast en blijf op de grond.'

Ze hoorde de motor brullen en de vloer trillen, en de pick-up sprong naar voren zodat Abbey op haar rug rolde. Met gillende banden maakte hij een scherpe bocht en daarna brulde de motor toen Ford plankgas gaf.

Ze hoorde het *pop-pop* van een vuurwapen, voelde de pick-up slingeren en slippen, en daarna, nog steeds slingerend, verder rijden.

'Jezus,' riep ze. Ze klampte zich vast om niet alle kanten uit gesmeten te worden.

'Sorry.'

Nog een *pop-pop* in de verte.

Met krijsende banden en een misselijkmakende zijwaartse schuiver daverde de pick-up over een bobbel heen. Even hingen ze in de lucht, daarna klapten ze met een dreun weer op het wegdek. Nu reden ze hotsend en botsend en luid ratelend over een zandweg vol gaten of door een weiland, over hobbels en bobbels. Alles wat los lag, vloog door de lucht.

'Kom maar overeind.'

Abbey zette zich schrap en hees zich omhoog, de stoel op. Ze zag dat ze inderdaad over een braakliggend terrein in de richting van de spoorbaan scheurden. Ford maakte een bocht en racete parallel met het spoor over een oud tractorpad. Na zowat een kilometer bereikten ze een spoorwegovergang; hij reed plankgas de weg op, slipte even opzij, stak het spoor over en reed weer met volle vaart het zandpad op, met zeventig, tachtig, negentig kilometer per uur.

'Kijk eens achter je, Abbey, of we hem kwijt zijn.'

Abbey draaide zich om. Er viel niets te zien, alleen het zandpad, het braakliggende terrein vol stoppels, het slingerspoor van de pick-up en in de verte een kapotte schutting en de weg die ze zojuist verlaten hadden. Abbey dacht dat ze de gele vlek van de Beetle naast de weg zag.

'Hij is weg.'

'Mooi zo.' Ford minderde vaart. Niet veel later bereikten ze een asfaltweg, en die nam Ford.

'Jezus nog aan toe,' zei ze, terwijl ze een overjarig frietje uit haar haar schudde. Nu keek ze voor het eerst om zich heen in de wagen. Het was een ouderwetse pick-up die naar verschaalde sigarettenrook en zure melk rook. Ze zat onder het vuil van de vloer, die vol lag met etensresten en troep. Ze passeerden een bord dat naar de snelweg wees en even later namen ze de oprit.

'Ik vind dit maar niets,' zei Abbey. 'Ik vind het helemaal niets.'

'Het spijt me, Abbey. Ik breng je meteen naar een veilige plek.'

'Ik neem ontslag. Dit is niets voor mij. Ik wil naar huis.'

'Kan niet. Sorry.'

'Hebben we die roestbak hier gejat? Of is dat een stomme vraag?'

'Tweemaal ja.'

Ze schudde haar hoofd en veegde haar ogen af, want die waren op onverklaarbare wijze vol tranen geschoten. 'Het lijkt wel een slechte film.'

'Ja.'

'Waar gaan we naartoe?'

'Weet ik nog niet. Ergens waar jij volkomen veilig bent. Daar laat ik je achter tot ik de oplossing heb voor dit probleem.'

Abbey leunde voorover, zocht in het dashboardkastje tot ze een pak papieren zakdoekjes had gevonden en snoot haar neus. 'Mijn iPod zat in die koffer.'

'Daar zou ik me maar even geen zorgen over maken.'

'Maar al mijn muziek staat erop!'

'Ik moet jou naar een veilige plek zien te krijgen. Ik zit te denken aan een huisje in New Mexico dat ik in het verleden wel heb gebruikt...'

'New Mexico? In een gestolen auto? Dat halen we nooit.'

'Had jij soms een beter idee?'

'Inderdaad ja, dat heb ik. De familie van mijn vriendin Jackie is eigenaar van een eilandje voor de kust van Maine, met een vissershutje erop. Zonnepaneel en watertank op het dak – dé perfecte plek om je een tijdje gedeisd te houden.'

De auto gonsde over de snelweg. 'En Jackie dan?'

'Die gaat gewoon mee. Jackie is cool. En ze weet alles van boten en van de zee.'

Ford wisselde van baan en nam de afslag. 'En hoe komen we bij dat huisje?'

'We lenen de boot van mijn vader en we varen bij nacht.'

'Goed idee,' zei Ford. 'Maar één ding moet duidelijk zijn, Abbey. Ik laat je daar een tijdje achter tot ik deze puinhoop heb opgelost. Ik kan daar niet blijven. Jullie moeten jezelf zien te redden.'

'Ik hou me met alle plezier schuil. Ik vind er niets aan als ze op me gaan schieten.'

'Mooi. Dan gaan we naar Maine.'

'Ik heb je nog niet eens kunnen vertellen,' zei Abbey, en ze haalde diep adem, 'dat ik iets tamelijk wilds heb ontdekt op die schijf van de NPF.'

Ford keek verbaasd. 'Hoe heb je hem dan weten te kraken?'

'Ik heb het wachtwoord geraden. En je zult je oren niet geloven: op die schijf staan foto's van iets op Deimos. Iets onnatuurlijks. Iets heel ouds. Corso heeft het opgeslagen onder de naam DEIMOS MACHINE.'

Ford keek haar aan. 'Dat meen je niet.'

'Dat meen ik wel. Een hele reeks foto's. Op de bodem van een krater met de naam Voltaire, bijna onzichtbaar verscholen in de schaduw. Een of ander soort machine. Ik zweer het je.'

'Dat moet een natuurlijke geologische formatie zijn. Of een wetenschappelijk geintje.'

'Onmogelijk.'

Ford keek haar met vorsende bleekblauwe ogen aan. 'Hoe ziet dat ding eruit?'

'Een soort cilinder, iets ronds met een rand, of misschien is het de

monding van een tunnel. Met een stel bollen eraan vast. Half begraven onder het zand.'

Ford keek haar aan. 'Ho eens even. Wou je zeggen dat dit iets buitenaards is?'

'Inderdaad. Dat is precies wat ik wil zeggen.'

59

Harry Burr liep met nonchalant bungelende armen en een uilige blik
in zijn ogen het winkelcentrum binnen. Hij keek op een gekleurde
plattegrond waar hij heen moest. Het was een klein centrum, sjofel,
met zowat twintig procent leegstand. De airconditioning draaide op
volle toeren. Die Siberische temperaturen, bedacht Burr, hadden ze
zeker nodig om de inboorlingen rustig te houden. Zodat dat stelletje vetkleppen geen rolberoerte zou krijgen voordat ze hun geld hadden kunnen uitgeven.

Uiteindelijk vond hij waarnaar hij op zoek was: een bordje met het
opschrift BEVEILIGING. De deur zat dicht. Burr klopte, wachtte even
en voelde aan de klink. Op slot. Hij keek om zich heen: geen bewaker in zicht.

Op dat moment steeg de ergernis als een golf van gal achter in zijn
keel op. Dit liep helemaal mis. Hij was toch zeker niet te oud aan
het worden? Uit zijn onderzoek bleek dat Ford een voormalig CIA-
medewerker was, en op de een of andere manier had die *fucker* hem
daar in die bar in de smiezen gekregen toen die ellendige jap met die
revolver was gaan staan zwaaien. Gelukkig kon die vent voor geen
meter richten, waarschijnlijk had hij nog nooit van zijn leven een .45
afgevuurd. En ook bij het motel was Ford hem te snel af geweest.
Burr moest ditmaal wel erg hard werken voor zijn geld.

Hij probeerde zijn woede te onderdrukken. Hij ging er prat op van
nature een opgeruimd humeur te hebben. Mokken en wrokkige gedachten waren niets voor hem. Ook dat was een van zijn sterke kanten. Hij raakte nooit emotioneel betrokken bij wat in wezen een eenvoudige baan was: doden voor geld. Althans, dat prentte hij zichzelf
in. En ook deze klus mocht niet persoonlijk worden.

Hij keek om zich heen in het winkelcentrum, dat al snel aan het
vollopen was met vroeg winkelpubliek. Er was geen beginnen aan

om op zoek te gaan naar de uitsmijters. Hij kon uren verdoen en het hele centrum afspeuren naar bewakers, maar hij kon er ook voor zorgen dat die op hem afkwamen. De berg naar Mohammed, zogezegd. Zijn blik viel op een muziekwinkel. Hij slenterde naar binnen, koos een slachtoffer in de afdeling Heavy Metal en begon niet ver daarvandaan rond te neuzen. Het was een ideaal slachtoffer: een pukkelige punker met paars haar, een hasjwalm en een grote draagtas bij zich. Burr schoof langzaam zijn kant uit, plukte een cd van een groep genaamd Spineshank uit het rek, draaide zich om en liep langs de punker, waarbij hij hem even aanstootte.

'Sorry.'

De punker gromde iets onverstaanbaars en zocht verder in de rekken. Burr liep naar de kassa toe, wachtte tot de punker klaar was en volgde hem naar de uitgang. Zodra de punker door het beveiligingspoortje liep begon het alarm te loeien en stond de griezel daar als een ree, gevangen in de koplampen van een auto. Zijn met kohl omrande ogen waren opengesperd met een blik van: 'Wat, ík?'

En daar kwam de berg op Mohammed af, twee bergen zelfs, hijgend en rinkelend. Ze omringden de punker en doorzochten zijn tas, waar ze de Spineshank-cd aantroffen. Zonder enige acht te slaan op zijn verwarde en volslagen ongeloofwaardige beweringen dat de cd per ongeluk in zijn tas gevallen moest zijn, begonnen ze hem met vragen te bestoken zoals het wetsdienaars betaamde. Een heus derdegraadsverhoor.

Harry Burr liep erheen en liet even zijn badge zien, voormalig bezit van een politieagent in Washington die tijdens een verkeerscontrole zijn zakken had laten rollen. Hij las de naam op het bordje van de hoofduitsmijter. 'Agent Wilson?'

'Ja?'

Burr borg zijn badge weg. 'U moest ik hebben, zeiden ze.'

'O ja?'

'Over die autodiefstal van vanochtend. Ik ben de verbindingsofficier voor Washington en Virginia, afdeling Undercoveronderzoek Motorvoertuigen. Inspecteur Moore, aangenaam.' Hij stak zijn hand uit. Wilson schudde hem.

'Even onder vier ogen, agent?'

'Geen probleem.' Burr nam Wilson apart, weg van de steeds schrillere protesten van de jongeling, die nu in de boeien geslagen werd. Burr viste een notitieboekje uit zijn zak, likte aan zijn vinger en sloeg de bladzijden om. 'Dit duurt niet lang, ik heb alleen een paar details nodig.'

'Het dossier ligt achter in mijn kantoor. We hebben de informatie al doorgestuurd naar de plaatselijke politie.'

'We zijn tegenwoordig een beetje topzwaar,' zei Burr, en met rollende ogen gaf hij blijk van zijn afkeer van al die bureaucratie. 'Het kan wel een week duren voordat zo'n dossier weer boven water komt; tenzij u me nu meteen uit de brand helpt.' Een knipoog. 'Goed idee?'

'Jazeker, inspecteur. Met alle genoegen.'

Het kantoor zag er precies uit zoals Burr verwacht had: een hok zonder ramen waar het naar Mennen rook. Wilson, de omhooggevallen uitsmijter, ging achter het bureau zitten, trok een la open en haalde er een dossier uit.

'De gebruikelijke gegevens, graag,' zei Burr. 'Merk, kenteken, getuigen... wat u maar hebt.'

'Geen getuigen, inspecteur,' zei Wilson. Hij trok er een ernstig gezicht bij: dit was tenslotte geen kruimeldiefstal. 'Een witte Ford F150 pick-up uit 1985 met een kenteken uit Virginia, namelijk...' Hij ratelde de details op met een diepe, serieuze stem terwijl Burr de gegevens noteerde.

'Het voertuig zelf vinden we wel terug, dat is altijd zo,' zei Wilson. 'Een stel jongelui aan het joyriden. Geen enkele sloop zou nog interesse hebben voor de onderdelen van zo'n oud model.'

'Ik twijfel er niet aan dat u de zaken keurig zult afronden, agent,' zei Burr, voordat hij met zijn gouden potlood op zijn notitieboekje tikte en het wegborg. Hij stak zijn hand uit. 'Doe geen moeite om contact met mij op te nemen, ik bel u zelf wel. Als die pick-up boven water komt, zou ik dat wel graag weten. Hebt u een kaartje?'

Wilson gaf hem zijn kaartje.

'Enorm bedankt.' Hij aarzelde even. 'Misschien is het verstandig – we moeten een beetje diplomatiek blijven, ziet u – om niets te zeggen over mijn bezoek. Niet aan de politie van Washington, niet aan die van Virginia. Ze vinden het niet prettig als een buitenstaander hun schitterende bureaucratie omzeilt.' Nog een veelbetekenende knipoog naar Wilson.

'Begrepen,' zei Wilson grijnzend.

Burr liep het winkelcentrum uit, terug naar zijn Beetle. Jezus, wat was het heet, zeker na die Siberische kou in het winkelcentrum. Ford en dat mokkel moesten zich intussen ergens verschanst hebben. Nu kon hij alleen nog maar wachten tot het gestolen voertuig ergens opdook. Vol frustratie gaf hij een klap op zijn stuur en vloekte binnensmonds. Wat een toestand. Misschien zou hij ditmaal een uitzondering maken. Misschien zou hij ditmaal genoegen scheppen in de executie.

60

Er stond een warme zomerbries vanuit Great Salt Bay toen Abbey naar de deur van een oud huis in het centrum van Damariscotta rende, vlak onder een brandtrap die tegen de sterrenhemel stond afgetekend. Ze drukte viermaal achter elkaar lang op Jackies zoemer en even later klonk er een gedempte stem: 'Wat nou weer?'

'Ik ben het, Abbey. Doe open.'

De zoemer klonk. Abbey duwde de deur open en liep de wankele trap op. De gestolen pick-up hadden ze op het parkeerterrein van een deprimerend miniwinkelcentrum langs Route 1 laten staan, waar hij niet meteen zou worden opgemerkt. De laatste drie kilometer naar Damariscotta hadden ze te voet door het bos en langs achterafweggetjes afgelegd.

Ze kwam bij de deur van de flat aan. 'Jackie?'

Een ontevreden grom. 'Ga weg.'

'Wakker worden, het is belangrijk!'

Gekreun. Het geluid van voeten op de vloer. De sleutels werden omgedraaid en Jackie deed open. Met samengeknepen ogen en haar haar recht overeind stond ze in haar pon op de drempel. 'Het is twee uur, god nog aan toe.'

Abbey baande zich een weg naar binnen en deed de deur dicht. 'Je moet me helpen.'

Jackie keek haar sprakeloos aan. Een zucht. 'God, zit je nou alweer in de problemen?'

'En niet zo'n beetje.'

'Verbaast me ook eigenlijk niets.'

Round Pond Harbor lag zwart te glanzen onder de nachtelijke hemel. Het water klotste zachtjes rond de eikenhouten meerpalen. Boven aan de pier bleef Abbey even staan. Een meter of vijftig verderop zag ze de *Marea II* afgemeerd liggen. Het was drie uur en donker als het graf. De maan ging schuil achter de wolken. Over een half-uurtje zouden de eerste kreeftenvissers arriveren. Ze zaten niet ver van het normale uur af waarop de eerste schepen uitvoeren, dus hun tocht zou niet bijzonder opvallen.

Jackie Spann en Wyman Ford stonden op het dok achter Abbey, Ford met zijn eeuwige aktetas in de hand. 'Wacht even. Ik breng de boot om het drijfdok heen, dan kunnen jullie snel instappen.'

Abbey maakte haar vaders jol los en stak de riemen in het water. Terwijl ze naar de klaarliggende boot roeide, hoopte ze dat haar vader nog niet op was. Ze had een briefje achtergelaten, maar ze had geen idee hoe hij zou reageren op haar mededeling dat ze de boot opnieuw, en voor een niet nader verklaard doel, moest 'lenen'. En dat hij daar nog over moest liegen ook.

Ze trok uit alle macht aan de riemen. Het was doodstil; het klotsen van de spanen en het tikken van de lijnen tegen de masten van de voor anker liggende zeilboten waren de enige geluiden in de haven. Zelfs de meeuwen sliepen. Ze arriveerde bij de *Marea II*, klom aan boord en startte de motor. De plotselinge herrie sloeg de stilte van de zomernacht aan scherven. Ze wist bijna zeker dat niemand iets zou merken. Scheepsrumoer, al was het in het holst van de nacht, hoorde nu eenmaal bij het leven van een actieve haven.

Ze stuurde de boot het drijfdok in en nam niet eens de moeite de boot helemaal tot stilstand te brengen. Jackie en Ford gooiden hun bezittingen aan boord en sprongen er zelf achteraan. Ze draaide aan het roer en zette koers de haven uit, langs het knipperende licht op de boei dat de vaargeul aangaf, de baai in.

'Zo,' zei Jackie. Ze nestelde zich in de kajuit en keek met een grijns naar Ford. 'Wie ben jij en wat is er nu weer aan de hand?'

61

Met haar wasgoed in een mand liep Mabel Fortier de wasserette uit, het parkeerterrein over naar haar auto. Aan het eind van het terrein zag ze de gebruikelijke hangjongeren met hun opgevoerde auto's, druk pratend en vloekend in hun mobiele telefoons, met bier en met sigaretten waarvan ze de peuken op de grond smeten.

Voor de zoveelste maal probeerde Mabel zich in te prenten dat dit gewoon een stel aardige knapen was die even stoom afbliezen. Sommigen van hen had ze nog in de klas gehad voordat ze met pensioen ging. Toen waren het zulke lieverdjes geweest. Wat was er gebeurd? Ze schudde haar hoofd; tieners rookten tegenwoordig allemaal, en vloeken was allang niet meer zo uitzonderlijk en erg als het in haar tijd geweest was.

Ze probeerde die menslievende gedachten in haar hoofd te houden terwijl ze haar wasgoed op de achterbank zette en haar opvouwkrat inklapte en in de kofferbak legde. Op de achtergrond hoorde ze gekrijs van banden toen een zoveelste auto zich bij het groepje voegde. Ze keek op en zag een glinsterend blauwe Camaro, Hinton juniors auto, met razende vaart het parkeerterrein oprijden. Hij kondigde zijn komst aan met een blèrende claxon en hij reed te hard, veel te hard. Met een gekners van rubber maakte hij een bocht en toen hoorde ze een smak, gevolgd door het wringen van metaal op metaal terwijl de stukken kunststof over het asfalt stuiterden. Die halvegare had de bocht te scherp genomen en een stuk van een witte pick-up af gereden, die geparkeerd stond voor een rij lege etalages aan de andere kant van het terrein.

Ze keek. De jongen in de Camaro stopte, stapte uit en inspecteerde een gloednieuwe kras in zijn portier, zowat een meter lang. Hij nam niet eens de moeite de schade aan de pick-up te bekijken, terwijl die toch echt een versplinterd achterlicht had en de bumper er half af lag. Zelfs op die afstand hoorde ze zijn knetterende vloeken, en het lachen en joelen van de rest van de groep. Even later stapte hij weer in zijn Camaro en reed met gierende banden en brullende motor het parkeerterrein af.

Mabel Fortier bleef geschokt staan kijken. De jongen was zomaar weggereden nadat hij een aanrijding had veroorzaakt! En nu klommen de anderen in hun wagens en vertrokken: ze maakten dat ze wegkwamen voordat de politie zou arriveren.

Dit was schandalig. Dit was werkelijk schandalig. Die jongen van Hinton had voor duizenden dollars schade aangericht aan iemand anders voertuig en was er zomaar vandoor gegaan.

Dat was de laatste druppel. Dit mocht ze niet toestaan. Nu was de maat vol. Mabel Fortier pakte haar mobieltje en toetste grimmig het nummer van het politiebureau in.

62

Abbey werd wakker met de geur van eieren met spek op het houtfornuis van het vissershutje. De zon stroomde door de ramen naar
binnen, en buiten hoorde ze het water zachtjes tegen het strand spoelen. Toen ze de woonkeuken in kwam, zat Ford al aan de keukentafel over de laptop gebogen. Hij had de NPF-schijf aangesloten en
ze zag dat hij naar de foto's zat te kijken.

'Dat werd tijd!' riep Jackie van achter het fornuis. 'Het is zowat
middag!' Ze drukte haar een kop koffie in de hand, precies zoals ze
die het liefst dronk: met massa's melk en suiker.

'Kom buiten, dan krijg je ontbijt.'

Met een blik op Ford liep Abbey het huisje uit naar een verweer-
de picknicktafel in de voortuin. Een lange, overwoekerde weide liep
glooiend af naar het keienstrand. Daarachter lag een stel met sparren begroeide eilandjes met een paar openingen ertussen die zicht boden op de streep in de verte waar de zee de lucht ontmoette.

Jackie zette het ontbijt voor haar neer en ging met haar eigen kop
koffie tegenover Abbey zitten.

'Waar is de *Marea*?' vroeg Abbey, voordat ze aanviel op de gebakken eieren met spek. Ze rammelde.

'Die heb ik naar de inham aan de andere kant van het eiland gebracht,' antwoordde Jackie.

Abbey dronk haar koffie en keek uit over zee terwijl ze wachtte
tot haar hoofd wakker werd. Hun eiland, Little Green, lag te midden van een archipel van zo'n dertig eilandjes, van het vasteland ge-
scheiden door het Muscle Ridge-kanaal. In het zuiden lag Muscongus Bay en in het noorden Penobscot Bay. Het was een ideale
schuilplaats, helemaal weggestopt, zowel vanaf land als vanaf zee onzichtbaar, en uitzonderlijk goed beschermd tegen het weer. Voor zover zij wist had niemand hen uit Round Pond zien vertrekken en wist
niemand waar ze heen waren gegaan. Niet eens haar vader. Hier zaten ze veilig. Maar veilig voor wie? Dat was de vraag.

Met een stuk brood sopte ze de laatste resten ei op, en ze schonk
haar mok nog eens vol uit de kan die op tafel stond. De zee lag er
rustig bij, met een kalme golfslag die in een kabbelend ritme tegen
de rotsen klotste en zich weer terugtrok. Boven hun hoofd krijsten
de meeuwen en in de verte tjoekte een kreeftenvisser tussen de eilandjes door.

Ford kwam naar buiten met een koffiebeker in zijn hand en liet zijn magere lijf neer op de picknickbank.

'Morgen!' zei Jackie met een brede grijns. 'Goed geslapen, meneer Ford?'

'Als nooit tevoren.' Hij nam een grote slok koffie en staarde naar zee.

Abbey zei: 'Ik zie dat je naar die foto's van Deimos hebt zitten kijken.'

'Ja.'

'Wat maak jij daarvan?'

Ford antwoordde niet meteen maar keek haar met zijn bleekblauwe ogen strak aan. Langzaam en met gedempte stem zei hij: 'Dit lijkt me een buitengewone ontdekking.'

Abbey knikte.

'Het is onmiskenbaar buitenaards en hoogstwaarschijnlijk is dit de bron van die verdwaalde gammastraling. Het moet iets heel ouds zijn, gezien de putten en butsen in het oppervlak.'

'Ik zei toch dat het echt was.'

Langzaam schudde hij zijn hoofd. 'Dit is het antwoord op een van de diepste raadselen van de kosmos. Met de vondst van die buitenaardse constructie weten we nu dat we niet alleen zijn. Ik kan er met mijn verstand nog niet bij.'

Abbey keek hem verbijsterd aan. 'Je snapt het niet, hè?'

'Wat bedoel je?'

Ze schudde haar hoofd. 'Niks "buitenaardse constructie", man. Dat is een wápen. Een wapen waarmee pasgeleden op aarde is geschoten.'

63

'Een... wapen,' herhaalde Ford langzaam.

Abbey wierp een blik op Jackie, die zwijgend had zitten luisteren. 'Precies.'

Ford streek met zijn hand over zijn krullende haar. 'En waarop baseer je die conclusie?'

'"Als je alles wat onmogelijk is hebt geëlimineerd..."'

'Ik ken het citaat,' merkte Ford op.

'Elementair, mijn beste Watson. A: het geval ziet eruit als een wapen. B: het heeft een miniatuur zwart gat afgevuurd dat dwars door de aarde heen is gegaan.'

Ford leunde achterover. 'Dat sluit niet helemaal aan op de feiten. Als dat ding op ons heeft "geschoten" met de bedoeling de aarde te vernietigen, dan is dat plan mislukt. En sindsdien heeft het geen tweede poging gewaagd. Als het een wapen is, dan heeft het de strijd opgegeven.'

'Opgegeven? Hoe weet je dat nou? Misschien komt er nog wel een schot.'

Ford schudde zijn hoofd. 'En die agressieve buitenaardse wezens... zijn die ergens in de buurt? Wonen die op Deimos?'

Abbey snoof laatdunkend. 'Die zijn er allang vandoor.'

'Vandoor? Hoe kom je daarbij?'

'Kijk nou zelf eens naar die foto. Dat ding is volkomen bouwvallig, het zit helemaal onder het zand en de butsen. Daar kijkt geen hond naar om. Misschien dat ze het wapen hebben achtergelaten toen ze ervandoor gingen.'

'Toen ze ervandoor gingen?'

'Ja, dat kan toch? Niet lang voordat dat gevaarte een schot loste, kwam de MMO vlak langs Deimos, bombardeerde het oppervlak met radar en maakte eindeloze ritsen foto's. Misschien is het ding daardoor wakker geworden. Misschien zijn die buitenaardse wezens miljoenen jaren geleden langsgekomen, zagen ze een bewoonbare planeet en hebben ze een wapen achtergelaten om af te rekenen met toekomstige technologische beschavingen die een probleem konden gaan vormen. Jemig, er kunnen wel duizenden of miljoenen van die wapens in het hele melkwegstelsel staan.'

'Ik hoop dat je het niet erg vindt als ik eerlijk mijn mening geef over jouw theorieën.'

Met haar armen over elkaar geslagen bleef Abbey zitten wachten.

'Fantastische plot voor bijvoorbeeld *Twilight Zone*.'

'Denk er maar eens over na,' zei Abbey. 'En kijk of je dan zelf tot een andere conclusie komt.'

Ford zuchtte. 'Ik zal het doen. Maar ik heb iets wat je zal interesseren: volgens mijn bronnen in regeringskringen was het geen miniatuur zwart gat. Het was een brok vreemde materie, of liever gezegd een object dat een "strangelet" wordt genoemd.'

'Nooit van gehoord.'

'Een vorm van superdichte materie,' zei Ford. 'Een stel deeltjes, quarks, die zo dicht op elkaar zitten dat ze van aard veranderen... De geleerden denken dat sommige sterren die eruitzien als neutronensterren misschien in wezen vreemde sterren of quarksterren zijn. Van vreemde materie. Heb je Kurt Vonnegut ooit gelezen?'

'Jazeker,' zei Abbey. 'Ik ben dol op Kurt Vonnegut.'

'Weet je nog van die substantie die hij Ice-9 noemde, in *Cat's Cradle*? Dat was een speciaal soort ijs: als het in contact kwam met normaal water, dan veranderde het bij kamertemperatuur al in ijs.'

'Ja, dat weet ik nog.'

'Vreemde materie is net zoiets. Als dat in contact komt met normale materie, begint het die normale materie te converteren, op te slokken, in vreemde materie te veranderen. Het probleem is dat vreemde materie zo'n dichtheid heeft dat alles wat ermee in aanraking komt, tot bijna niets wordt samengeperst. Als de aarde in vreemde materie veranderde, zou hij niet groter meer zijn dan een sinaasappel.'

'Oei.'

'En bovendien is dat proces niet te stuiten. De aarde zou exploderen, en wel met zo'n enorme kracht dat de buitenste lagen van de zon losgescheurd zouden worden en het zonnestelsel een enorme opdoffer zou krijgen. Het vreemde is dat een heel klein bolletje van vreemde materie vrijwel onopgemerkt dwars door de aarde heen kan schieten, zolang het maar snel genoeg gaat. Bij hoge snelheid zal het niet veel materie converteren en vervolgt het vrolijk zijn weg zonder dat de aarde er last van heeft. Als het trager ging en in de aarde bleef steken, nou, dan konden we het zonnestelsel vaarwel zeggen.'

'Waarom heeft het dan geen grotere uittredeopening gemaakt, een vulkaan veroorzaakt, of een of ander soort uitbarsting?'

'Goede vraag. Zo'n stukje vreemde quarks bouwt geen schokgolf op omdat het alle materie die het aanraakt absorbeert. Het slokt de materie onderweg op, het maakt een tunnel in een vacuüm dat onmiddellijk weer door geologische druk wordt dichtgeperst. Het enige bewijs van die tunnel is een kleine inslagkrater, een grotere uittredeopening en een ongebruikelijke seismische signatuur.'

Abbey floot even. 'Een bewijs temeer voor mijn theorie. Een klompje vreemde materie is hét ultieme wapen – denk daar maar eens over na.'

Hij stond op en zette zijn beker neer. 'Ik weet niet hoeveel ze hier in Washington over weten, maar ik moet erheen met die schijf. Ik moet jullie hier achterlaten. Ik durf jullie niet te laten bewaken door de CIA of zelfs maar door de plaatselijke politie, want ik heb geen idee wie er achter ons aan zit. De kans bestaat dat we te maken hebben met een dissidente splintergroepering binnen onze eigen overheid.'

'Maar jij dan? Als je naar Washington gaat, sturen ze je misschien wel linea recta naar Guantánamo of zo.'

'Ik heb geen keuze. Want volgens mij kon jij wel eens gelijk hebben. Dat ding kon best eens een wapen zijn. Misschien staat de toekomst van de aarde op het spel.'

Abbey knikte.

'Hier op het eiland zitten jullie vooralsnog redelijk veilig. Hou je gewoon rustig, dan neem ik binnen vijf dagen contact met jullie op. Redden jullie je wel?'

'Maak je geen zorgen, wij redden ons prima.'

Hij draaide zich naar Abbey toe en pakte haar armen vast. 'Vanavond, bij zonsondergang, als de boot minder kans maakt op te vallen, breng je me aan wal.' Hij zweeg even, en mompelde toen: 'Een wapen... inderdaad, dat is het.'

64

Harry Burr parkeerde zijn New Beetle voor de wasserette en stapte uit. Hij zag een sjofel miniwinkelcentrumpje met een tiental winkels, de helft ervan leegstaand, zonder beveiliging, een hangplek voor randjongeren. Een prima plek om een gestolen auto te dumpen; geen bewakers, niet veel winkelpubliek en massa's leegstaande panden. Normaal gesproken had het weken geduurd eer iemand dat barrel eindelijk had zien staan. Pech voor Ford, en een bof voor Burr, dat een of andere stompzinnige tiener die stoer wilde doen de pick-up had beschadigd.

Hij slenterde over het parkeerterrein om de boel te verkennen. De witte pick-up was uiteraard al weggesleept. De vraag was: waar waren Ford en het meisje naartoe? Dankzij het web had hij een redelijk idee hoe hij daarachter kon komen. De vrouw kwam hier uit de omgeving en haar vader woonde een eindje verderop. Dat leek Burr een uitstekende plek om te beginnen.

Met een kort lachje stak hij een American Spirit op en inhaleerde diep. Eindelijk leek het allemaal een beetje te gaan lopen.

Toen de sigaret bijna op was, nam hij een laatste trek, gooide het peukje op de grond en stapte weer in de Beetle. Round Pond (wat een geschifte naam!) lag volgens zijn gps een kilometer of twintig verderop. Hij wist vrijwel zeker dat vader Straw hem iets bruikbaars kon vertellen over de verblijfplaats van zijn dochter.

De weg naar Round Pond slingerde zich tussen bossen en boerderijen door, tot Harry Burr uiteindelijk aan zijn rechterkant een glimp opving van een haven en een stel oude, witte huizen. Terwijl hij stopte bij een oud boerderijtje een eind van de haven af, liet het systeem hem met een afgemeten Brits accent weten dat hij zijn bestemming bereikt had. Hij parkeerde achter een rode pick-up. Hij schoof zijn Desert Eagle in een aktetas, stapte uit, liep naar de voordeur en belde aan.

Hij hoorde zware voetstappen en even later ging de deur open. Je kon wel zien dat het hier het platteland was, dacht hij, als zo'n sukkel zomaar de deur opendeed zonder de moeite te nemen om te kijken wie er was. Tot zijn verbazing zag Burr een blanke man op de drempel staan, een strijdlustig type met een verweerd gezicht en bleekblauwe ogen. Hij had een geruit hemd aan, en een spijkerbroek met bretels. Dan moest de dochter dus geadopteerd zijn – of misschien was het een gemengd huwelijk.

'Waarmee kan ik u helpen?' vroeg hij vriendelijk.

Burr hief zijn badge. 'De heer George Straw?'

'Ja?'

'Mijn naam is inspecteur Moore van de politie in Washington, afdeling Moordzaken. Ik vroeg me af of u even tijd voor me hebt.'

Het gezicht klapte dicht. 'Waar gaat het om, inspecteur?'

Die aanspreektitel stond Burr wel aan. Straw had kennelijk respect voor de wet.

'Het gaat om uw dochter, Abbey.'

De gesloten blik verdween en op Straws gezicht verscheen de angst van een vader om zijn kind. Mooi zo. 'Wat is er met mijn dochter? Is er iets gebeurd?'

Burr zette een diepe, bezorgde stem op. 'Mag ik even binnenkomen?'

Straw deed een stap achteruit. Hij stond al te trillen op zijn benen. 'Ja. Komt u binnen.'

Achter Straw aan liep hij de woonkamer binnen, waar hij ongevraagd plaatsnam.

'Mijn dochter… Is er iets gebeurd?' vroeg Straw opnieuw.

Burr gaf niet meteen antwoord, maar wachtte tot de spanning bijna pijn deed. Toen zei hij: 'Meneer Straw, wat ik moet zeggen zult u niet graag horen, maar u moet me helpen. Dit is allemaal strikt vertrouwelijk, en dadelijk zult u begrijpen waarom.'

Alle kleur was weggetrokken uit Straws gezicht. Maar hij wist zich te beheersen.

'Ik heb de leiding over een onderzoek naar een seriemoordenaar die het al jaren op jonge vrouwen heeft voorzien, voornamelijk in en rond Washington, maar ook in delen van New England. Wyman Ford heet hij. Komt heel beschaafd over. Heel overtuigend. Heeft een smak geld en weet zich te kleden.'

'Ford? Wyman Ford? Mijn dochter heeft net een baan aangenomen bij iemand die zo heet!' Straw kwam overeind uit zijn stoel.

'Weet ik. Laat me uitspreken. Ford gaat als volgt te werk. Hij bepraat jonge vrouwen tot ze een baan aannemen als zijn assistente. De taakomschrijving is vaag, maar het gaat altijd om iets met geheime opdrachten voor de overheid, of inlichtingenwerk. Hij houdt ze een paar weken om zich heen en dan worden ze vermoord.'

'Grote god, hij heeft mijn dochter!'

'Voor zover wij weten, maakt ze het uitstekend. Ze verkeert niet in onmiddellijk gevaar. Maar we moeten haar wel vinden. En dat moeten we snel en onopvallend doen. Als deze moordenaar ook maar het geringste vermoeden heeft dat iemand hem op het spoor is, slaat hij zijn slag en gaat ervandoor. Dat is me al een keer overkomen. Dus we moeten absoluut rustig en beheerst en uitermate behoedzaam te werk gaan.

'O god, o gód!' Met strak gebalde vuisten ijsbeerde Straw door de kamer. 'Zowat een week geleden heeft die vent haar een baan aangeboden. Toen is ze naar Washington vertrokken. En zodra ze terugkwamen, heeft ze mijn boot geleend. Ik maak hem af, die klootzak.'

Bingo! 'Uw boot geleend? Waar zijn ze dan naartoe?'

'Dat weet ik niet! Ze hebben hem meegenomen en een briefje achtergelaten. Ik heb haar niet eens gezien. O mijn god.' Hij greep met beide handen naar zijn hoofd.

'Mag ik dat briefje eens zien?'

Straw holde de keuken in en kwam terug met een stuk papier dat hij aan Burr gaf.

Hallo pap,

Ik weet niet goed hoe ik het zeggen moet, maar… ik heb je
boot geleend. Alweer. Het spijt me heel erg. Ik weet dat het
niet goed klinkt, maar geloof me, het kan niet anders. Ik kan
je niet vertellen waar we naartoe gaan, maar hopelijk ben ik
met een week of twee terug. Waar we heen gaan doet de
mobiel het niet, maar als ik even kan, bel ik je. Ik maak het
prima, alles gaat prima, maak je geen zorgen. Zeg tegen
niemand dat we aan boord zijn, alsjeblieft. Ik zal heel
voorzichtig doen.
Liefs,

Abbey

Met gefronste wenkbrauwen las hij het briefje door, en daarna legde hij het op een bijzettafeltje. 'Inderdaad, dat is 'm. Hebt u enig idee
waar ze naartoe kunnen zijn, of waarom?'
    Met vertrokken gezicht probeerde Straw antwoord te geven. 'Naar
het noorden. Ze zal naar het noorden gegaan zijn. Minder mensen,
meer eilanden. Ze moeten ergens een eindje uit de kust zitten, ergens
op een eiland, want ze zei dat haar mobiel het daar niet deed. En
dicht bij de kust heb je nog wel ontvangst.'
    'Maar waarom? Wat doen ze met die boot?'
    'Joost mag het weten – daar hebt u waarschijnlijk een beter idee
van dan ik!'
    Burr beet zich op de tong.
    'O god, ik mag mijn dochter niet kwijtraken!' Zijn stem brak. 'Het
mag niet! Ik ben mijn vrouw ook al kwijt…!' Hij maakte een geluid
alsof hij stikte, kuchte even, begon toen heftig te beven.
    Burr stond op en greep zijn arm. 'Meneer Straw, u moet rustig blij-
ven.'
    Straw slikte moeizaam en knikte even.
    'U moet me vertrouwen. Ik weet wat ik doe. Vertrouwt u me?'
    Straw knikte zwijgend.
    'Ik ga het als volgt aanpakken. U huurt een boot voor ons – een
goede, snelle boot. U staat aan het roer, en we gaan samen op zoek.'
    'Bullshit! We moeten de kustwacht bellen, we moeten vliegtuigen
de lucht in sturen…'
    'Geen sprake van!'

Hij zweeg even om Straw tot zichzelf te laten komen.

'Als ons mannetje ook maar het geringste idee krijgt dat we naar hem op zoek zijn, dan is het voorbij. De kustwacht ziet hij al op een kilometer afstand, geloof me, en rondcirkelende vliegtuigjes ook. We kunnen niet eens het risico nemen de politie te bellen. Die lui zijn niet ingesteld op dit soort zaken. Als we met ons tweeën gaan hebben we een veel betere kans om hen te vinden, met uw kennis van de kust en mijn kennis van crimineel gedrag. Als we ze vinden, dán roepen we de cavalerie erbij. Zeker weten. Dat pakken we niet in ons eentje aan. Maar voorlopig doen we het samen. U en ik. Duidelijk? En geen zorgen om de kosten – de overheid betaalt.'

Straw knikte. Zijn ademhaling was snel. Verbijsterend hoe mensen helemaal doordraaiden als hun kinderen in gevaar kwamen. Burr was blij dat hij zelf nooit vader geworden was.

'Oké,' zei Burr, en hij greep Straw bij de arm. 'Op pad.'

Straw knikte met een gezicht dat glom van het zweet. 'Het is hier een gat,' wist hij uit te brengen. 'Geruchten doen pijlsnel de ronde. Ik kan de boot maar beter huren zonder u erbij. We hebben geen moment te verliezen.'

'U en ik bevinden ons op dezelfde golflengte, meneer Straw,' zei Burr. 'Maakt u zich geen zorgen. We vínden uw dochter, dat zweer ik u.'

65

Harry Burr stond aan dek van de *Halcyon* te kijken naar Straw, die aan het roer stond en de boot met volle kracht vooruit door de branding loodste. Uit tijdgebrek hadden ze noodgedwongen een grotere, tragere boot moeten huren dan hem lief geweest was, maar die had dan wel weer het voordeel dat hij zeewaardig was. Rond twaalf uur hadden ze het dok verlaten. Ze hadden via de VHF-radio naar de weerberichten geluisterd: kleine vaartuigen werden gewaarschuwd voor een naderende storm. Burr wist niet zeker of een Downeaster-jacht als de *Halcyon* met zijn dertien meter lengte en zijn dubbele dieselmotor te beschouwen was als een klein vaartuig, maar hij stond niet bepaald te trappelen die vraag proefondervindelijk te beantwoorden.

'Sneller kunnen we zeker niet?'

'Ik ga al harder dan eigenlijk verantwoord is,' antwoordde Straw. Voor de zoveelste maal bracht hij de verrekijker naar zijn ogen en speurde hij de oceaan en de eilandjes af. Burr was verbaasd hoeveel er daarvan waren: tientallen, misschien zelfs honderden, om nog maar te zwijgen van de rotsen en riffen. Sommige waren bewoond en hier en daar stonden kleine bedrijfsgebouwtjes, maar de meeste waren verlaten. Burr keek naar de elektronische kaartplotter in de ultramoderne stuurhut. Hij was in Greenwich opgegroeid, had veel met boten te maken gehad en voelde zich er op zijn gemak. Maar het was een hele tijd geleden dat hijzelf aan boord was geweest. Hij keek goed hoe Straw het roer hanteerde, zodat hij na de executie eigenhandig in zijn eentje kon terugvaren. De storm zou een prima verklaring bieden voor de vermissing van een kreeftenvisser.

'Zodra we de punt van dat eiland ronden,' zei Straw, 'hebben we goed zicht op het noordelijk deel van Muscongus Bay. Pak je kijker maar vast.'

'We passeren een hele stoet eilandjes. Hoe weet je dat ze niet ergens in een inham liggen?'

'Dat weten we niet. Eerst zoeken we op het open water, dan komen we terug en inspecteren we de inhammen.'

'Klinkt logisch.'

Straw was gemotiveerd, dat was wel duidelijk. Met witte knokkels lagen zijn vuisten rond het roer geklemd, en met samengeknepen ogen keek hij continu om zich heen op zoek naar andere boten. Zo te zien was hij tot het uiterste gespannen.

'We hebben nog massa's tijd,' zei Burr, en hij probeerde een kalme toon in zijn stem te leggen. 'Maakt u zich geen zorgen. Zolang ze op het water zijn zal hij niet toestaan. Tenslotte moet zij de boot bemannen.'

'Ik ken iedere haven, inham en doorsteek van hier tot Isle au Haut, en ik zweer dat we ze allemaal doorzoeken tot we haar gevonden hebben.'

'We vinden haar echt wel.'

'Reken daar maar op.'

Burr diepte een pakje sigaretten uit zijn zak op en schudde er een saf uit. Hij begon een beetje genoeg te krijgen van Straw. 'Bezwaar als ik rook?'

Straw keek hem aan. Zijn ogen stonden verwilderd en waren bloeddoorlopen. De stakker dacht te veel na. 'Roken bij de achtersteven, maar uit de richting van de motor. Neem je kijker mee en blijf uitkijken.'

Burr liep naar de achterreling en stak zijn sigaret op. Ze voeren rond de punt van het eiland, en even later lag er aan de noordoostzijde een zoveelste enorme plas oceaan voor hen, bespikkeld met eilandjes. Het late namiddagzonlicht glinsterde in een gouden baan over het blauwe water. Er voeren enkele vissersboten heen en weer, die bezig waren hun fuiken binnen te halen. Hij bracht de kijker naar zijn ogen en bekeek ze een voor een.

Geen ervan was de *Marea II*.

Hij inhaleerde nogmaals en vroeg zich af wat Ford en de meid van plan waren, waarom ze naar zee gevlucht waren. Een of ander soort spionage? Als gebruikelijk wist hij niet wie zijn cliënten waren of waarom ze die schijf in handen wilden krijgen. Daarom kon hij onmogelijk begrijpen waarom Ford en de meid van Brooklyn naar Washington waren gereisd, een auto hadden gestolen en naar Maine waren gereden om daar het ruime sop te kiezen. Hij wist alleen dat Ford een schijf in handen had die twee ton waard was. En meer hoefde hij ook niet te weten.

66

Abbey trok de *Marea II* naar het kleine drijfdok van Owls Head Harbor. Jackie sprong van boord en meerde hem af. De haven was verlaten; er lag een handvol boten afgemeerd, en vanaf de meerpalen zat een stel meeuwen naar hen te kijken. De zon was net ondergegaan en de hemel was bezaaid met sliertjes oranje wolken van het soort dat haar vader windveren noemde. Dat betekende slecht weer.

Wyman Ford pakte zijn aktetas en stapte het knersende dok op. Hij streek zijn verfomfaaide pak glad en probeerde met zijn vingers zijn haar in fatsoen te brengen.

'Laat maar, je ziet er nog steeds uit alsof je een megakater hebt,' zei Abbey lachend. 'Ga je weer een auto jatten?'

'Ik hoop dat dat niet nodig zal zijn. Welke kant uit is de stad?'

'Gewoon de weg volgen. Je kunt het niet missen. En ga nu maar, want er is zwaar weer op til.'

'Hoe weet je dat?'

Ze keek omhoog. 'De lucht.'

'Blijf op het eiland tot je van me hoort. Als je over vijf dagen niets van me verneemt, ben ik gearresteerd. In dat geval breng je de boot zo dicht naar het vasteland dat je kunt bellen, en dan bel je dit nummer.' Hij gaf haar een briefje. 'Dan helpt hij je verder.' Hij zweeg even. 'Ik heb besloten de informatie openbaar te maken.'

'Dan krijg je enorme stront.'

'Ik zie geen andere manier. De wereld moet dit weten.' Ford nam Abbeys schouders in een vriendschappelijke greep en tuurde op haar neer. Zijn warrige zwarte haar piekte alle kanten uit, maar zijn grijze ogen stonden kalm. 'Beloof me dat je op het eiland blijft en je gedeisd houdt. Niet in die boot gaan rondtoeren. Je hebt mondvoorraad voor een hele week aan boord.'

'Beloofd.'

Hij kneep even in haar schouder. 'Succes, Abbey. Je bent een fantastische assistente geweest. Sorry dat je hierbij betrokken bent geraakt.'

Abbey snoof. 'Geen probleem. Best leuk, auto's stelen en je laten beschieten.'

Hij draaide zich om en ze keek hem na. Met grote passen liep hij de loopplank over, de pier af en de weg op. Even later was zijn lange, hoekige gestalte om de hoek verdwenen en voelde ze een eigenaardige, onverwachte eenzaamheid opkomen.

'Nou, daar gaat mister CIA,' zei Jackie. 'Hebben jullie het al gedaan?'

'Jackie, hou toch op. Die vent is tweemaal zo oud als ik. Jij denkt alleen maar aan seks.'

'Wie niet?'

Ze gooiden de trossen los en terwijl ze de haven uit voeren, stak Jackie een joint op. Abbey stond aan het roer en voer langzaam verder. Het was een schitterende avond. Voor hen doemde de grote massa van Monroe Island op, overdekt met bomen. Bij Cutters Nubble, een rif aan de zuidkant van het eiland, sloeg de branding tegen de rotsen met de regelmaat van een trage klok. Abbey maakte een wijde bocht om Nubble heen en toen ze de punt gerond hadden, kwam boven zee een botergele vollemaan op. Vlak boven de golven vloog een stel zeekoeten naar huis, snel als afgevuurde kogels, en ver boven hun hoofd was een visarend op weg naar zijn nest, met een nog spartelende vis in zijn klauwen.

'Moet je nou eens kijken,' zei Jackie, terwijl ze naar de vollemaan stond te kijken. 'Alsof je hem zó kunt aanraken.'

Abbey zette iets meer vermogen bij, draaide aan het roer en manoeuvreerde de *Marea II* in de richting van de Muscle Ridge-eilanden, een rij zwarte heuvels aan de horizon, vier mijl verderop. Het zag er allemaal zo vredig uit, zo volmaakt, zo eindeloos... het leek onwerkelijk dat er ergens op een maantje heel ver weg een wapen stond dat op ditzelfde moment op de aarde gericht werd. En dat dit allemaal binnen een fractie van een seconde voorbij kon zijn.

67

Burr mikte de sigaret in het kielzog en keek nog eenmaal met de kijker om zich heen. De zon was ondergegaan en de meeste vissersboten waren verdwenen, maar hier en daar zag hij nog een scheepje vol fuiken in de richting van de een of andere haven tuffen. Van tijd tot tijd zag hij een eenzaam motorjacht of een zeilboot ronddobberen, maar geen *Marea II*. Hij had zich nooit gerealiseerd hoe lang de kust was, en hoeveel van die pokkeneilandjes er waren. En het zag ernaar uit dat ze zich ergens schuilhielden of dat ze waar dan ook mee bezig waren, ver van loerende blikken. Voor het eerst begon hij zich zorgen te maken dat hij de opdracht misschien niet zou kunnen afronden.

Hij stak nog een sigaret op, zijn achtste. Meestal wist hij zich te beheersen en rookte er niet meer dan zeven per dag, maar dit was een rotdag.

Hij slenterde de open stuurhut in en keek naar de kaartplotter.

'Waar zitten we nu?'

'We varen net het noordeinde van Muscongus Bay uit.'

'Waarheen?'

'Aan de andere kant van het kanaal begint Penobscot Bay.'

Burr inhaleerde grommend. 'Het is bijna donker. Volgens mij moeten we ergens voor de nacht voor anker gaan.'

'Wij gaan helemaal nergens voor anker. Wij zoeken door. We hebben radar, we hebben satellietnavigatie. We kunnen de hele nacht langs die eilandjes varen en in alle hoeken en gaten zoeken.'

Burr gromde nogmaals. 'Hoe zien we de boot dan in het donker?'

'Het is vannacht vollemaan. Op zee is het bij vollemaan bijna even licht als overdag.'

Hij keek op. 'En die storm dan?'

'Dat bekijken we als het zover is. Dit is een schitterende, zeewaardige boot.'

'Oké.'

Hij ging naar de reling en nam de laatste trek van zijn sigaret. Het begon donker te worden en er was niets te bespeuren van een naderende storm. Hij smeet de peuk overboord. In de verte zag hij de vage omtrekken van een zoveelste kreeftenboot, die van achter een groot eiland opdook en geen koers zette naar het vasteland, maar de zee op voer. Snel bracht hij de kijker naar zijn ogen. Het was nog net licht genoeg om de naam te lezen die op de achtersteven geschilderd stond.

Marea II.

Hij wist zijn opwinding te verbergen en bekeek de boot zorgvuldig. Hij kon nog net twee gestalten in de stuurhut zien. Ford en de meid. Dit was een onvoorstelbare meevaller. De boot zette koers naar een groepje eilanden ten oosten van het kanaal.

Burr had al bedacht wat hij zou doen als hij zijn prooi had gevonden. Hij stak zijn hand in de holster en greep de Desert Eagle. De geluiddemper had hij niet nodig, want ze zaten minstens een mijl uit de kust. Hij liep naar Straw toe en ging achter hem staan. Straw had net de kijker geheven om naar de boot te kijken. Hij hield zijn adem in.

'Zie je dat?' riep hij. 'Dat is de *Marea II!* Ze zijn op weg naar Muscle Ridge.' Hij draaide zich om. 'Oké. Het is ons gelukt. Je plan werkt. Nu roepen we de hulptroepen erbij en grijpen we die klootzak.' Hij stak zijn hand uit naar de marifoon.

Zachtjes zette Burr de loop van het pistool tegen zijn achterhoofd. 'Je doet precies wat ik zeg, Straw, of je bent er geweest.'

68

Terwijl de *Marea II* de kleine archipel binnengleed, nam Abbey gas terug tot vier knopen. Little Green lag bijna midden in de groep en had maar twee aanvaarroutes, een vanuit het noordwesten en een vanuit het oosten. Beide vaargeulen waren krap, bezaaid met gezonken rotsblokken en riffen, en je moest heel voorzichtig doen als je erheen wilde. De schemering was ingevallen en aan de nachthemel verschenen de eerste sterren.

Donker en zwijgend gleden de eilandjes voorbij. Met haar blik op de kaartplotter gevestigd manoeuvreerde Abbey de boot door de kronkelende kanalen tot Little Green in het zicht kwam: een langgerekt eiland met sparrenbossen en een halvemaanvormige inham in het midden. Daarboven lag een grasveld, en aan het eind daarvan stond de oude vissershut.

Behoedzaam stuurde ze de boot de inham in, en Jackie liet het anker zakken. Het plonsde in het water en de ketting liep ratelend uit het luik. Zodra ze voor anker lagen zette Abbey de motor uit.

In de daaropvolgende stilte hoorde ze in de verte het geluid van een andere boot, ergens tussen de eilandjes ten westen van hen.

Ze stapten in de sloep en roeiden aan wal. Binnen deed Jackie de lichten aan terwijl Abbey aanmaakhout in het oventje legde.

'Hamburger?' vroeg Jackie, die in de koelbox zat te neuzen.

'Lekker.'

Abbey maakte vuur in het houtfornuis en stelde de schoorsteenkleppen af. Het vuur kwam knetterend tot leven. Ze liep naar de deur en ademde de zware, stille nachtlucht in. Het rook naar nat gras, naar de rook van hun vuurtje en naar zeewater. Zacht ruisend likten de golven aan het strand; en heel in de verte bleef die motor maar dreunen. De boot leek zo te horen van achter het buureiland te komen en heel langzaam te varen.

Abbey draaide zich in de deuropening om en zei rustig om Jackie niet bang te maken: 'Ik ga even een eindje lopen.'

'Als je maar zo terugkomt, want de burgers zijn bijna klaar.'

Abbey liep niet naar de kustlijn maar glipte de spikkelschaduw van het bos in en richtte haar schreden naar de westkant van het eiland, waar de boot te horen was. Aan de punt van het eiland bleef ze tussen de laatste bomen in de schaduw staan uitkijken over het water waar het geluid klonk. De lucht was vochtig. Het tij was gekeerd; het was vloed geworden, en het water liep in slingers en kronkels langs het strand. Vanuit het noordoosten kwamen schapenwolken aanzetten, maar die waren nog ver weg en de maan stond nog bijna pijnlijk fel in de nachthemel.

Het geluid klonk inderdaad van achter het eerstvolgende eiland. Waarschijnlijk was er gewoon een jacht op zoek naar een plek om voor anker te gaan; in de zomermaanden waren er heel wat toeristen op het water. Ze moest niet zo paranoïde doen, vond ze zelf.

In de opening tussen twee eilandjes zag ze het donkere silhouet van een boot, een meter of vierhonderd verderop. Plotseling liep er een rilling over haar rug: de boot voer, maar met gedoofde vaarlichten. Hij verdween achter het volgende eiland en even later zweeg de motor.

Abbey bleef met gespitste oren staan luisteren, maar de wind was aan het aanwakkeren en door het gefluister in de bomen kon ze niets meer horen. Ze hurkte en bleef in het donker zitten wachten. Ze probeerde rustig te blijven: ze was gewoon schrikachtig omdat Ford weg was. De moordenaar kon hen onmogelijk naar Maine gevolgd hebben, laat staan dat hij hen op Little Green Island op het spoor was gekomen. Het moest gewoon een toerist zijn met een glaasje op, die vergeten had zijn vaarlichten aan te doen. Of misschien waren het drugssmokkelaars. Hasjsmokkelaars kwamen vaak naar dit ruige deel van de kust om bootladingen wiet uit Canada aan te voeren.

Ze wachtte, en keek.

En toen zag ze vanuit de schaduw de donkere omtrekken van een roeiboot langzaam maar zeker de smalle reep zee tussen Little Green en het volgende eiland oversteken. Het bleek een sloep te zijn, waarin een lange man met grote omzichtigheid aan het roeien was. Hij was op weg naar hun eiland, onder zo'n hoek dat hij vanuit het vissershutje niet zichtbaar was. De boot schoof snel met het inkomende tij mee. Over een paar minuten zou hij landen op een strandje vlak achter de rots aan de punt van het eiland.

Abbey sloop het bos weer in en kroop naar een punt vanwaar ze kon kijken naar de plek waar de man waarschijnlijk aan land zou komen. Hij roeide onvermoeibaar door en het zachte plonzen van zijn riemen werd hoorbaar. Hijzelf bleef een donker silhouet, kromgebogen roeiend. Even later liep de boot knersend op het zand. Hij sprong eruit, hees de boot aan land en bleef rustig, zijn gezicht nog overschaduwd, om zich heen staan kijken.

Abbey drukte zich plat op de mossige bodem en bleef kijken. De man haalde iets uit zijn broekband en leek het te inspecteren; ze zag de glinstering van metaal en besefte dat het een vuurwapen was. Hij stak het in de holster, keek nog eenmaal snel om zich heen en glipte de duisternis tussen de bomen in. Nog even, dan kwam hij haar kant uit.

Abbey stond op en rende door het bos; ze dook onder takken door en sprong over omgevallen boomstammen heen, en even later kwam ze bij het vissershutje aan. Ze smeet de deur open en holde naar binnen.

'Nou, je wordt bedankt, hoor. Door jou zijn de hamburgers...'

'Jackie. We moeten weg. Nu.'

'Maar de burgers...'

Abbey greep haar hand en trok haar mee naar de deur. 'Nú. En hou je gedeisd. Er loopt iemand rond met een pistool.'

'O god.'

Ze trok Jackie het duister in en keek radeloos om zich heen. Waarschijnlijk zou hij linea recta naar het hutje komen.

'Deze kant uit,' fluisterde ze, terwijl ze Jackie meetrok, het gras over en het bos in naar de zuidrand van het eiland. Maar het bos was te klein en te voor de hand liggend; een echt goede schuilplaats was het niet. De rotsen en richels aan de zuidpunt van het eiland boden meer beschutting, zeker omdat het nog laagtij was, zodat er een massa enorme, met zeewier overgroeide rotsen blootlag.

Ze gebaarde dat Jackie haar moest volgen en samen doken ze tussen de bomen door naar het duin boven het rotsenveld. De maan hing nog laag in de hemel en de hoge sparren wierpen hun schaduw over de schots en scheef liggende steenblokken, die als begraven in het donker lagen. Ze lieten zich van het duin glijden en klauterden over de rotsen heen. Abbey zette koers naar een plek onder de getijdelijn, in de richting van een lange rij rotsen die het water in staken.

'Het wordt vloed,' fluisterde Jackie al glibberend over het zeewier. 'Straks verzuipen we nog.'

'Het is maar voor even.'

Aan de andere kant van het rotsenveld vond ze een donkere schuilplaats tussen twee steile, met zeewier overgroeide rotsen met kruipruimten onderlangs. De vloed kwam snel opzetten.

'Kom hier.'

'Dan worden we nat.'

'Dat is juist de bedoeling.'

Jackie hurkte tegen het zwarte, kille zeewier en perste zich onder een overhangend randje. Abbey volgde haar voorbeeld en trok het zeewier zo veel mogelijk over zich heen. Ze werd bijna overmand door de sterke lucht van het wier. Tussen de rotsen door kon ze naar de sparren kijken en, daarachter en nog net zichtbaar, de verlichte hut aan de andere kant van het gras, zo'n vijfhonderd meter van haar vandaan. Vlak achter haar klotste en gorgelde het water tussen de rotsen terwijl de vloed kwam opzetten.

'Wie is dat?' fluisterde Jackie.

'Die vent die achter ons aan zit. Hou je mond.'

Ze wachtten. Na wat een eeuwigheid leek zag Abbey de gestalte van de man vanuit het bos de maanverlichte weide op lopen. Met getrokken pistool liep hij langzaam om het huisje heen, kroop naar een raam, drukte zich plat tegen de buitenmuur en tuurde naar binnen. Hij bleef een tijdje staan kijken, liep toen naar de deur en trapte die open. Het lawaai rinkelde door de rustige nachtlucht en echode over het donkere water.

Hij ging naar binnen en kwam even later naar buiten, waar hij om zich heen bleef staan kijken. Er verscheen een lantaarn in zijn hand en langzaam liep hij over het gras, terwijl hij tussen de bomen scheen.

En het water kwam almaar hoger te staan.

De gestalte verdween in het bos boven hun schuilplaats; de lantaarn flitste tussen de bomen heen en weer.

Aan de rand van het bos dook hij weer op, boven op het duin bij de rotsen. Hij liep omlaag en bleef op een groot blok staan. Hij scheen met zijn lantaarn langs de kustlijn. De gele lichtbundel likte aan de rotsen rondom hen en tastte hier en daar in het rond. Abbey legde haar hand op Jackies arm. Ze voelde haar beven.

De gestalte kwam hun kant uit. De losse steentjes ratelden onder zijn voeten. Het licht flitste weer over de hoogste rotsen heen en scheen even links, toen rechts van hen. Intussen voelde Abbey het water tussen de overwoekerde rotsen aan hun voeten kruipen. Hoe snel steeg het? Twee, misschien drie centimeter per twee minuten, of meer nog omdat het vollemaan was.

Terwijl hij dichterbij kwam trok ze haar hoofd naar achteren, dieper het zeewier in. Ze voelde het ruisende water om haar voeten spoelen, de zachte op- en neergaande beweging van het tij. Toen de man hen bijna bereikt had, hoorde ze hem ademen.

Nogmaals scheen de man weloverwogen met zijn lantaarn tussen de rotsen. Tergend langzaam schoof de lichtbundel voorbij. Eenmaal. Tweemaal. Toen klonk er een gegrom en draaide hij zich om. De lamp flitste over een stel rotsen rechts van hen en schoof verder.

Het water klotste nu rond haar enkels, schudde zachtjes aan het zeewier en trok zich weer terug. De duisternis keerde terug. Abbey wachtte even, en nog even, en wierp toen een blik tussen de rotsen door. Ze zag hem behoedzaam de kust af lopen, een paar honderd meter verderop, zoekend. Hij was op weg naar hun sloep.

'We moeten van het eiland af,' fluisterde Abbey.

'Hoe wou je dat aanpakken? De sloep ligt daar open en bloot.'

'We nemen die van hem.'

Jackie beefde niet meer: ze schokte van de angst. Abbey legde een geruststellende hand op haar schouder. 'Blijf jij maar hier. Een stukje hoger als het water hoger komt. Ik ga zijn sloep jatten, ik haal onze boot op, en dan kom ik je ophalen. Ik ga zo dicht mogelijk naar de kust toe. Als je me hoort aankomen, zet je het op een zwemmen. Je hebt de stroming mee.'

'Oké,' fluisterde Jackie.

Plotseling zag Abbey een flits in de hemel, een licht dat snel helderder werd. Even dacht ze dat de moordenaar hen ontdekt had en plotseling zijn lantaarn op hen gericht had.

'Shit!' zei Jackie. Ze dook weg en sloeg met een instinctief gebaar haar armen voor haar hoofd.

Even later keek Abbey omhoog, naar de maan. 'O god! Jackie!'

Opzij van de maan bloeide een reusachtige vuurbal op, met een straal van lichtgevend zand die aan de andere kant opspoot en zich als in slow motion uitrekte. Het licht werd zo fel dat Abbey haar ogen moest afschermen. Het was een vreemd, bizar, spectaculair prachtig verschijnsel, alsof de maan was opengebarsten en er een streng glinsterende juwelen naar buiten puilde, glanzend van een inwendig vuur.

Intussen was ook de vuurbol aan de andere kant van de maan groter en feller geworden: van helder, kil blauw in het midden naar een groenig geel, dat aan de randen vervaagde naar oranje en rood. Alsof er een punt van het maanoppervlak aan het uitzetten was.

'Wat is dát nou?' Jackie stond met wijd open ogen te kijken.

Het felle licht baadde de eilanden, de donkere sparren, de rotsen en de zee in een groenig geel licht, vals en schel. De horizon stond messcherp tegen de dieppaarse hemel afgetekend en de oceaan daaronder was bleekgroen met rode en zwarte vlekken.

Abbey richtte haar blik weer op de maan. Ze moest haar ogen samenknijpen tegen het felle licht. Er was nu een soort stralenkrans rond de schijf aan het groeien, alsof de maan een klap had gekregen of was opgeschud, zodat het stof de ruimte in dwarrelde. Er daalde een enorme stilte neer over het zeelandschap; het hele spektakel speelde zich af in een volkomen geluidloosheid waardoor het tafereel er des te onwerkelijker uitzag.

'Abbey!' zei Jackie zachtjes, maar in haar stem klonk de paniek door. 'Wat is dat? Wat gebeurt er?'

'Volgens mij,' antwoordde Abbey langzaam, 'heeft dat wapen op Deimos zojuist een schot afgevuurd op de maan. Een veel zwaarder schot ditmaal.'

69

Harry Burr liep over het stenige strand. In zijn ene hand had hij het halfautomatische wapen, in de andere de lantaarn waarmee hij tussen de bomen scheen, op zoek naar een glimp van vluchtende gestalten, een gezicht dat tussen de bomen hurkte, wat dan ook. Hij wist dat ze op het eiland zaten: hun sloep lag nog op het strand en er had eten op het vuur gestaan. Hij wist ook vrijwel zeker dat Ford geen vuurwapen had – anders had hij dat wel gebruikt in de bar of op het parkeerterrein. Hij was dus de enige met een pistool.

Hij vloekte binnensmonds. Op de een of andere manier hadden ze lucht gekregen van zijn komst. Waarschijnlijk hadden ze de motor van zijn boot gehoord, want 's nachts droeg geluid heel ver over water. Maar hij had alle troeven in handen; hij had hen klemgezet op een klein eilandje waar ze onmogelijk af konden, behalve met de sloep. Ze konden niet naar hun boot toe zwemmen, want de vloed kwam met grote snelheid opzetten en het water stroomde met grote snelheid langs het eiland. Ze zouden meegesleept worden met de stroming.

Er waren twee sloepen op het eiland: die van hem, en die van henzelf.

Het was niet moeilijk te raden wat hun volgende stap zou zijn: ze zouden proberen een van de sloepen te bemachtigen. Zijn eerste taak was die sloep zeker te stellen. Hij liep naar het strand waar hun sloep lag. Hij overwoog of hij het bootje de stroming in zou duwen, maar bedacht dat dat riskant kon zijn. Dan had hij zelf niets om op terug te vallen als er iets misliep. Hij greep de trossen waarmee de sloep vastlag en sleepte hem het bos in, waar hij het bootje min of meer verborgen liet liggen. Hij haalde de riemen uit de dollen en verborg ze op verschillende plekken in de braambosjes. Daar konden ze uren naar zoeken.

En nu zijn eigen boot.

Plotseling was er een licht boven zijn hoofd. Hij dook ineen en draaide met getrokken pistool om zijn as tot hij besefte dat het licht uit de lucht kwam. De vollemaan. Met open mond zag hij een felle straal uit het maanoppervlak komen, die de nachthemel in spietste. Aan de andere kant verscheen een tweede felverlichte plek. Wat was dat nou?

Gewoon, een vreemd gevormde wolk die voor de maan langs schoof en een onverwacht effect creëerde.

Snel en onhoorbaar liep hij tussen de bomen door naar de noord-punt van het eiland, waar hij zijn eigen sloep had achtergelaten. Die lag er vredig bij in het steeds fellere maanlicht. Net toen hij hem het bos in wilde slepen en verbergen zoals hij met de eerste had gedaan, kreeg hij een idee. Als hij de sloep in het volle zicht liet liggen, was dat het lokaas! Hij hoefde alleen maar onzichtbaar te blijven wachten. Als ze merkten dat hun eigen sloep er niet meer was, zouden ze die van hem willen nemen. Een andere keuze hadden ze niet. Ze konden zich niet eeuwig schuilhouden.

Hij verstopte zich achter een stel rotsen aan de rand van het eiland en ging zitten wachten.

De hemel werd langzaamaan lichter en hij keek omhoog; hij vroeg zich af wat er in vredesnaam aan de hand was met de maan. De eigenaardige wolk werd steeds groter en had bij nader inzien weinig van een echte wolk.

Hij wendde zijn blik af en richtte zich op het dringender probleem. Hij moest op het tweetal wachten. Lang duurde dat niet, al na een paar minuten zag hij een schaduw steels langs de rand van het bos sluipen. Hij hief zijn Desert Eagle, zette de laser aan, bedacht zich en schakelde het laservizier weer uit. Het was nergens voor nodig om hun schrik aan te jagen met een dansend rood puntje. Ze zaten zo dichtbij dat hij het ook zonder laser wel afkon.

Alleen was het maar één silhouet. Het mokkel. Ford was er niet bij.

70

Vanaf de Interstate 295 niet ver van Freeport zag Ford het plotselinge licht in de nachthemel. Hij tuurde door de voorruit naar de maan en zette toen, vervuld van een plotseling afgrijzen, de auto langs de weg om beter te kunnen kijken. Hij stapte uit, de zomernacht in, en keek vol ontzetting naar de lichtstraal die vanaf het maanoppervlak omhoogspoot. Algauw zetten meer automobilisten hun auto stil om te kunnen kijken en foto's te maken.

Een lange staart van gloeiend zand leek vanaf de zijkant van de maan te groeien, steeds langer in het donker, en felgeel. Aan de andere kant van de maan was een soortgelijke wolk te zien, maar boller en compacter, alsof er stof opwolkte.

Het zag er precies uit alsof de maan was beschoten door iets wat rechts ingeslagen en links uitgetreden was.

Nog een schot van het wapen op Deimos?

Er leek geen twijfel mogelijk. En ditmaal was er een veel groter projectiel van vreemde materie gebruikt, zo groot dat er vanaf de aarde een schitterend schouwspel te zien was. Misschien was het wel bedóéld om een schouwspel op te leveren. De vorige inslag was grotendeels onopgemerkt gebleven, maar dat zou ditmaal niet het geval zijn. Voor zijn ogen strekte de staart van puin en zand zich steeds langer uit en vormde vanwege de zwaartekracht van de maan langzaam een brede bocht.

Dit was een onmiskenbare bevestiging dat Abbey het bij het rechte eind had: het buitenaardse voorwerp op Deimos was een wapen, en dat wapen was opnieuw afgevuurd, ditmaal op de maan. Maar waarom? Als machtsvertoon?

Het had geen zin om langs de kant van de weg te blijven staan staren, bedacht Ford. Hij moest een vlucht halen. Hij stapte weer in en zette de radio aan. Hij koos een plaatselijke zender en even later kwamen de majestueuze klanken van Bachs *Passacaglia* en fuga in c-klein uit de luidsprekers, bijna meteen onderbroken door de stem van een nieuwslezer met een ingelast bulletin over het 'buitengewone schouwspel op de maan'.

'En dan hebben we nu contact met Elaine Dahlquist,' zei de presentator, 'astronoom aan het Harvard-Smithsonian Centrum voor Astrofysica. Doctor Dahlquist, kunt u ons zeggen wat we daarboven zien?'

'Joe, mijn eerste reactie zou zijn dat er een asteroïde is ingeslagen op de maan, of misschien twee fragmenten tegelijk die aan weerszijden zijn ingeslagen.'

'Hoe komt het dat niemand dat heeft zien aankomen?'

'Een goede vraag. Er zijn continu enkele programma's op zoek naar voorwerpen in de buurt van de aarde, zoals Spacewatch, maar kennelijk hebben we hier te maken met een asteroïde die aan hun aandacht is ontsnapt. Hier bij Harvard-Smithsonian hebben we onze telescopen op de maan gericht, en ik heb me laten vertellen dat ook het Keck-observatorium en de Hubble-ruimtetelescoop er momenteel naar kijken. Plus natuurlijk duizenden andere telescopen van professionals en amateurs.'

'Lopen wij hier op aarde gevaar?' vroeg de presentator.

'Er komen berichten door over een elektromagnetische puls of een regen van geladen deeltjes die hier en daar voor stroomuitval en computernetwerkproblemen zorgen. Maar afgezien daarvan zou ik zeggen dat we hier veilig zitten. De maan is driehonderdzestigduizend kilometer van ons vandaan.'

Ford zette de radio uit. Terwijl hij verder reed, werd het licht aan de hemel steeds feller, langzaam maar gestaag, naarmate de stofwolk zich uitbreidde. Hij was gelig van kleur, aflopend naar roodtinten aan de randen. Heet, condenserend puin van de impact. Maar de vertoning zou niet lang meer duren: de verdwaalde wolken die de hemel eerder die avond hadden bedekt, hadden plaatsgemaakt voor een dreigende streep zwaar weer aan de horizon, vol bliksemschichten.

Hij keek op de klok: hij zat een halfuur van het vliegveld van Portland vandaan. Als hij de vlucht van middernacht naar Washington nam, was hij daar om een uur of twee, drie.

Maar eerst moest hij nog iets regelen.

71

Er is werkelijk geen verschil tussen dag en nacht in een casino in Las Vegas of in de Situation Room van het Witte Huis, dacht Lockwood terwijl hij achter een assistent aan de vensterloze cocon van de Situation Room binnen liep, waar het al zwart zag van de mensen. Lock-

wood herkende het fretterige gedrag van de adviseur voor binnenlandse veiligheid, Clifford Manfred, aan het hoofd van de conferen-
tietafel. Met zijn Italiaanse pak en zijn Thomas Pink-das was hij misschien net een tikkeltje té gekleed naar Washingtonse maatstaven.
Naast hem zat de directeur van de centrale inlichtingendienst, een
grijze man met een grijs pak en alerte, grijze ogen. Een stel onopvallende inlichtingenanalisten en een communicatiespecialist maakten het plaatje compleet. Tegen de achterwand van het vertrek hing
een enorm *flatpanel*-scherm, in meerdere deelvensters gesplitst, waarvan één een realtime-beeld van de maan gaf, nu met twee opspui-
tende fonteinen, terwijl de andere zwijgende beelden toonden van
Amerikaanse en buitenlandse nieuwszenders. Op andere schermen
aan de wanden waren beelden te zien van mensen die per videover-
binding aanwezig waren bij de bespreking, onder wie de chef-staf,
een kleine, keurige man met sneeuwwit haar in een admiraalsuni-
form.

Lockwood ging in een van de grote, zwartleren fauteuils zitten.
Om hem heen klonk een gedempt geroezemoes en het geratel van le-
pels in koffiekoppen toen er koffie werd rondgedeeld. Iedereen zat
te wachten op de komst van de president.

Even later werd het bijna als op een ingeving stil, en ging de deur
open. Er verscheen een assistent, gevolgd door de chef-staf van de
president en tot slot de president zelf, lang en slank en met een on-
berispelijk blauw pak aan. Zijn ooit zwarte haar was doorspikkeld
met grijs, zijn vorsende blik was overal tegelijk en zijn flaporen tast-
ten de ruimte af als een radarbaken. Door zijn onverstoorbare houding veranderde de stemming in de Situation Room als bij toverslag
en verdween de bijna tastbare spanning. De aanwezigen maakten
aanstalten om op te staan, maar de president maakte een handgebaar. 'Blijft u zitten.'

Ze stonden toch op, en gingen weer zitten toen de president zelf
plaatsnam; niet aan het hoofd van de tafel maar op een lege stoel ergens halverwege. Hij richtte zich tot Lockwood en zei: 'Stan, ik zit
met een land dat in paniek dreigt te raken. Iedere zichzelf respecte-
rende astronoom in Amerika geeft zijn mening, en ze zeggen allemaal
wat anders. Dus als jij nou eens bij het begin begon en ons vertelde
wat er écht aan de hand is – en vergeet niet dat sommigen van ons
geen kaas gegeten hebben van wetenschappelijke zaken. Is dit zomaar een vertoning, of moeten we ons zorgen maken?'

Lockwood stond op met een dun bruin dossiermapje in zijn hand.

'Meneer de president, tot mijn spijt moet ik u zeggen dat dit ernstiger is dan u zich mogelijkerwijs kunt voorstellen.'

Je kon een speld horen vallen. Iedereen zat naar hem te kijken.

'Enige achtergrondinfo. Op 14 april raasde er een meteoor over de kust van Maine. Op datzelfde moment registreerde ons wereldwijde seismische systeem, dat ontwikkeld is om ondergrondse kernproeven op te sporen, een explosieve signatuur in de afgelegen bergen langs de Thais-Cambodjaanse grens. We hebben iets gevonden wat een inslagkrater lijkt te zijn, en we hebben een mannetje op onderzoek uitgestuurd. Bleek dat het geen krater was, maar een uittredegat. Later heeft hij ook de inslagkrater gevonden, op een eilandje voor de kust van Maine.'

'Wacht eens even, wou je zeggen dat dat ding dwars door de aarde heen is gegaan?'

'Inderdaad.'

'Hoe heet dat mannetje van jou?'

'Dat is een voormalig CIA-medewerker, Wyman Ford. Er wordt momenteel naar hem gezocht.'

'Ga verder.'

'We hebben kunnen constateren dat het ding dat door de aarde heen geschoten is, waarschijnlijk een stukje vreemde materie geweest moet zijn, een zogeheten *strangelet*. Dat is een superdichte vorm van materie; als de hele aarde daaruit bestond, zou ze niet groter zijn dan een sinaasappel. Vreemde materie heeft één verontrustende eigenschap: bij aanraking verandert ze normale materie in vreemde materie.'

'Hoe komt het dan dat de aarde nog bestaat?'

'Het was een heel klein stukje, misschien niet veel groter dan een atoom, en het ging heel snel. Hij is regelrecht door de aarde heen gevlogen en heeft gewoon zijn weg vervolgd. Als hij langzamer was gegaan en als hij in de aarde was blijven steken, zaten wij hier nu niet.'

'Mijn god.'

'En dat is nog maar het begin. We hebben de omloopbaan terugberekend. Het ding blijkt van Mars afkomstig te zijn.'

'Mars?'

'We hebben nog geen idee wat het verband met Mars is. Als dat er al is. Op ditzelfde moment brengt het leger een contingent wetenschappers van de Marsmissie bij de NPF naar ons toe, samen met de directeur van de NASA.'

'Mooi.'

'Maar nu het slechte nieuws. Het schijnt dat die toestand op de maan precies hetzelfde is als wat er in april op aarde is gebeurd, maar dan met een aanzienlijk groter stuk vreemde materie. Het lijkt dwars door de maan heen gedrongen te zijn. Dat heeft die spectaculaire vertoning opgeleverd die u daar op het scherm ziet.'

'Vliegt dat spul dan door de hele ruimte rond? Passeert onze planeet momenteel een wolk van dat spul of zo?'

'Volgens mij niet. Er zijn aanwijzingen dat de inslag op de maan, eh... gericht geweest kan zijn.'

'Gericht? Wou je zeggen dat er een land is dat die dingen lanceert?'

'De natuurkundigen hebben me met de hand op het hart verzekerd dat er geen land op aarde is dat beschikt over de technologie die nodig is om vreemde materie te maken.'

'Wat bedoel je dan in vredesnaam met "gericht"?' De president was overeind gekomen en zijn legendarische koele houding was snel aan het wegzakken.

'Omdat dat schot op de maan...' Hij zweeg en haalde diep adem. 'Dat schot op de maan heeft Tranquility Base vernietigd. Een voltreffer. Tranquility Base is zoals u weet de plek waar de eerste mens voet op de maan heeft gezet. Een heel belangrijke plek voor de mensheid.'

'Mijn god. Wou je zeggen dat dit een aanval is?'

'Dat lijkt me wel.'

'Maar wie dan? Je zei net nog dat niemand op aarde over de technologie beschikt om die vreemde materie te maken!'

'Het ís ook niet iemand op aarde, meneer de president.'

Er volgde een lange, heel ongewone stilte. Niemand zei iets. Tot slot sprak de president rustig: 'Wou je beweren dat dit het werk van buitenaardse wezens is?'

'Dat woord zou ik niet direct gebruiken. Ik zou alleen willen zeggen dat het ernaar uitziet dat dit een doelbewust schot was door een eenheid die niet op deze wereld verkeert. Het kan natuurlijk toeval zijn, maar op de een of andere manier betwijfel ik dat.'

De president streek met een magere hand over zijn kruin, liet de hand zakken, tikte met zijn vinger op tafel en keek na een tijdje op. 'Stan, ik wil dat jij en generaal Mickelson een taskforce gaan aansturen. In die taskforce komen een paar van je meest vertrouwde collega's van de groep voor Wetenschaps- en Technologiebeleid, een stel zwaargewichten van de NPF, de chef-staf en de directeuren van NASA, DNI en NSA. Je begint nu meteen. Om zeven uur morgenochtend wil ik een aanbeveling, een plan, een strategie, voor de juiste aanpak van dit probleem. Die aanbeveling dient militaire opties te omvatten, een diplomatieke strategie en bovenal een plan om aan meer informatie te komen. Je hebt zeven uur.' Hij draaide zich om en wilde weglopen. Op de drempel bleef hij echter nog even staan. 'En ik wil dat die Wyman Ford wordt gevonden. Die wil ik er ook bij hebben.'

72

Het meisje liep voorzichtig tussen de rotsen door en sloop in de schaduw op de sloep af. Ze zou hem op een meter of zeven passeren. Hij zou haar niet doodschieten, maar haar gebruiken om die andere in handen te krijgen. Het was hinderlijk dat het steeds lichter werd aan de hemel, maar hij zat zo goed verborgen dat ze hem bij daglicht nog niet gezien zou hebben.

Toen ze binnen bereik kwam, stapte hij met het pistool in de hand vanuit de duisternis tevoorschijn. 'Staan blijven.'

Ze gilde en sprong achteruit. Burr vuurde boven haar hoofd; de enorme Desert Eagle brulde als een kanon. 'Hou verdomme je bek en sta stíl!'

Het duurde niet lang eer ze trillend en wel bleef staan.

'Waar is Ford?'

Geen antwoord.

Hij stak zijn linkerarm uit en greep haar nek. Hij sleurde haar opzij en drukte de loop van de Eagle in haar oor. 'Was je nog van plan antwoord te geven?'

Ze kokhalsde en slikte. 'Dat weet ik niet.'

'Zit hij op het eiland?'

'Eh... ja.'

'Waar dan? Wat is hij aan het doen?'

'Weet ik niet.'

Burr rukte aan haar haar en ramde de loop zo hard tegen haar wang dat het vizier in haar vel sneed. 'Geef antwoord.'

'Hij... hij zei dat hij achter jou aan ging.'

'Wanneer? Waar?'

'Toen je aan land kwam. Toen zei hij dat hij achter jou aan ging.'

'Is hij bewapend?'

'Hij heeft een mes...'

Jezus. En waarschijnlijk zat Ford op datzelfde moment naar hen te kijken. Hij hield het wapen tegen Abbeys wang gedrukt en trok haar dicht tegen zich aan. Verdomme, wat was het licht aan het worden. Hij hief de loop van het pistool en vuurde de nachthemel in. Het geluid van het schot echode en rolde over het eiland.

'Ford!' riep hij. 'Ik weet dat je daar ergens zit! Ik tel tot tien en als je dan nog niet met je handen boven je hoofd voor me staat krijgt die meid een kogel door haar kop. Begrepen?' Hij vuurde nogmaals in de lucht en zette de hete loop tegen Abbeys wang. 'Begrepen, Ford? Een... twee... drie...'

'Misschien hoort hij je niet,' riep Abbey. 'Hij zit aan de andere kant van het eiland.'

'... vier... vijf... zes...'

'Wacht! Het was een leugen! Hij zit niet op het eiland!'

'... zeven... acht... negen...'

'Luister nou! Hij zit niet op het eiland! Hou op!'

'Tien!'

Een lange stilte, en daarna liet Burr het pistool zakken. 'Nee, het ziet er niet naar uit. Hij liet haar los, en toen ze struikelend een stap achteruit deed, sloeg hij haar zo hard in het gezicht dat ze op de grond viel. 'Dat krijg je als je zo staat te liegen.' Hij greep haar en hees haar weer overeind. 'Waar is hij naartoe?'

Een kokhalzend geluid. 'Ik heb hem op het vasteland afgezet. Hij is... terug naar Washington.'

'Waar in Washington?'

'Dat weet ik niet.'

'En wie zit er verder nog in de boot? Ik zag nog iemand in de boot.'

Ze slikte. Hij drukte het pistool harder tegen haar gezicht. 'Geef antwoord.'

'Niemand. Ik ben alleen.'

'Je liegt.'

'Dat moet mijn regenjack geweest zijn. Dat hangt aan een haak in de stuurhut, naast het raam. Met een grote, ronde capuchon...'

'Hou je bek.' Hij dacht snel na. Het kon haast niet anders of ze vertelde de waarheid; niemand doorstond dat aftellen zonder in te storten en alles te vertellen. En hij moest bekennen dat hij geen van beide gestalten echt goed gezien had in het halfdonker, met een kilometer water ertussen.

'Waar is de schijf?'

'Die heeft hij meegenomen.'

Die klootzak! Burr begon te trillen van woede. De hele klus verkloot. Zonder schijf kreeg hij zijn geld niet.

Misschien kon hij Ford nog inhalen. Maar eerst moest hij hier orde op zaken stellen. Die meid moest dood, dan moest hij terug naar de boot om af te rekenen met de vader, en dan als een haas terug naar het vasteland. Daar kon hij dan achter Ford aan naar Washington. Het had geen zin hier nog meer tijd te verdoen. Hij schoof Abbey op de grond en deed een stap achteruit om geen vlekken op zijn kleren te krijgen.

Zij lag daar languit tussen de rotsen en probeerde overeind te krabbelen.

'Eén beweging en je bent er geweest.'

Ze staakte haar verzet. Met zijn benen iets uiteen zette hij zich schrap, hield de Glock Desert Eagle in beide handen, richtte op Abbeys hoofd en haalde de trekker over.

73

Ford vond wat hij zocht in Topsham, Maine. Een klein winkelcentrumpje dat nog laat open was. Hij stopte voor een elektronicawinkel, liep naar binnen en kocht een vaste schijf van een onbekend merk. Bij de Kinko verwijderde hij eerst zorgvuldig alle verwijzingen naar Deimos zelf, printte hij de foto's uit het bestand DEIMOS MACHINE en stopte ze in zijn aktetas. Met gebruikmaking van de computers in de zaak brandde hij vier dvd's met de afbeeldingsbestanden van DEIMOS MACHINE. In een warenhuis kocht hij nagellakremover, witte verf, een rol afplakband, een zwarte markeerstift, een doos, bruin pakpapier en een stuk bobbeltjesplastic.

In de auto verwijderde hij met de nagellakremover alle etiketten, logo's en serienummers van de nieuwe vaste schijf. Hij maskeerde een vierkante zone op de zijkant met tape, beschilderde die met witte verf en legde hem onder de verwarming van de auto, die hij vervolgens volledig opendraaide.

Terwijl de verf droogde, haalde hij verpakkingsmateriaal op bij het FedEx-inleverpunt. Hij schreef een briefje:

Het wachtwoord is FuckNPFI. Kijk naar de foto's onder
DEIMOS MACHINE, allemaal, en naar de serie radarbeelden R-
2756-2760. DIT ZIJN ECHTE BEELDEN, NIET GEMANIPULEERD.
Dit is een buitenaards wapen onder in de Voltaire-krater op
Deimos, een van de manen van Mars. Dit wapen heeft op 14
april op aarde geschoten en vannacht op de maan – de
resultaten daarvan hebt u gezien. Dit is het grootste
wetenschappelijk verhaal aller tijden. Kijk naar de foto's en
alles wordt duidelijk. Maak dit meteen bekend, anders krijg je
een verbod opgelegd – dit is namelijk strikt geheime
informatie.

Hij stopte het briefje in een envelop en plakte die aan de zijkant van
de originele schijf, verpakte die in een aantal lagen bobbeltjesplastic
en bruin papier, en schreef op de buitenkant:

BELANGRIJK! EIGENDOM VAN MARTIN KOLODY,
WETENSCHAPSREDACTEUR *WASHINGTON POST*. VINDER WORDT
VERZOCHT DIT PAKKET ONMIDDELLIJK TE RETOURNEREN.
KOSTEN WORDEN VERGOED.

Hij dacht even na en voegde er toen nog aan toe:

$500 beloning voor veilige terugbezorging – gegarandeerd.

Daarna vulde hij een FedEx-adresetiket in. Als ontvanger noteerde
hij een volledig fictieve naam en adres. Als afzender koos hij een
fictieve naam, maar het werkelijke adres van een chic, klein hotel
in Washington niet ver van het redactiebureau van de *Washington
Post*.
    De vier dvd's stopte hij in gewone enveloppen, die hij adresseerde
aan de wetenschapsredacteur van de *New York Times*, de hoofdre-
dacteur van *Scientific American*, de voorzitter van de nationale bond
ter bevordering van de wetenschap en de voorzitter van de Nationale Academie van Wetenschappen. Hij beschreef in het kort de situatie en stopte in elk van de vier pakketten een briefje, en daarna
plakte hij er een sticker op met het opschrift COMPUTERMEDIA, plus
de benodigde postzegels.
    Hij liet de FedEx-pakketten in de bus glijden. De originele schijf
zou pas over drie à vier dagen op Kolody's bureau liggen: een dag

tot FedEx besefte dat het adres niet klopte, een of twee dagen om het pakket terug te brengen naar het hotel, en een dag waarin het hotel het pakket kon afleveren bij het redactiekantoor van de *Post*. Dankzij de verwarrende reeks adressen zou de schijf moeilijk te traceren of te onderscheppen zijn, en op deze manier kwam Kolody's naam niet in de FedEx-database te staan. De schijf was het bewijs, en de dvd's dienden als back-up, een soort verzekering voor het geval de originele schijf in beslag werd genomen door de FBI. Computermedia die per post werden verzonden, waren niet te traceren, en bovendien zou het een dag of drie, vier duren voordat de dvd's hun bestemming bereikten.

Hij liep naar een geldautomaat en haalde vijfhonderd dollar van zijn rekening. Die verpakte hij in lagen papier en plastic, stopte het pakket in een nieuwe FedEx-envelop en adresseerde die laatste rechtstreeks aan Kolody. Hij voegde er een simpel briefje bij:

Dit is de betaling voor wat u binnenkort zult ontvangen.

Dat zou de aandacht trekken. Over vier dagen stond de waarheid op de voorpagina van de Washington Post en zou de wereld eindelijk lezen wat er aan de hand was.

En nu maar hopen dat het niet te laat was.

Nadat hij de envelop op de post had gedaan, liep hij terug naar zijn auto. Het parkeerterrein baadde in een griezelig, geelgroen maanlicht. Ford bleef even staan om naar het schouwspel te kijken. De straal stof en zand was net in een baan om de maan geraakt, bol als een Turks kromzwaard. De hele maan was intussen omringd door een heldere, diffuse stralenkrans. Even later gleden er snelle, donkere wolken voor de maan langs, de een na de ander, en wierpen hun schaduwen over de wereld. De lucht was zwaar. In de verte werd de hemel doorkliefd door een bliksemschicht, en een halve minuut later klonk veraf het gerommel van de donder. Het rook naar vocht en naar ozon. Er kwam een snel naderend onweer opzetten.

In de auto keek Ford naar de nieuwe computerschijf en zag dat de verf droog was. Hij pakte zijn viltstift en schreef dezelfde gegevens op die op de originele schijf hadden gestaan.

#785A56H6T 160Tb
VERTROUWELIJK: VERBODEN TE KOPIËREN
EIGENDOM VAN DE NATIONAL PROPULSION FACILITY

Hij borg de schijf in zijn aktetas en reed terug naar de snelweg, op weg naar het vliegveld en naar Washington.

74

In wanhoop smeet Abbey zich opzij en trapte naar het scheenbeen van de man. Dat trof ze met een klap net op het moment dat het pistool afging – en op datzelfde moment zag ze achter de man een gestalte met een steen in de hand overeind springen. Jackie. De kogel ketste af op een steen vlak bij haar oor, en een brul scheurde door de lucht. Nog voordat de echo's waren weggestorven, klonk er een wild gekrijs en haalde Jackie uit met de steen in haar vuist. Net toen het tweede schot afging – *karang!* – trof ze de man op zijn slaap. De moordenaar wankelde achteruit en tastte met een hand naar zijn hoofd, terwijl hij met de andere probeerde het vuurwapen te richten. *Karang!* Het pistool ging weer af, maar hij miste hopeloos toen hij met zijn voet achter een steen bleef haken en struikelde.

Met een onwerelds gekrijs viel Jackie op hem aan, terwijl Abbey zelf een steen greep en op hem afdook. Maar Burr was snel en sterk. Hij smeet Jackie van zich af, kwam wankelend overeind, draaide zich in Jackies richting en hief het pistool. Op het moment dat hij zijn hand omhoogbracht om te schieten, sloeg Abbey hem met haar steen op het achterhoofd zodat hij op zijn knieën viel. Burr brulde iets onverstaanbaars, krabbelde zonder het wapen los te laten weer overeind en richtte opnieuw op Jackie, die op zoek was naar een nieuwe steen.

'Jackie!' Abbey dook op Jackie af en smeet haar tegen de grond terwijl het pistool weer afging. De ronde sloeg in een nabijgelegen rots in en de steenschilfers spatten in het rond. Nog op zijn knieën begon de moordenaar nu zorgvuldiger en met beide handen te richten. Het bloed gutste over zijn gezicht. 'Ik maak jullie af!' brulde hij, terwijl hij probeerde zijn bevende armen stil te houden.

'Hollen! Naar de sloep!'

Ze renden het stenenstrand af naar de jol toe. Achter hen daverde het pistool. Het strand begon diepe voren te vertonen waar de kogels vóór hen insloegen. Abbey greep de lijn en trok de boot het strand af, terwijl Jackie duwde. Ze renden het water in en sprongen aan boord. Abbey greep de riemen en ramde ze in de dollen.

Achter hen dook de gestalte van de moordenaar op, wankelend als een dronkenman. Weer richtte hij het pistool. Er danste en flitste een klein rood puntje om hen heen.

'Bukken!'

De klap van het schot rolde over het water, en de houtsplinters barstten uit de flank van de roeiboot.

Een tweede schot spatte in het water naast hen, zodat ze doorweekt raakten. Abbey trok zo hard ze kon aan de riemen en de boot vloog bijna over de gladde zee. Plotseling werd het donker toen de wolken voor de bizarre maan langs schoven. De stroming voerde hen mee naar de inham waar ze de boot hadden afgemeerd. Vanaf de kust klonken meer schoten; het geluid daverde als een rollende donder over het water. Aan weerszijden van de jol spoten fonteinen op, en een van de kogels hapte een stuk uit de achtersteven. Maar Abbey roeide verder. Jackie zat onder in de boot op haar hurken, met haar armen boven haar hoofd gebogen, luidkeels te vloeken bij ieder schot.

De *Marea* II lag zo'n honderd meter uit de kust, en de opkomende vloed stuwde hen die kant uit. Een tweetal nieuwe schoten dreunde over het water; de kogels sloegen aan weerszijden van de sloep in het water.

Ze zag de moordenaar langs het strand rennen, zo dicht bij het water als hij maar kon. Hij ging op zijn buik op de rotsen tegenover de afgemeerde boot liggen en plaatste de loop van zijn wapen voor zich. Zo te zien was hij bekomen van de klappen op zijn hoofd. Abbey legde de sloep langszij aan de stuurboordzijde van de *Marea* II en gebruikte hem als dekking, zodat Jackie en zij buiten de vuurlinie bleven. Ze krabbelde aan boord en tastte achter zich om Jackie te grijpen. Ze hoorde een reeks regelmatig getimede schoten, en een van de ruiten van de *Marea* II vloog aan splinters.

'Hij schiet op de boot!' gilde Jackie. Ze liet zich terugvallen in de sloep. Abbey greep haar bij de kraag en hees haar over de reling heen. Een tweede raam bezweek; de scherven spatten over het dek.

'Bukken!' Met Jackie in haar kielzog kroop Abbey langs de kajuit de stuurhut in. Ze greep een mes uit de gereedschapskist en duwde het Jackie in handen. 'Dadelijk ren jij naar voren en snijd je de ankerlijn door – niet nu, maar als ik het zeg.'

Karang! Er vloog een kogel door het kajuitdak.

Abbey zette de accu aan, bleef op haar hurken zitten en stak haar hand uit om de sleutel in het contactslot om te draaien. Brullend sprong de motor aan. *Goddank.*

Karang! Karang!

Met volle kracht vooruit bokte de boot tegen de ankerketting. Even dacht Abbey dat haar plan niet zou werken, maar ze vierde even de gashendel en voelde het anker losschieten. De boot maakte een sprong naar voren en sleepte het anker mee over de bodem. Als ze kans zag weg te komen, het diepere water in, redden ze zich later wel met het anker.

Maar de boot kwam maar enkele tientallen meters verder voordat het anker bleef steken achter een rots. De klap deed de boot om zijn as zwenken. De motor loeide, en nog steeds bevonden ze zich binnen het schootsveld van de moordenaar. *Karang! Karang!* De schoten bleven komen, en de eerste gaten verschenen in de romp.

'Anker lossnijden!'

Jackie sprintte naar voren, gebruikte de stuurhut als dekking en kroop gehurkt naar de boeg, waar ze het touw doorzaagde. De boot maakte een nieuwe sprong naar voren en Abbey smeet de hendel zo ver mogelijk naar voren. Zonder haar ogen ook maar een moment van de kaartplotter af te wenden probeerde ze de boot door de smalle vaargeul tussen de eilandjes te sturen. Even later waren ze zo ver weg dat de kogels hen niet meer bereiken konden en voeren ze voorbij de punt van Little Green, rondden die en zetten door de kronkelende kanalen koers naar open zee.

Abbey nam wat vermogen terug en zakte tegen het roer aan. Opeens was ze duizelig.

'O god,' zei Jackie met haar hand aan haar hoofd. 'O god.' Haar gezicht bloedde van de rondvliegende scherven.

'Kom eens hier.' Abbey veegde met een papieren zakdoekje het bloed af. 'Rustig nou maar. Je bent aan het hyperventileren.'

Jackie deed zichtbaar haar best om haar hartslag en ademhaling onder controle te krijgen.

'Man, Jackie, wat heb jij daar staan krijsen. Ik zal je nooit meer voor slapjanus uitmaken.'

Jackie stond al iets minder te bibberen. 'Ik was razend,' zei ze.

'Je meent het.' Abbey veegde het bloed van haar eigen gezicht en zette zich schrap met haar handen stevig aan het roer. Ze richtte haar aandacht op de kaartplotter en overdacht de beste manier om de haven te bereiken. 'Ik denk dat we rechtstreeks naar Owls Head moeten,' zei Abbey. 'Maken dat we hier wegkomen en de politie bellen.'

'Bel de politie maar meteen,' zei Jackie, terwijl ze de marifoon aanzette. Ze wachtten tot het toestel op temperatuur was. De boot zwenkte in noordelijke richting het kanaal in, voer rond een eiland in de luwte en bereikte het open water aan de zuidzijde van Penobscot Bay. De boot huiverde bij een plotselinge hoge golf, en tot haar verbazing zag Abbey de ruige zee naar het oosten, met het soort diepe, lange golven dat een voorbode is van een zware storm. Het was donker; ze keek op en besefte dat de maan al een tijdje niet meer te zien geweest was. De wind wakkerde snel aan en de bliksem flitste langs de horizon.

Ze hief de microfoon naar haar mond, zette de marifoon op kanaal 16, drukte op de zendknop en begon aan een noodoproep naar de kustwacht.

75

Vanuit zijn schutterspositie achter een rots zag Harry Burr de boot tussen de eilanden verdwijnen. Hij stopte het pistool weer in zijn broekriem en leunde met bonzend hoofd tegen de rots aan. Hij voelde het bloed nog langs zijn oor en over zijn hoofdhuid druppelen. Hij tastte naar zijn hoofd en voelde een bult groeien. Er maakte zich een onbeheersbare woede van hem meester, zo krachtig dat hij er sterren van zag. Die twee kutwijven hadden de hele boel verkloot, hadden hem op zijn hoofd gemept, zijn sloep meegenomen. Ze hadden hem gezien, ze konden hem aanwijzen. De sterren tolden in het rond en hij voelde de bijna fysieke druk van de woede achter zijn voorhoofd, een gonzend geluid als een zwerm bijen op zoek naar een vluchtweg.

Het was erop of eronder. Als hij die meiden niet opspoorde en om zeep bracht, kon hij het verder wel schudden. Hij had bijna geen tijd meer. Maar alles was nog niet verloren. Hij had de andere sloep nog, plus een zeewaardiger boot. En hij had een troef in handen: de vader.

Hij negeerde het bonzen in zijn hoofd en liep op een drafje het strand af, het bos in. Hij sleurde de sloep uit het struikgewas, haalde de verborgen roeispanen op, smeet ze aan boord en trok de jol het strand af. Hij zette zich af en roeide naar de plek waar hij de *Halcyon* had afgemeerd. De *Halcyon* was geen snelle boot, maar naar hij aannam wel sneller dan de *Marea II*. Dat was tenslotte niet meer dan een vissersboot, geen jacht.

Hij roeide met de stroming mee en merkte hoe donker het was geworden en hoe krachtig de wind was aangewakkerd. Zelfs in het rustige water tussen de eilanden in waren al schuimkoppen aan het ontstaan, en de wind kreunde tussen de sparren. In de verte hoorde hij de donderslagen van de branding op de kust van de eilanden beuken.

Hij stak de vaargeul over en rondde de punt van het naastgelegen eiland. Daar lag de *Halcyon*. Hij zag de donkere omtrek van de visser, die met beide handen aan de reling van de achtersteven geboeid stond.

Hij botste tegen de flank van de boot en klom aan boord. Hij bond de sloep vast en zei: 'Hoor eens, Straw, we moeten nog even iets regelen.'

'Als je mijn dochter ook maar met één vinger aanraakt ga je eraan,' zei Straw hees. 'Dan rust ik niet tot...'

'Ja, ja.' Hij liep linea recta naar de marifoon en zette die op kanaal 16. Wat hij als allereerste moest doen was voorkomen dat die meid de kustwacht ging bellen.

76

Zodra Abbey klaar was met het doorseinen van haar gegevens en de zendknop losliet, werd er een schorre stem hoorbaar. 'Abbey! Aha, daar ben je dan.'

Het was de stem van de moordenaar. Hij moest terug zijn in zijn boot, en hij had de frequentie voor noodoproepen zitten afluisteren.

'Klootzak, jij gaat eraan,' begon ze.

'Hé, hé, hé! Niet zulke lelijke taal over officiële ambtelijke frequenties, waar je vader je kan horen.'

'Mijn... wát?'

'Je vader. Die zit hier aan boord, en we hebben het reuze gezellig.'

Even was Abbey sprakeloos. De wind rammelde aan de stuurhut en plotseling kletterde de regen tegen de ruiten. De lucht werd doorkliefd door een bliksemschicht, gevolgd door een knetterende donderslag.

'Ik herhaal: je vader, de heer George Straw, zit hier bij me aan boord,' zei hij zelfgenoegzaam. 'Schakel naar kanaal 72, dan praten we even.' Kanaal 72, wist Abbey, was een obscure, niet-commerciële frequentie die niemand ooit gebruikte.

Voordat ze kon antwoorden, siste de radio: 'Dit is kustwachtstation Rockland in antwoord op...'

Abbey kapte de telefonist af en koos kanaal 72.

'Da's stukken beter,' klonk de stem. 'Wou je even dag zeggen tegen je vader?'

Abbey was lijfelijk misselijk. Dit kon niet waar zijn. Ze hoorde een gedempt geluid, een vloek, een klap. 'Práten, zeg ik.' Weer een dreun.

'Hou daarmee op!' gilde Abbey.

'Abbey,' klonk de vervormde stem van haar vader. 'Blijf uit de buurt. Maak dat je de haven in komt en ga regelrecht naar de politie...'

Weer een zware klap, een grommend geluid.

'Hou óp, klootzak!'

De stem van de moordenaar klonk weer. 'Ga terug naar 16 en bestel de kustwacht af. Nu meteen. Of je vader is vissenvoer.'

Met een snik koos Abbey kanaal 16 weer en vertelde de kustwacht dat het vals alarm was geweest. De telefonist adviseerde haar om zo snel mogelijk terug te keren naar de haven, vanwege de storm. Ze meldde zich af en koos kanaal 72 weer. Ze wierp een blik op Jackie, maar die keek haar sprakeloos aan. Ze verkeerde zichtbaar in een shocktoestand. De boot werkte zich huiverend door een hoge golf heen en het roer bokte in haar handen; de boot rolde.

Plotseling greep Jackie het roer, gaf wat extra gas en de boot gierde weer terug, net op tijd voor de volgende golf. 'Ik neem het roer. Jij houdt je bezig met hem.'

Abbey knikte zwijgend. De wind wakkerde met de seconde aan en geselde het zwalpende oceaanoppervlak tot honingraten van schuim.

Op 72 lachte de moordenaar even voordat hij het woord weer nam. 'Hallo? Is daar iemand?'

'Doe mijn vader alsjeblieft geen...'

Weer een klap en een gekreun. 'Waar zit jij?'

'Penobscot Bay.'

'Luister goed. We pakken het als volgt aan. Geef me je satelliet-coördinaten. Dan kom ik naar je toe en krijg je je vader terug.'

'Wat wil je?'

'De belofte dat je dit allemaal zult vergeten. Meer niet. Oké?'

'Abbey!' klonk een stem op de achtergrond, 'je moet niet naar hem...'

Weer een dreun.

'Nee, toe nou! Je moet hem geen kwaad doen!'

'Abbey,' klonk de kalme stem van de moordenaar. 'Vergeet niet dat we op een openbaar kanaal zitten, oké? Ik kom naar je toe. Als je precies doet wat ik zeg hoeven er geen problemen van te komen.'

Abbey probeerde rustig te ademen, maar van pure ellende kreeg ze kramp in haar keel. Na een korte stilte wist ze uit te brengen: 'Dat is duidelijk.'

'Mooi zo. Wat zijn je satellietcoördinaten?'

Jackie greep de microfoon en zette de zendknop uit zodat de moordenaar haar niet zou horen. 'Abbey, hij liegt. Dat weet jij ook. Hij gaat ons vermoorden.'

'Dat wéét ik,' zei Abbey woedend. 'Laat me nou even nádenken.'

Intussen werden de golven steeds hoger. De *Marea II* werd bij iedere golf opzij gesmakt en de motor gromde van de inspanning.

'Abbey? Ben je daar nog?'

Abbey nam de microfoon over. 'Ik zit na te denken!' Ze richtte zich tot Jackie. 'Wat moeten we?'

'Ik... ik heb geen idee.'

'Hallo? Moet papa misschien nog een paar klappen krijgen om je te helpen bij je beslissing?'

'Ik zit net ten zuidwesten van Devil's Limb,' zei Abbey.

'Devil's Limb? Wat moet je daar?'

'We waren op weg naar Rockland,' zei Abbey, terwijl ze koortsachtig nadacht.

'Bullshit! Als je daar zit, geef dan de coördinaten maar eens!'

Abbey drukte op de toetsen van de kaartplotter en koos een plek vlak bij Devil's Limb. Ze las de foute coördinaten op.

'Jezus christus,' zei de moordenaar even later. 'Daar ga ik niet heen. Jullie komen maar mooi terug.'

Abbey snikte. 'Dat kán niet! We zijn bijna door onze brandstof heen!'

'Smerige kutteef! Je liegt! Kom hier of je vader gaat eraan!'

'Nee, toe nou!' snikte Abbey. 'Je hebt zelf onze brandstofleiding lek geschoten. We hebben bijna geen diesel meer!'

'Ik geloof er geen woord van.'

'We hebben er net een klem op gezet. Ik zweer het.'

Smak! 'Hoor je dat? Dat krijg je van die leugens!'

Abbey slikte. Ze moest het risico nemen. 'Echt waar!' zei ze zo beheerst mogelijk. 'Waarom denk je dat ik de kustwacht aan het bellen was?'

'Verdomme, bij dit soort golfslag ga ik niet het open water op.'

De boot werd gegeseld door een windstoot die een enorme regenvlaag meevoerde, en het water spatte door de kapotte ruiten naar binnen. Bij een nieuwe stoot kreeg de boot een zijwaartse opdoffer en moest Abbey de handgrepen aan het plafond grijpen om overeind te blijven.

'Hij vermoordt ons!' fluisterde Jackie dringend. 'Waar ben je in godsnaam mee bezig?'

'Ik... doe of we ons overgeven.'

'En wat dan?'

'Geen idee.'

'Hoor je me?' kwam de stem. 'Maak dat je hier komt of je vader gaat eraan.'

Ze drukte op de zendknop. 'Hoor eens, ik heb geen idee hoe ik je moet overtuigen, maar ik zweer dat het waar is. Je hebt die hele boot zo lek als een mandje geschoten en een van de kogels is door de brandstofleiding heen gegaan. Ik heb amper genoeg over om te manoeuvreren. Breng mijn vader naar me toe, dan doe ik alles wat je wilt. We geven ons over. Ik zweer het.'

'Ik ga daar niet heen!' brulde de man.

'Je móét deze kant uit als je naar Rockland Harbor wilt!'

'Waarom zou ik in godsnaam naar Rockland willen?'

'Je kunt nergens anders heen in deze storm! Doe niet zo idioot, ik ken hier de omgeving. Dacht je dat je naar Owls Head kon? Dan loop je vast op Nubble.'

Ze hoorde een hele reeks vloeken en krachttermen. 'Ik wil hopen dat je niet zit te liegen, want je vader staat met handboeien aan de reling vast. Als mijn boot zinkt, gaat hij mee.'

'Ik zweer het, ik lieg niet, maak nou maar dat je hier komt. Met mijn vader.'

'Hou kanaal 72 open en luister naar mijn instructies, over.' Met een geknetter van statische ruis werd het contact verbroken.

'Wat nu?' riep Jackie. 'Heb je een plan voor als we ons hebben overgegeven? Hoe stel je je dat voor?"

'We zetten koers naar Devil's Limb.'

'Met zo'n storm? Dat is hier mijlen vandaan!'

'Precies.'

'Heb je een plan?'

'Nog niet, maar tegen de tijd dat we daar zitten wel.'

Jackie schudde haar hoofd, draaide de brandstoftoevoer open en voer met volle kracht vooruit door de woeste golven op weg naar Devil's Limb. 'Dan zou ik maar snel gaan nadenken.'

77

Het toestel steeg op van Portland Jetport. Toen het eenmaal door de onweerswolken heen was, baadde het plotseling in het griezelige licht van de vollemaan. Wyman Ford tuurde uit het raampje en raakte opnieuw onder de indruk van het spektakel. Dit was niet langer de vertrouwde, romantische bol uit zijn herinneringen, maar een weerwolf van een maan, nieuw en angstaanjagend, die een groenig licht wierp over het wolkenlandschap van bergen en cañons waar het vliegtuig overheen vloog. De pluim van zand en puin van de inslag was in een baan om de maan geraakt en kromde zich als een komma rond het oppervlak. In de cabine ging een opgewonden geroezemoes op toen de passagiers uit de raampjes keken. Nadat Ford er een tijdje naar had zitten staren, trok hij het gordijntje omlaag. De aanblik verontrustte hem hevig. Hij leunde achterover in zijn stoel, sloot zijn ogen en concentreerde zich op de komende vergadering.

Anderhalf uur later, toen het toestel Dulles naderde, schudde Ford zichzelf wakker en trok, ondanks zijn vaste voornemen om dat niet te doen, het gordijntje omhoog om een blik op de maan te kunnen werpen. De staart van puin kroop steeds verder rond de maanschijf en begon intussen een ring te vormen. De stad Washington lag onder hem uitgespreid, gehuld in een onaards aandoend groenblauw licht dat geen dag en geen nacht was.

Hij was niet werkelijk verbaasd dat hij aan de gate werd opgewacht door twee FBI-agenten, die hem door de verlaten hal loodsten, waar de televisieschermen in de lege wachtruimten allemaal identiek nieuws uitblèrden met beelden van de maan erbij en doorspekt met verhalen van diverse commentatoren en verslagen van de reacties op verschillende plekken in de wereld. Het scheen dat de paniek had toegeslagen, met name in het Midden-Oosten en Afrika. Er waren geruchten over het testen van kwalijke en ultrageheime wapens door de vs of Israël, paniek over stralingsgevaar, hysterische mensen die naar Spoedeisende Hulp werden gebracht.

De agenten liepen met ondoorgrondelijke gezichten zwijgend aan weerszijden van hem. De straten van Washington waren zo goed als verlaten. De mensen in de hoofdstad hadden zich, misschien wel instinctief, in hun huizen verschanst.

Toen ze door de afdeling met de bagagebanden heen waren hielpen de agenten hem een politieauto in, een Crown Victoria, en gingen zelf elk aan een kant van hem zitten. De auto reed met razende vaart en zwaailicht over de lege straten tot ze bij het Bureau voor Wetenschaps- en Technologiebeleid aan Seventeenth Street aankwamen. Daar stopte hij voor het lelijke gebouw van rode baksteen waar Lockwood en zijn staf werkten.

Zoals hij al verwacht had brandden alle lampen in het hele gebouw.

78

Met behulp van de navigatiecomputer zette Harry Burr een punt uit op zijn kaart en zette koers naar het rif met de naam 'Duivelspoot'.

Hij keek om naar de vader; die lag ineengezakt op de achtersteven, nog aan de reling vastgeketend, half bewusteloos. De regen en de zee spoelden over hem heen. Misschien was die laatste klap net iets te hard aangekomen. Maar ach, hij kwam vast wel weer genoeg bij zijn positieven om zijn rol in het laatste bedrijf te spelen.

Terwijl de boot vanuit de beschutting van de Muscle Ridge-eilanden de open zee van Penobscot Bay opvoer, merkte Burr dat hij het roer maar met moeite houden kon. De ene enorme golf na de andere kwam vanuit het donker op hem af, elk bekroond met een kop van schuim en pokdalig van de regen. Hij zette het zoeklicht op het dak aan en liet het ronddraaien om in het donker om zich heen te kunnen kijken. De lichtbundel scheen op bergen en bergen water, zover het oog reikte. Het was angstaanjagend.

Dit was gekkenwerk. Misschien hoefde hij niet eens iets te doen; het zat er dik in dat ze vanzelf wel naar de bodem gingen, en dan was hij van het probleem af. Maar dat kon hij niet garanderen, en god wist wat ze intussen tegen de kustwacht aan het beweren waren. Misschien hadden ze wel een radionoodbaken aan boord; zijn eigen boot had dat wel. Dat ging automatisch af, ook als ze de kustwacht niet belden. Nee, hij mocht geen risico nemen, niet het minste. Ze mochten dit niet navertellen. Ze moesten alle drie dood. En de storm bood de ideale dekking.

Het radarscherm zat vol statische ruis van de regen, de hoge golven en het rondwaaiende schuim. Hij rommelde wat met de ontvangst, maar bij dit weer werd het niets. Volgens de navigatiecomputer had hij een snelheid van zes knopen, en de kaartplotter werkte tenminste perfect. Hij voerde het vermogen op tot acht knopen. De boot bokte en schokte door zee, rees bij iedere golf gevaarlijk steil op, ploegde door de schuimkop heen en viel dan met een misselijkmakende klap in het golfdal, bijna alsof hij een waterval afvoer. Hij klemde zich vast aan het roer, probeerde zijn evenwicht te bewaren en de boeg op koers te houden ondanks de tegenwerking van wat wel alle krachten ter wereld leken, die hem allemaal zijdelings de angstaanjagende zee in wilden duwen. Als om zijn angst kracht bij te zetten brak er een hoge golf over de boeg heen. Het groene water liep langs de patrijspoorten, gutste de stuurhut in en verdween via de spuigaten. Harry begon nu echt bang te worden en nam snelheid terug tot zes knopen. Die meid ging toch nergens heen, en de vader was zijn troefkaart. Dat wijf zou haar vader nooit in de steek laten.

Even vroeg hij zich af of dit misschien een list was, een poging hem de open zee op te lokken waar hij door de storm schipbreuk zou lijden. Maar nee, dat kon ze niet van plan zijn: hij had haar vader aan boord. Bovendien had hij een groter, zeewaardiger schip. Als er al iemand zou zinken, dan waren zíj dat.

Waren ze van plan hem in een hinderlaag te lokken? Misschien. Maar dat zou wel heel erg stom zijn. Hij had een pistool, en hij had de vader aan de reling vastgeketend zitten met de sleutel in zijn zak. Wilden ze hem op de rotsen laten lopen? Met die supermoderne navigatie en de kaartplotter aan boord zou hun dat nooit lukken.

Nee, Harry Burr ging ervan uit dat ze de waarheid hadden gesproken over dat brandstofprobleem. Ze waren zich zo doodgeschrokken dat ze die lamlendige beloftes van hem voor zoete koek slikten. Hij had wel vijf ladingen afgeschoten met zijn Desert Eagle: dertig .44-magazijnen, en de kans was groot dat daarvan minstens één het brandstofsysteem had geraakt. Devil's Limb lag op de route naar Rockland, en het was aannemelijk dat het te gevaarlijk was om via de Nubble naar Owls Head te koersen met dit soort golven. Het klopte allemaal als een bus.

Met één hand klemde hij zich vast aan het roer, en met de andere pakte hij de vier lege magazijnen en legde ze op het dashboard, naast een doos nieuwe ronden. Onhandig frummelend wurmde hij de kogels in de magazijnen tot ze allemaal geladen waren. De zware magazijnen stopte hij in zijn broekzakken, aan elke kant twee. Het moest nu maar eens afgelopen zijn met dat gekloot. Zijn plan was simpel: meiden doodschieten, boot afzinken en dan zelf naar Rockland Harbor. Boot afmeren en ervandoor. Er stond niets op zijn naam; Straw had de boot zelf gehuurd en had hem elders opgehaald, in een bijna verlaten inham verderop aan de kust. Niemand wist dat hij aan boord was geweest. Over een paar dagen of weken zouden ze Straws aangevreten lijk vinden met een kogel door zijn kop, maar tegen die tijd was Burr allang weg. En hij zou ervoor zorgen dat Straw een keurige zeebegrafenis kreeg, met meters ankerketting om hem op de bodem te houden.

Voor de meiden plande hij een soortgelijke begrafenis, en ook hun boot zou hij tot zinken brengen.

Het was waarschijnlijk te laat om de schijf in handen te krijgen en zijn twee ton te scoren, althans bij deze ronde. Maar het was nooit te laat om op te ruimen. En opruimen was hard nodig. Hij voelde de woede weer opkomen, en hij probeerde zich te beheersen. Het hoort er allemaal bij, zei hij bij zichzelf. Soms win je, soms niet. Dit was niet de eerste mislukte klus, en het zou de laatste ook niet zijn. Maar alleen als je de zaken netjes afrondt blijf je in leven tot je volgende klus.

Hij viste de sigaretten uit zijn zak en besefte dat die natuurlijk ook doorweekt waren. De boot sprong over een hoge golf heen en smakte aan de andere kant neer. De motor brulde, en hij moest het roer vastgrijpen. Jezus christus, hij zou blij zijn als dat stelletje kuttenkoppen op de bodem van de oceaan lag.

79

Naarmate de *Marea II* verder op open zee kwam, wakkerde de wind aan tot een gebrul. De zee rees in monsterlijke bergen en dalen op en de schuimende koppen van de brekers rolden als vage, grijze richels op hen af. Abbey liet Jackie aan het roer staan, dankbaar voor haar stuurmanskunst. Jackie zag kans iedere golf onder een hoek van dertig graden te nemen, de snelheid geleidelijk op te voeren en dan de boeg te wenden om door de top heen te breken. Als ze het golfdal in zakten, nam ze weer gas terug. Abbey werd er panisch van, maar Jackie leek het keer op keer klaar te spelen.

'O, shit,' zei Jackie, terwijl ze recht vooruit tuurde. Er kwam een streep van wit schuim op hen af, hoger dan de vorige, zo hoog dat het wel iets leek dat niet eens meer deel uitmaakte van de zee: een griezelig laaghangende wolk. De boot zonk met misselijkmakende vaart de diepte die voor de golf uitsnelde in, en toen ze de lijzijde van de volgende golf bereikten, vielen ze in een spookachtige stilte. Toen begon de boot weer omhoog te komen, de boeg steil omhoog terwijl de volgende golf boven hen uittorende, vol schuimstrepen.

'Langzaam!' riep Abbey, die nu echt bang werd.

Jackie negeerde haar en voerde het toerental op tot drieduizend. Ze wendde de boot diagonaal op de golf en voer er recht op af. Plotseling verscheen de kop van de golf boven hen, luid sissend: een omtuimelende muur van water. De boeg boorde zich het water in en Jackie gaf een plotselinge ruk aan het roer. Brullend sloeg het zeewater over de boeg heen. Het rolde over het dek, smakte tegen de ramen van de stuurhut en spatte de ruimte in; de boot huiverde, aarzelde even alsof hij bijna kopje-onder ging en kwam toen weer met een luid gebrul vrij. De boeg dook naar voren en plotseling vielen ze het volgende golfdal in. Meteen nam Jackie bijna al het vermogen terug en liet de boot met de zwaartekracht mee de diepte in vallen.

'Daar komt er weer een,' zei Abbey. 'En die is nog groter.'

'Ik zie hem,' mompelde Jackie. Met volle kracht vooruit klom ze tegen de golf op, barstte door de kop heen terwijl de hele boot kreunde van de inspanning, en liet zich weer vallen. Zo vochten ze zich een weg door de huizenhoge golven heen, de een na de ander, waterbergen op weg naar nergens. Bij iedere golf wist Abbey zeker dat ze zouden zinken; maar telkens wist de boot het water weer af te schudden en kwam hij recht te liggen voordat hij opnieuw omlaag

stortte en het hele angstaanjagende proces van voren af aan begon.
'Jezus, heb je dat bij je vader aan boord geleerd?'

'Vroeger gingen we 's winters altijd bij Monhegan vissen. En dan raakten we wel eens verzeild in een noordooster. Niks aan de hand.'

Ze probeerde rustig over te komen, maar Abbey wist wel beter. Ze dacht aan haar eigen vader, die haar altijd zo beschermd had, en die haar nooit zijn boot had laten besturen. Ze was misselijk van de angst om hem, zoals hij daar op deze zee bij die maniak aan boord vastgeketend zat. Haar plan was volslagen krankzinnig; het wás niet eens een plan. Zich overgeven? En dan? Natuurlijk zou hij hen alle drie doodschieten. Dat was de bedoeling. Wat dacht zij nou helemaal, dat ze hem dat uit z'n hoofd kon praten? Moest ze de kustwacht om hulp vragen? Maar dat zou hij horen, en dan vermoordde hij haar vader. En al belde ze wel: met dit weer ging de reddingsboot er echt niet op uit.

Ze moest iets verzinnen.

Opeens klonk, over kanaal 72, een krakende stem: 'Papa is wakker. Even gedag zeggen?'

80

De FBI'ers begeleidden Ford naar de vergaderruimte. Zodra hij binnenkwam, sprong Lockwood overeind van zijn plek aan het hoofd van een grote vergadertafel, omringd door mannen in pakken en uniform, met flatscreens aan alle wanden. Aan de sombere, serieuze blikken op hun gezicht zag hij dat ze althans gedeeltelijk op de hoogte moesten zijn van wat er aan de hand was.

'God nog aan toe, Wyman, we zijn al uren naar je op zoek! We zitten met een buitengewone situatie. Om zeven uur wil de president een aanbeveling hebben.'

'Ik heb enige informatie voor u. En die is van cruciaal belang,' zei Ford. Hij legde de aktetas op tafel en keek om zich heen om zijn gehoor op te nemen. Naast Lockwood zat generaal Mickelson; zijn grijze haar stond recht overeind, zijn vrijetijdsuniform was gekreukt, zijn atletische gestalte uitzonderlijk gespannen. Aan één kant van de tafel zat een contingent NPF-mensen, onder wie hij Chaudry en Derkweiler herkende, samen met een Aziatische vrouw die een naambordje met het opschrift LEUNG droeg. Aan de verste kant van de tafel zat een stel OSTP-wetenschappers en ambtenaren van Binnenlandse Veiligheid, en via videoschermen waren de chef-staf, binnenlandse veiligheidsadviseur Manfred, het hoofd van de NASA en de directeur van de binnenlandse inlichtingendienst aanwezig. De lange, kersenhouten tafel lag bezaaid met notitieblokken, papieren en laptops. Op stoelen langs de wanden zaten secretaresses en assistenten aantekeningen te maken. De sfeer was gespannen, bijna wanhopig.

Ford opende zijn aktetas, nam de kopie van de schijf eruit en legde die op tafel met een voorzichtigheid alsof het om baccarat ging. Daarna pakte hij de enorme afdruk van Voltaire33, de helderste van de serie die hij bij Kinko had uitvergroot, en rolde hem uit. 'Dit, dames en heren,' zei hij, 'is een foto, 23 maart jongstleden genomen door de Mars Mapping Orbiter.'

Hij wachtte even en draaide de foto zo dat alle aanwezigen hem konden zien. 'Er staat een voorwerp op het oppervlak van Mars op. Volgens mij heeft dit object afgelopen april op de aarde geschoten, en vanavond op de maan.'

Er volgde een moment van geschokte stilte, en toen barstte er een kakofonie los van gepraat, vragen, uitroepen. Ford wachtte tot het geroezemoes bedaard was en zei: 'De foto is afkomstig van deze schijf met geheime gegevens hier.'

'Waar op Mars staat dat voorwerp?' informeerde de vrouw met het naambordje LEUNG.

'Dat staat allemaal op de schijf,' zei Ford. 'Het hele verhaal.' En hij loog verder: 'De exacte coördinaten weet ik niet uit mijn hoofd.'

'Dat kan nooit!' riep Derkweiler uit. 'Dan hadden we dat al tijden geleden in onze analyses gezien!'

'U hebt het niet eerder gezien omdat het verborgen was in de schaduw van een krater, bijna onzichtbaar. Dit beeld hier hebben ze uit de duisternis kunnen filteren met massa's verwerkingstijd en expertise.'

Chaudry stond op van de tafel, wierp een achterdochtige blik op Ford en pakte de schijf. Hij draaide hem in zijn mahoniebruine handen om en om en onderwierp hem met zijn zwarte ogen aan een grondige inspectie. Zijn Californische paardenstaartje was volkomen misplaatst te midden van de pakken die in Washington usance waren.

'Dit is geen NPF-schijf.' Met samengeknepen ogen keek hij Ford aan. 'Hoe kom je aan deze schijf?'

'Van wijlen Mark Corso gekregen,' antwoordde Ford.

Chaudry verbleekte een beetje. 'Dit soort NPF-schijven kun je onmogelijk kopiëren. Onze gegevensversleuteling en beveiligingsprocedures zijn niet te kraken.'

'Zijn er dan echt dingen die een ervaren computertechneut niet voor elkaar krijgt? Als u me niet op mijn woord gelooft, controleer dan het serienummer.'

Chaudry inspecteerde de schijf nogmaals. 'Het ziet er inderdaad uit als een serienummer van de NPF. Maar die... die fóto van u. Daar zou ik het origineel wel eens van willen zien. Voor hetzelfde geld is dit een gefotoshopt beeld.'

'Het bewijs staat hier op de schijf, in de oorspronkelijke binaire gegevens van de MRO.' Ford haalde een briefje uit zijn zak en hield het op naar de groep. 'Het probleem is dat het NPF-wachtwoord op deze schijf is veranderd. Ik heb het nieuwe wachtwoord waarmee ik toegang krijg tot de gegevens. En zonder dat wachtwoord kun je niets met die schijf.' Hij bewoog het papiertje even heen en weer. 'Geloof me, dit is écht.'

Marjory Leung was van haar stoel opgestaan. 'Pardon, maar zei u nu net "wijlen Mark Corso"?'

'Inderdaad. Mark Corso is eergisteren vermoord.'

Leung wankelde even op haar benen, alsof ze bijna omviel. 'Vermóórd?'

'Precies. En het ziet ernaar uit dat zijn voorganger, doctor Freeman, ook vermoord is. En niet door een dakloze. Zowel hij als Corso is vermoord door een professional – iemand die op zoek was naar de schijf die hier op tafel ligt.'

Er viel een diepe stilte.

'Dus u ziet,' zei Ford, 'dat we een zware klus voor de boeg hebben. Want niet alleen wordt onze planeet belaagd, maar bovendien zijn we verraden door een van de mensen hier aan tafel.'

81

Burr gaf de microfoon aan de kreeftenvisser, die nog met geboeide handen stond. Het maakte niet uit wat hij zei; Burr wilde het meisje er alleen aan herinneren dat haar vader nog leefde maar in groot

gevaar verkeerde. Hij wilde haar doodsbang houden, in paniek, zodat ze gemakkelijker te manipuleren was.

'Pap? Páp? Gaat het?'

'Abbey! Maak dat je aan land komt! Je boot houdt het niet! Wegwezen!'

'Pap.' Een benarde stilte. 'De diesel is bijna op.'

'Grote god, Abbey, die vent heeft een pistool. Bel de kustwacht!
Laat je niet...'

Burr griste de microfoon terug. Het was een zelden gebruikt kanaal en het signaal was bijzonder zwak, zeker bij dit weer zou het
het vasteland nooit bereiken, maar waarom zou hij het risico lopen?

'Hoor je dat?' zei hij in de microfoon. 'Het komt allemaal goed en
je krijgt je vader terug. Ik moet jou levend in handen krijgen, anders
krijg ik die schijf nooit te pakken. Dat snap je zelf ook: je bent me
levend meer waard dan dood. We moeten hier op de een of andere
manier uit komen, maar laten we dat ergens doen waar we niet ieder moment kunnen verzuipen. Hoor je me?'

'Ik hoor je,' zei Abbey gespannen.

Hij verbrak de verbinding. Hij wist dat de kans klein was dat ze
hem geloofden, maar wat konden ze anders? Hij had alle troeven in
handen. Ze konden best een of ander idioot plan verzinnen, maar
daar zou niets van terechtkomen.

De boot rees op een golf omhoog en kiepte opzij. Jezus, hij had
even niet opgelet. Er kwam een enorme breker aan, metershoog,
zwart als een glas Guinness met een witte schuimkraag. Hij draaide
het roer op de golf af en de boot rees met razende vaart. Maar hij
was iets te traag, en het brullende water ramde de romp van het schip,
sloeg het opzij en trok zich weer terug terwijl het diepzwarte water
over de reling stroomde, de boot schuin omlaag drukte.

Ze zakten in het golfdal terwijl het zeewater de spuigaten uit gutste. Het dek maakte een hoek van dertig graden ten opzichte van de
horizon. Sprakeloos van angst klemde hij zich aan het roer vast. Hij
probeerde het te draaien, maar het leek wel of hij achteruitgeduwd
werd door een enorm gewicht dat de boot naar beneden perste. Hij
schoof de hendel naar voren, maar hoorde geen reactie van de motor, niets dan het geluid van duizenden kilo's water die over het krakende schip heen beukten. Maar even later begon het roer weer los
te komen en huiverde de boot toen het gewicht van de zee afnam.
Het water stroomde van de boeg en over de reling. Langzaam richtte de boot zich weer op.

Nog nooit van zijn leven was Burr zo bang geweest. Hij keek naar de kaartplotter; ze zaten halverwege Devil's Limb. Achter het rif zaten ze tenminste aan de lijzijde van deze krankzinnige zee. Ze voeren met zes knopen, dus hoe lang kon het nog duren? Tien minuten. Nog tien minuten in de hel.

'Laat mij het roer overnemen,' zei de visser. 'Als jij zo doorgaat, zinken we zo meteen.'

'Val dood.' Burr zette zich schrap toen er een zoveelste golf op hen afkwam. De boot rees op om de kolkende waterberg te ontvangen, en die sloeg er met een klap tegenaan. De stuurhut beefde en kreunde alsof hij dadelijk uiteengereten zou worden. Als er kortsluiting kwam in de elektronica... dan kon hij geen kant meer uit.

Hij klampte zich aan het roer vast, terwijl de boot gevaarlijk steil de bodemloze diepte van een golfdal in dook. Het water wervelde rond zijn voeten en stroomde weg naar de spuigaten.

'Maak me los,' zei Straw, 'anders gaan we beiden naar de haaien.'

Burr stak zijn hand in zijn zak en pakte de sleutel. Hij strekte zijn hand uit. 'Maak jezelf los en breng de boeien mee.'

Met één hand aan het roer greep hij zijn pistool en keek toe hoe Straw de boeien losmaakte en op hem af kwam lopen, zich vastgrijpend aan de reling om overeind te blijven.

De boot walste even rond in het golfdal, griezelig stil, en begon weer te stijgen en de golf haar flank toe te draaien.

'Geef hier dat roer!' schreeuwde Straw, en hij greep het wiel.

Burr deed een stap achteruit en richtte het pistool op hem. 'Maak jezelf aan het roer vast!'

De visser negeerde hem, vocht tegen het roer en schoof de brandstofhendel naar voren terwijl de boot steeds steiler tegen de golf op klom. Plotseling huilde de wind om hen heen, was de lucht vol water en was de hele wereld één kluwen van verwarring en herrie. De boot ramde door de top van de golf heen en plonsde weer neer, trok recht en zakte in het kolkende golfdal.

'Maak jezelf aan het roer vast, zei ik!' Burr loste een schot door het dak heen om zijn woorden kracht bij te zetten.

De visser maakte zijn linkerpols aan het roer vast. Burr liep erheen, controleerde of de handboei ook inderdaad vastzat, pakte de sleutel en smeet die overboord.

'Je zet rechtstreeks koers naar het rif. Als je ook maar wát probeert, ga je eraan. En daarna je dochter.'

De boot rees op een zoveelste golf omhoog en met een oorverdovend gebrul sneed er een bliksemschicht door de hemel. Heel even was er een woestenij van water te zien.

Burr zette zich schrap voor de volgende golf. De visser zweeg en klemde met zijn gezicht naar de duisternis gewend het roer in beide handen.

82

In de stilte klonk een zacht gekners van wieltjes toen een assistent binnenkwam met een dienwagen om de aanwezigen van koffie te voorzien.

'Om zeven uur moesten we met een aanbeveling voor de president komen,' zei Ford. 'Wat zijn de opties?'

Lockwood spreidde zijn handen. 'Doctor Chaudry?'

Chaudry wreef met een hand over zijn fraai gebeeldhouwde jukbeen. 'We hebben minstens een handvol satellieten in een baan rond Mars. We waren van plan die allemaal een nieuwe missie te geven: op zoek naar de bron van die aanvallen. Maar u lijkt de coördinaten al te hebben.'

'Ja,' zei Mickelson, 'en met die coördinaten in handen kunnen we een of meer satellieten als wapen inzetten. Die kunnen we met hoge snelheid op het buitenaardse wapen af jagen.'

Chaudry schudde zijn hoofd. 'Dat zou evenveel effect hebben als een tank bekogelen met een ei.'

'Optie twee,' zei Mickelson onverstoorbaar, 'is de lancering van een kernbom.'

'Maar we kunnen pas over zes maanden iets op Mars afsturen, wat het ook is,' zei Chaudry, 'en een bom is een jaar onderweg naar Mars.'

'De kernoptie is onze enige doeltreffende aanvalsmethode,' merkte de chef-staf op.

Chaudry keek hem aan. 'Admiraal, ik betwijfel of het buitenaardse wapen rustig zal blijven zitten tot het met kernwapens bestookt wordt.'

'Mag ik u eraan herinneren dat het hier om een machine gaat? We hebben geen enkele zekerheid dat het inderdaad een wapen is,' zei Lockwood.

'Natuurlijk is het een wapen, verdomme nog aan toe!' riep Mickelson uit. 'Kijk dan toch!'

Met beheerste stem sprak Chaudry: 'Dat voorwerp is afkomstig van een beschaving van een onvoorstelbaar technologisch niveau. Ik ben ontsteld dat u lijkt te denken dat we het zomaar met een kernbom kunnen uitschakelen. We lijken wel een bestrijdingsdienst die aan het debatteren is over hoe we de rattenvanger kunnen doden. Iedere militaire optie is zinloos, en levensgevaarlijk. En hoe eerder we dat inzien, hoe beter.'

Er viel een gespannen stilte. Het was heet geworden in de vergaderzaal. Ford maakte van de gelegenheid gebruik om zijn jasje uit te trekken. Hij hing het onopvallend over de rugleuning van zijn stoel. Lokaas, dacht hij. Nu kijken wie er toehapt.

83

De *Marea II* voer over een zoveelste levensgevaarlijk hoge golf heen en Abbey ving tussen de regenvlagen door een glimp op van het rustiger water een eind verderop. Volgens de kaartplotter zaten ze een paar honderd meter van de eerste van drie enorme rotsen af.

'Daar! Recht vooruit!'

'Ik zie het,' zei Jackie rustig, terwijl ze het roer even door haar handen liet glijden. 'Ik ben op weg naar de lijzijde.'

De zee werd rustiger toen ze de windstille zone achter de rotsen in voeren. De golven waren nog torenhoog, maar de branding en de wind waren aanzienlijk afgenomen. De boot rees en daalde, en Abbey zag de immense zee langs de voet van de rotsen daveren, met pieken die wel zeven meter of hoger waren en naar de rotspunt reikten, als in slow motion omhoogspatten en enorme fonteinen van waterdamp de lucht in stootten.

'Oké,' zei Jackie, terwijl ze de boot in een trage, kleine cirkel bracht. 'Wat nu?'

'Eh...' aarzelde Abbey. 'Nu doen we of we ons overgeven. Dan haalt hij ons aan boord van zijn eigen boot, en dan wachten we onze kans af.'

Jackie keek haar met open mond aan. 'En dat noem jij een plan?'

'Wat kunnen we anders?'

'Hij gaat ons vermoorden. *Pang, pang*. Meer niet. We krijgen geen tijd voor een "kans". En hou jezelf maar niet voor de gek, hij zal jouw vader echt niet vrijlaten, Abbey. Ik wil jouw vader zielsgraag redden, maar ik heb geen zin om mijn eigen leven te vergooien. Snap je dat?'

'Ik dénk,' antwoordde Abbey buiten adem.

Jackie bleef in een rondje varen, dicht bij de kust. 'Hou op met hyperventileren, hij kan hier ieder moment zijn. Concentreer je. Je bent slim genoeg. Je kúnt dit.'

Abbey keek naar de radar om te zien of ze de naderende boot kon ontwaren. Ze hanneste met het signaal, probeerde de schitteringen van de regen en het zeeoppervlak uit te schakelen. Maar het hele scherm was één grote plas ruis. Terwijl ze de diverse knoppen bijstelde, begon ze langzamerhand een beeld te krijgen van de gigantische, blootliggende riffen aan stuurboord: enorme, groene vlekken op het scherm. En plotseling zag ze nog een vlek, veel kleiner, die aan en uit flakkerde en die hun kant uit kwam.

'Daar is hij,' zei ze. 'Daar komen ze. Vaar de boot achterwaarts die geul tussen de twee rotsen in.'

'Ben je belazerd? Dat is een heel smalle geul, met aan weerszijden branding!'

'Geef mij dan het roer!'

'Nee. Ik doe het wel.'

'Als we daar eenmaal zitten, kan hij ons niet meer zien op zijn radar.'

Jackie keek haar met een bleek gezicht aan. 'En dan?'

'We moeten ons bewapenen.' Abbey smeet de deur van de stuurhut open en klauterde het schommelende trapje af, zich onderweg vastgrijpend aan de trapleuningen. Met een afgrijselijk déjà-vugevoel trok ze een luik open, sleepte de gereedschapskist tevoorschijn en haalde er een klein model betonschaar uit, standaarduitrusting aan boord voor als je te maken kreeg met bevroren bouten, klemmen en pistons. Verder pakte ze een vismes en een lange kruiskopschroevendraaier. Ze kwam terug en gooide het gereedschap kletterend op het dashboard.

Ze greep Jackie bij beide schouders en draaide haar naar zich toe. 'Wou jij een plan horen? Nou, jij je zin. Rammen. Enteren. Man doodmaken. Pap bevrijden.'

'Als we hem rammen, zinken we allebei.'

'Niet als je hem in de flank treft, achter de stuurhut. Dan glijden we met de boeg over de reling heen, ik spring aan boord en jij zet als de bliksem de motor in zijn achteruit en je gaat ervandoor voordat we de ruggengraat van onze boot breken. De *Marea II* is zo solide als een tank.'

'Rammen, enteren en doodmaken? Maar die vent heeft een pistool! En wat hebben wij – een vismes?'

'Had je zelf soms een beter plan?'

'Nee.'

'Dan doen we het met wat we hebben.'

De groene vlek op het radarscherm kroop dichterbij. Abbey keek naar het donkere water en zag de glinstering van licht.

'Hij heeft zijn zoeklicht aan! Wegwezen!'

Jackie gaf gas en voer de boot achterwaarts naar de rots toe, koortsachtig aan het roer draaiend en vechtend tegen wind, zee en de krachtige stroming tussen de rotsen. Het brullen van de branding was oorverdovend, de wind blies flarden schuim over de boot heen. Jackie moest alles op alles zetten om de boot midden in de vaargeul te houden, buiten bereik van de hoge golven die tegen de rotstorens beukten.

'Hoe weet ik wanneer ik tevoorschijn moet komen om hem te rammen?'

'Hij zal de beschutting opzoeken,' zei Abbey, 'net als wij gedaan hebben. Hij zal naar ons op zoek gaan en met zijn zoeklicht in het rond schijnen. Een traag doelwit. Als hij ons niet ziet, roept hij ons op. Dat is voor ons het teken. We wachten tot hij langszij komt, en dan geef jij plankgas en ram je hem onder een hoek van dertig graden. Hier, een mes.'

Jackie pakte het lange vismes aan en stak het in haar broekriem.

Abbey stak een lange, smalle schroevendraaier in haar zak en duwde de betonschaar door de lus van haar broek. 'Ik sta op de boeg aan de reling, klaar om aan boord te springen.'

De zee perste de boot naar de rotsen toe en Jackie deed haar best het roer onder controle te houden, terwijl ze tegelijkertijd achterwaarts de vaargeul in manoeuvreerde en de boot uit de zuigende branding moest zien te houden. 'Dit wordt nooit...'

'Hou je mond.'

84

De wijzers van de klokken in de vergaderzaal kropen naar drie uur toe. De discussies sleepten zich voort en leidden tot niets concreets. Vanaf het scherm aan de andere kant van de zaal sprak de voorzitter van de gezamenlijke chefs van staven enkele woorden tot Chaudry. Zijn toon was vriendelijk, hoffelijk. 'Als u niets voelt voor de militaire optie, doctor Chaudry, wat stelt u dán voor?'

Chaudry keek hem aan. 'Studie. Onderzoek. Nu we weten waar hij staat, en als we aannemen dat dit een foto is van het voorwerp dat verantwoordelijk is voor de projectielen van vreemde materie, dan kunnen we al onze verplaatsbare satellieten erop afsturen. We hebben alleen de coördinaten van de schijf nodig.'

'En dan?' vroeg de voorzitter.

'Dan ondernemen we een poging tot communicatie.'

'En wat zeggen we dan precies?'

'Dan leggen we uit dat wij vrede willen. Dat we een vreedzaam volk zijn. Wij vormen geen bedreiging.'

'Vreedzaam volk?' snoof Mickelson laatdunkend. 'Dan mogen we hopen dat die "machine" de afgelopen paar eeuwen rustig heeft liggen slapen.'

'Misschien is juist dat het probleem,' zei Chaudry. 'Misschien vertoont hij daarom agressief gedrag. Vanwege onze eigen agressieve houding. Wie weet hoe lang hij al naar ons zit te kijken, hoe lang hij al kijkt en luistert naar alle radio- en tv-uitzendingen die we de afgelopen eeuw de ruimte in hebben gestuurd. Natuurlijk hebben zijn computers die berichten allang ontcijferd. Iemand die naar al onze nieuwsuitzendingen van de afgelopen eeuw heeft geluisterd kan geen prettige indruk van de mensheid hebben gekregen.'

'Hoe spreekt zo'n machine nou Engels?' vroeg Mickelson.

'Als hij gebouwd is om intelligent leven in de gaten te houden,' antwoordde Chaudry, 'dan heeft hij waarschijnlijk een onvoorstelbaar krachtige intelligentie; en in dat geval mag je aannemen dat hij iedere denkbare taal kan ontcijferen.'

'Hoe oud is hij? Wanneer is hij gebouwd?'

Ford antwoordde. 'Op de foto is erosie te zien, en putjes van micrometeroïden, en een patina van regoliet, opgeworpen door oeroude inslagen. Die machine is minstens een paar honderd miljoen jaar oud.'

Mickelson keek naar Chaudry. 'Bent u het daarmee eens?'

Chaudry tuurde naar de foto. 'Ja. Dit is inderdaad iets heel ouds.'

'Dus volgens u is dit echt?'

Chaudry aarzelde. 'Voordat ik die vraag beantwoord, zou ik graag de originele beelden en de locatie zien.'

'Momenteel hebben we geen tijd om wat dan ook te verifiëren,' zei Lockwood. 'We hebben nog vier uur voor ons rapport aan de president. We laten de militaire optie even voor wat ze is en we gaan door naar communicatie. Gesteld dat dat gevaarte Engels verstaat, willen we er dan mee communiceren?'

'We moeten hem duidelijk maken dat we geen kwaad in de zin hebben,' zei Chaudry.

'Als je probeert de vrede te bepleiten,' zei Mickelson, 'dan laat je zien hoe zwak je bent.'

'Maar we zíjn zwak,' zei Chaudry. 'En dat weet dat ding ook.'

Het bleef even stil.

Derkweiler hief een hand op. 'De Spacewatch-groep bij de NPF heeft manieren bekeken om gevaarlijke asteroïden uit te schakelen. Misschien kunnen we een van hun methoden gebruiken om een grote asteroïde uit de asteroïderiem een zetje te geven en op de machine af te sturen. Iets ter grootte van het gevaarte waardoor de dino's zijn uitgestorven.'

Chaudry schudde zijn hoofd. 'Het kost jaren om zo'n missie te plannen, een projectiel te lanceren en naar Mars te krijgen. En we beschikken nog niet eens over de technologie om zoiets te doen. We moeten de president de waarheid zeggen: we hebben geen opties.' Uitdagend keek hij de zaal rond.

Opnieuw bleef het lange tijd stil, tot Lockwood uiteindelijk zei: 'We zitten nog steeds met die militaire optie. Laten we de militaire optie even vergeten en het over iets anders hebben, namelijk: wat ís dit voor machine, wie heeft hem daar neergezet en wat probeert het ding te bereiken?'

Ford schraapte zijn keel. 'Hij kon wel eens kapot zijn.'

'Kapot?' Chaudry keek verbaasd.

'Hij is oud. Hij staat daar al een hele tijd,' zei Ford. 'Als hij beschadigd is geraakt, kunnen we hem misschien om de tuin leiden. Hem beduvelen. Op de een of andere manier in de luren leggen. Tot nu toe heeft hij onvoorspelbaar, bizar gedrag vertoond. Misschien is dat geen weloverwogen beslissing, misschien betekent het dat hij het niet goed meer doet.'

'En hoe pakken we dat aan?' vroeg Mickelson.

Na die vraag viel er een stilte. Lockwood keek op zijn horloge. 'Dadelijk komt de zon op. Ik heb voor vijf uur een snel ontbijt besteld in de privé-eetzaal. We maken daar verbinding met de anderen en we zetten de vergadering voort.'

Ford stond op en liet weloverwogen zijn jasje over de rugleuning van zijn stoel hangen. Hij liep de zaal uit en ging in de gang staan wachten tot iedereen vertrokken was. De laatsten kwamen naar buiten en gingen op weg naar de eetzaal aan het eind van de gang. Ford bleef bij de deur hangen en keek hen na. Als op één na laatste vertrok Marjory Leung. Ze zag er vreselijk uit. Ford was er zeker van geweest dat zij de verrader was, maar ze was niet op het lokaas afgekomen.

Chaudry was de laatste die de zaal verliet.

Toen hij over de drempel stapte, haalde hij net zijn hand uit de zak van zijn colbert. Ford kwam op hem af alsof hij hem even onder vier ogen wilde aanschieten, stak zijn hand in de zak en viste er een briefje uit.

'Wat moet dat...?' riep Chaudry uit, en zijn magere lichaam sprong bliksemsnel opzij. Zijn arm schoot naar voren om het briefje terug te graaien, maar Ford sprong achteruit en was buiten bereik.

Ten overstaan van een aantal verblufte toeschouwers hield hij het papiertje in de lucht. 'Dit is het wachtwoord voor de computerschijf. Dat heeft doctor Chaudry zojuist uit mijn jaszak gerold. Ik zei al dat er een verrader in ons midden was. En die hebben we zojuist op heterdaad betrapt.'

85

Burr stond in de stuurhut, draaide het zoeklicht rond en tuurde de storm in. De lichtbundel priemde in de kolkende duisternis en er was niets te zien. Alleen razende golven, en rotsen. Waar zaten ze? Waren ze weer uit de beschutting van het eiland gedreven? Hij frunnikte aan de knoppen van de radar en probeerde een helderder beeld te krijgen van de wereld buiten de lichtkring van zijn schijnwerper, maar het enige wat hij kreeg was ruis.

Er flitste een bliksemschicht voorbij, die de opdoemende rotsen rechts van hem bescheen. Het gebrul van de branding was bijna oorverdovend en het water rondom hcm was bezaaid met puin en drijfhout dat heftig meedeinde op de hoge golven.

'Verdomme!' Burr greep de microfoon van de marifoon en drukte op de zendknop. 'Waar zitten jullie?'

Geen reactie.

'Geef antwoord of je pa gaat eraan!'

Nog steeds geen reactie. Was dit een valstrik? Hij brulde in de marifoon: 'Ik sta met het pistool tegen zijn hoofd en de eerstvolgende kogel is voor hem!'

Met een plotseling gebrul sprong de boot naar voren, zodat Burr omvergesmeten werd. Hij greep zich vast aan de passagiersstoel om zijn val te breken, en probeerde zich overeind te hijsen terwijl de boot vaart maakte. 'Waar ben jij in godsnaam mee bezig?' schreeuwde hij, terwijl hij zijn best deed om zich schrap te zetten en het pistool weer op de visser te richten. Hij keek door de ramen van de stuurhut: die hufter zette met volle kracht koers in de richting van het rif, een rotswand die oprees vanuit een hel van kolkende golven, met regen die in plakkaten van de kantelen af stroomde.

'Nee!' Met zijn linkerhand greep hij naar het roer, terwijl hij met zijn rechterhand het pistool omhoogbracht en van heel dichtbij op Straw vuurde. Maar de visser zag de aanval aankomen en gaf een ruk aan het roer, waardoor de boot opzijschoof en Burr zijn evenwicht verloor. Het schot miste doel en Burr smakte tegen de grond, waar hij door het triplex luik van de roerinrichting heen viel en achter in de stuurhut belandde.

'Godver!' Hij deed zijn best om overeind te komen, greep de reling beet en hees zichzelf op, recht tegen de storm in. De boot was negentig graden gezwenkt en helde sterk over, met de flank naar de zee gekeerd. Straw rukte het roer weer recht en probeerde Burr opnieuw aan het wankelen te brengen. Maar die had zich stevig vastgegrepen en zichzelf omhooggewerkt op het hellende dek dat alle kanten uit bokte en rolde. Hij bracht het pistool weer omhoog en richtte de stuurhut in, op Straw. Net toen hij de trekker wilde overhalen, hoorde hij een nieuw geluid: het kelige brullen van een motor. Hij draaide zich om en zag een angstaanjagend schouwspel: plotseling dook vanuit de storm een boot op, die met volle vaart op hem afstormde. De glanzende kiel spleet de zwarte zee uiteen en smeet het water naar weerszijden. En op de boeg stond, als een boegbeeld uit een nachtmerrie, die meid. Hij krabbelde achteruit, probeerde wanhopig om weg te komen, maar op datzelfde moment smeet Straw de *Halcyon* in zijn achteruit zodat een aanvaring onvermijdelijk was en Burr opnieuw opzij wankelde. Uit zijn evenwicht, met één arm rond de reling geslagen, kon Burr niets anders doen dan het wapen richten en leegschieten. Eenmaal, twee-, drie-, viermaal haalde hij de trekker over...

Met een oorverdovende knal van verbrijzelend plexiglas ramde *Marea II's* boeg de flank van de *Halcyon*, barstte er dwars doorheen en schoof het dek op. Burr deed nog één poging om zich uit de voeten te maken, maar hij kon amper overeind blijven op het bokkende dek. De boeg trof hem vol, met een botsplinterende klap, in de borst. Het voelde alsof zijn ribbenkast in zijn ruggengraat werd geduwd en hij vloog door de lucht, plonsde in het kolkende water en zonk hulpeloos weg in de zwarte, kille, verpletterende diepte.

86

Abbey zag hoe het lichaam met een afgrijselijke klap halsoverkop de zee in vloog en verdween. Door de kracht van de aanvaring werd ze zelf tegen de reling aan geperst, en bijna was ze overboord geslagen. Brullend zette Jackie de motoren van de *Marea II* in hun achteruit, het water ziedde rond de achtersteven en Abbey klemde zich uit alle macht vast terwijl de *Marea II* moeizaam stil kwam te liggen, slagzij makend en bijna kapseizend. Na een moment van doodsangst hervond de boot zijn evenwicht en kwam hij recht te liggen. Abbey had niet de kans gehad om aan boord te gaan. Door de vaart van haar eigen boot werd de *Halcyon* de branding in gestuwd, waar een enorme golf hem oppakte en met een huiveringwekkende klap meevoerde naar de rotsen. Vol afgrijzen zag Abbey haar vader in de stuurhut staan, wanhopig proberend zich te bevrijden uit de handboei aan het roer.

Zonder op orders te wachten ramde Jackie de *Marea II* in zijn vooruit en bracht hem gelijk met de verminkte achtersteven van de andere boot.

'Pap!' Met de betonschaar in de hand sprong Abbey met een snoekduik vanaf de boeg op de zinkende achtersteven. Een opkomende golf sleurde de boot voor een tweede maal met een luid gekraak tegen de rotsen, zodat ze op het dek smakte. Zonder de schaar los te laten greep ze een gebroken stuk reling en hees zich overeind. Ze probeerde op het schokkende, openscheurende dek haar evenwicht te bewaren. De bliksem bestookte het tafereel met een spookachtig licht, waarna meteen een donderklap als een zweepslag klonk. Ze strompelde naar de stuurhut toe. Daar stond haar vader, nog steeds aan het roer geboeid.

'Pap!'

'Abbey!'

Vanuit de schemering kwam een duizelingwekkend hoge golf aanzetten die als een berg boven de boot uittorende. Abbey zette zich schrap en sloeg haar armen om de reling heen toen de golf neersloeg en de boot in haar volle lengte tegen de rotswand klapte. De stuurhut werd verfrommeld als een kartonnen koffiebekertje. In het ziedende water begraven klampte Abbey zich uit alle macht vast en probeerde zich niet door het terugtrekkende water te laten wegsleuren van de boot. Na wat haar een eeuwigheid toescheen, toen haar longen bijna barstten, nam de werveling van het water af en kwam ze boven, happend naar adem. De boot was een wrak. Hij lag op zijn zij met gespleten romp, geknapte ribben en de stuurhut in stukken. Het roer zat onder water, haar vader was verdwenen.

Met bovenmenselijke inspanning greep ze de reling en hees zich de verbrijzelde stuurhut in. De boot zonk met grote snelheid en alles was nu onder water.

'Pap!' schreeuwde ze. 'Pap!'

Een nieuwe golf beukte tegen de boot en smeet haar met zoveel geweld tegen de kapotte wand van de stuurhut dat de betonschaar uit haar handen vloog en in het zwarte water verdween.

Ze haalde diep adem en dook omlaag om met open ogen onder water in de schemerige turbulentie rond te tasten. Daar zag ze een rondmaaiend been, een arm: haar vader. Aan het roer vastgeketend. Onder water.

De betonschaar!

Met een enorme trap zwom ze naar de bodem van de ondersteboven liggende stuurhut, wanhopig rondtastend naar de schaar. Het vage schijnsel van de schijnwerpers van de *Marea* ii filterde door het water heen, zodat ze genoeg licht had om te kunnen zien. Scherpe rotsen onder water sneden en zaagden door het onderste deel van de stuurhut heen, waar die op het rif gespietst was, maar daaronder zag ze een gapende zwarte ruimte – de schaar was de diepte in gezonken. De stroming wervelde om haar heen en het water zat vol puin en olie die vanuit de kapotgeslagen motor stroomde. Ze kon bijna niets meer zien. Einde verhaal; nu de schaar weg was, maakte haar vader geen schijn van kans. Ze kon haar adem niet langer inhouden en stak haar hoofd boven water, hapte naar lucht en dook weer onder met de krankzinnige hoop in haar hart dat ze naar de bodem kon duiken om de schaar te zoeken.

En plotseling was hij daar: hij was blijven hangen achter een kapot raamkozijn en bungelde vlak boven de afgrond. Ze griste de schaar los en zwom naar het roer. Haar vader maaide niet langer om zich heen maar dobberde lijdzaam mee op de deining. Ze greep het roer om kracht te kunnen zetten, plaatste de bek van de schaar rond de ketting van de handboeien en ramde de handvatten dicht. De ketting schoot doormidden. Ze liet de schaar vallen, greep haar vader bij zijn haar en sleepte hem omhoog. In de stuurhut kwamen ze boven water, net op het moment dat er een zoveelste golf tegen de boot sloeg en hem deed kapseizen. Plotseling zaten ze onder water, Abbey nog met haar vaders haar in haar hand. Even later hees ze hem weer boven. Ditmaal kwamen ze onder de romp boven, in een luchtpocket.

'Pap, pap!' schreeuwde ze. Ze schudde hem heen en weer en probeerde zijn hoofd boven water te houden. Haar stem echode hol door de kleine luchtbel onder de romp. 'Pap!'

Hij kuchte en hapte naar adem.

Abbey rammeide hem door elkaar. 'Pap!'

'Abbey... o god... wat?'

'We zitten vast onder de romp!'

Een enorme dreun daverde door de ruimte, en de romp beefde en rolde opzij; even later werd de huid met een tweede daverende dreun opengescheurd en week krijsend uiteen. Terwijl de lucht naar buiten stroomde, golfde het water naar binnen.

'Abbey! Weg hier!'

Te midden van alle stromingen voelde ze een enorme duw in haar rug en even later lagen ze in de razende branding vlak bij de rotsen en werden meedogenloos die kant uit gesleurd.

'Abbey!!' Ze zag de *Marea II*, tien meter verderop; Jackie stond aan de reling met een reddingsboei in haar hand. Die smeet ze hun kant uit, maar het touw was niet lang genoeg en de boei kwam een eind van hen vandaan terecht. Even later kwam haar vader boven water. Ze greep een handvol haar, sleepte hem mee en zwom met één hand zo hard ze kon op de boei af. Jackie zette de motor in zijn achteruit en trok hen beiden de verraderlijke stroming uit. Even later kon ze hen aan boord hijsen, over de reling heen, de een na de ander. Machteloos vielen ze languit op het dek.

87

Met kille ogen bleef Chaudry naar Ford staan kijken. 'Ik bescherm een stuk geheime informatie die van cruciaal belang is en dat u onbekommerd in uw jaszak laat zitten.'

De anderen keken verbijsterd toe.

'O ja?' vroeg Ford rustig. 'Waarom hebt u dan niet meteen iets gezegd? Waarom hebt u gewacht tot iedereen de zaal uit was om het te kunnen jatten? Sorry, doctor Chaudry: dat briefje was lokaas, en u hebt toegehapt.'

'Kom nou,' zei Chaudry, plotseling een stuk ontspannener. 'Dit is absurd. U kunt onmogelijk geloven wat u daar zegt. We verkeren allemaal onder spanning. Waarom zou ik dat wachtwoord nodig hebben? Ik ben directeur van de missie, ik heb toegang tot alle geheime gegevens.'

'Maar niet tot de locatie, en die staat op deze schijf. En dat is de informatie die uw klanten hebben willen: de locatie.' Ford wierp een blik op de groep, die nog geen enkele reactie had gegeven. Hij zag hun sceptische blikken. 'Het is allemaal begonnen met Freeman. Die is vanwege deze schijf door een beroepsmoordenaar om het leven gebracht.'

'Absurd,' zei Chaudry. 'Naar die moord is uitgebreid onderzoek gedaan. Dat was een dakloze.'

'En wie had de leiding van dat onderzoek? De FBI – met een grote rol voor de afdeling Beveiliging van de NPF en voor uzelf.'

'Dat is een schandelijke aantijging, smáád!' zei Chaudry boos.

'Het is niet moeilijk na te gaan,' zei Ford. 'U hebt het niet om het geld gedaan. Dit was te groot voor geld. Tijden geleden al zag u dat Freeman een buitenaardse machine had ontdekt op Mars, hoewel Freeman zelf nog niet eens zover was met zijn conclusies. Dus hebt u hem ontslagen om de kennis zelf in handen te krijgen. Maar plotseling hoorde u dat hij een computerschijf met geheime gegevens had gestolen. Op de een of andere manier had hij de gegevens ontsleuteld, gekopieerd, naar buiten gesmokkeld. Iets wat uzelf niet eens kon. Wat een gouden kans voor uw klanten om alle cruciale gegevens in handen te krijgen. En toen hoorde u dat Corso het werk had voortgezet. En dat niet alleen: hij had het verder uitgebouwd. Hij had de locatie van de machine ontdekt. En die stond op de schijf. Dus hebt u dat aan uw mannetjes verteld; die zijn erop afgegaan en hebben Corso en zijn moeder vermoord, maar de schijf kregen ze niet in handen. Want die had ík al gevonden.'

Chaudry richtte zich tot het groepje verbijsterde toeschouwers. 'Hij heeft geen enkel bewijs, dit is niets meer dan een krankzinnige complottheorie. We moeten aan het werk.'

Ford keek naar de groep en zag de sceptische, hier en daar zelfs vijandige, blikken.

'Freeman is gewurgd met een pianosnaar,' zei Ford. 'Dat zou een dakloze drugsverslaafde nooit doen. Nee, de moordenaar wilde informatie: hij wilde die schijf. En daar was de wurgdraad voor. Als je die om iemands nek draait, dan praten ze echt wel. Behalve Freeman.'

'Wat een verhaal,' zei Chaudry met een ontspannen lachje. 'Waarom luisteren jullie eigenlijk naar hem?'

Plotseling deed Marjory Leung haar mond open. 'Ik geloof het. Ik gelóóf dat doctor Chaudry bloed aan zijn handen heeft.'

'Marjory, ben jij nou helemaal?'

Ze richtte zich tot hem. 'Ik zal nooit vergeten wat je gezegd hebt over Pakistan, India en China. Die ene avond?' Ze bloosde. 'Die avond die we samen hebben doorgebracht? Toen zei je dat Pakistan was voorbestemd om een technologische supermacht te worden. Dat het afgelopen was met de vs, dat wij hier verwend geraakt zijn door rijkdom en materialisme en een gemakkelijk leven. Dat we geen arbeidsethos meer hebben, dat ons onderwijs aan het ineenzakken is. En ik zal nooit vergeten dat je zei dat China en India te corrupt zijn en dat die landen het uiteindelijk zouden moeten afleggen tegen Pakistan.'

'Pakistan?' zei Lockwood. 'Maar ik dacht dat doctor Chaudry uit India kwam.'

Leung keek zijn kant uit. 'Hij komt uit Kasjmir. Dat is een enorm verschil.'

Chaudry bleef grimmig staan zwijgen.

'Ik weet hoe het werkt,' zei Leung. 'Ik heb het zelf meegemaakt. Met een stel Chinese collega's: een suggestie hier, een hint daar. Ze denken dat ik, omdat ik van Chinese afkomst ben, zonder problemen informatie zal doorsluizen om hun ruimtevaartprogramma te helpen. Razend word ik daarvan. Want ik ben Amerikáán. Ik zou zoiets nooit doen. Maar jíj – ik weet wat je die avond gezegd hebt. Ik weet hoe jij denkt. En daar gaat het allemaal om: je was informatie aan het doorsluizen naar Pakistan.'

'Het ging niet om geld,' zei Ford, 'maar om iets wat veel dieper zit. Patriottisme misschien, of religie. Dit is de grootste ontdekking aller tijden. Het was heel, heel erg verleidelijk om die zelf in handen te krijgen. Wie weet wat voor technologische vooruitgang te boeken kon zijn aan de hand van een buitenaardse machine – en dan nog wel een wapen. En toen er een schijf met alle informatie op miraculeuze wijze uit de NPF verdween, kreeg u de kans.'

'Wat een waanzin,' zei Chaudry.

'Ik wist dat de verrader in deze zaal zat. Dus heb ik een kleine truc verzonnen. Met dat wachtwoord. En kijk nou eens wie er in de val gelopen is.'

'Bent u klaar?' informeerde Chaudry koeltjes.

Ford keek om zich heen en zag een zee van sceptische gezichten.

'Nou nou, dat is een heel verhaal,' zei Chaudry. 'Er is maar één probleem: het is allemaal hypothetisch. Ik heb inderdaad even iets gehad met Marjory Leung, zoals zovelen bij de NPF. Geen goed idee. Maar ik ben geen spion.'

'O nee?' vroeg Leung. 'Waarom heeft Freeman me dan vlak voor zijn ontslag verteld dat jij zijn complete analyse van de gammastralingsgegevens wilde hebben? Terwijl je hem de dag daarop vertelde dat hij ontslagen werd als hij daaraan verder werkte? Waarom heb je zoveel moeite gedaan om te voorkomen dat mensen bij de NPF die gegevens zouden bestuderen? Je hebt ervoor gezorgd dat Derkweiler hier Corso heeft ontslagen – omdat die op zijn beurt óók belangstelling kreeg voor die stralen.'

Het begrip daagde op Derkweilers gezicht. 'Dat klopt. En toen heb je om Corso's complete gammastraalanalyse gevraagd. Ik vroeg me al af waarom je daar plotseling zo'n belangstelling voor had.'

'Baarlijke nonsens,' zei Chaudry. 'Daar weet ik niets meer van.'

'Het was nog maar een week geleden.'

'Dit pik ik niet, die bespottelijke aantijgingen.'

Ford hield het briefje met het wachtwoord omhoog. 'U had me hierom kunnen vragen. Maar dat hebt u niet gedaan. U hebt het gestolen. Waarom?'

'Ik zei al, dat was om redenen van beveiliging. U had het gewoon in uw jaszak laten zitten.'

Leung zei: 'Je hebt me die avond wel een paar maal gevraagd: "Wat heeft Freeman je over die gammastralen verteld?"' Ze zweeg even en stak toen een bevende vinger naar hem uit. 'Jij... bent een moordenaar.'

'Pakistan?' zei Lockwood, die zich nu ook in het gesprek mengde. 'Maar dat is een achterlijk land. Wat kunnen ze daar in vredesnaam met dit soort informatie willen aanvangen? Ze hebben geen ruimtevaartprogramma, geen wetenschap, niks.'

'Pardon,' zei Chaudry met ijzige stem. 'Wij zijn het land van Abdul Qadir Khan, een van de grootste wetenschappers aller tijden. We hebben de bom, we hebben langeafstandsraketten, we hebben verrijkt uranium. Maar bovenal: we hebben God aan onze zijde. Alles wat gebeurt is het Lot, en dat is een ander woord voor Gods plan. De teerling is lang geleden al geworpen. Wie denkt dat hij of zij invloed kan uitoefenen op de ware loop der dingen, leeft in een droom. Einstein noemde het tijdsblokken. Wij noemen het het Lot. Wie, vraag ik u, is machtiger dan Allah?'

Ford wendde zich tot een van de militairen die zwijgend in de gang stonden. 'Het lijkt me wenselijk om deze man te arresteren.'

Niemand verroerde een vin. De soldaat stond als aan de grond genageld. Het enige wat te horen was, was Chaudry's moeizame ademhaling.

Mickelson pakte zijn vuurwapen en richtte het op Chaudry. 'U hoort wat hij zegt. Sla hem in de boeien.'

Chaudry stak zijn handen uit, de polsen gekruist. Hij verwrong zijn gezicht tot een glimlach. 'Ga uw gang.'

Toen de handboeien dichtklikten sprak Chaudry rustig verder: 'Het maakt niet meer uit. Als land zijn jullie afgeschreven, en dat weten jullie. Wij zijn zuiver, en God is ons genadig. Uiteindelijk zullen wij het winnen. Let op mijn woorden: de toekomst is aan Pakistan. Met Gods hulp zullen wij India verslaan en een tijdstip inluiden van Pakistaanse wetenschap die de wereld zal verblinden.'

Mickelson stak zijn wapen weer weg onder zijn kreukelige uniform en zei op scherpe toon tegen de militair: 'Haal hem hier weg.' Hij wendde zich tot de groep. 'We hebben nog anderhalf uur voordat we de president inlichten, dus we moeten ons beheersen.'

'Nu de spion ontmaskerd is,' zei Ford, 'kan ik u de locatie van de machine wel geven. Want die staat helemaal niet op Mars.'

De groep, toch al geschokt, viel stil.

'Hij staat op Deimos.'

88

Jackie bleef rondvaren in een trage cirkel in de luwte achter Devil's Limb, terwijl Abbey en haar vader de schade aan de boot opnamen. Hij leunde voorover in het motorluik en keek naar de machines, terwijl Abbey hem bijlichtte met een lantaarn. Ze zag het zwarte, vettige buiswater rondklotsen in de ruimte; de boot was lek.

'Hoe erg is het?'

Straw trok zijn hoofd terug en veegde zijn handen af aan een papieren zakdoekje. Hij was doorweekt en zijn lichtbruine haar plakte aan zijn voorhoofd. Hij had een blauw oog en een snee over zijn jukbeen. 'Een paar lelijke barsten in de romp, die bij een onstuimige zee erger kunnen worden. Maar niets wat de buiswaterpompen momenteel niet aankunnen.'

Via de kajuittrap kwam hij de stuurhut weer binnen. Jackie had de marifoon afgestemd op de zender met weerberichten voor zee, en de computerstem las op dorre toon de statistieken voor: golven tot vijf meter hoog, wind dertig knopen met vlagen van zestig, zware regen, getijde anderhalve meter hoger dan normaal, waarschuwingen voor kleine vaartuigen... De storm zou eerst nog flink aanwakkeren, en daarna pas afnemen.

Jackie stond aan het roer en tuurde naar de papieren kaart op het dashboard. 'Volgens mij moeten we om Sheep Island heen en dan de binnenste geul naar Rockland nemen.'

Straw schudde zijn hoofd. 'Dan varen we dwars op de stroming. We kunnen beter recht de baai oversteken, dan hebben we de stroming mee.'

De hemel werd verlicht door een plotselinge bliksemflits, gevolgd door een dreun. Abbey ving een glimp op van de andere boot, waarvan intussen alleen nog een verwarde massa verbrijzelde glasvezel over was, aan scherven gebeukt door de onophoudelijke brekers op het rif.

'We kunnen natuurlijk naar Vinalhaven gaan,' zei Jackie. 'Dan varen we tegen de stroming in.'

'Dat is geen gek idee.'

Eindelijk zei Abbey iets: 'We gaan noch naar Rockland, noch naar Vinalhaven.'

Haar vader draaide zich naar haar om. 'Hoe bedoel je?'

Ze keek hem en Jackie aan. 'We hebben iets veel belangrijkers te doen.'

Ze keken haar sprakeloos aan.

'Dit klinkt vast krankzinnig, maar Jackie kan het beamen. Vorig jaar heeft de vs een satelliet in een baan rond Mars gebracht. Het doel was de planeet en haar manen in beeld te brengen. Een van de dingen die die satelliet deed, was foto's maken van de Marsmaan Deimos. Daarvoor werd radar gebruikt waarmee ze onder de grond konden kijken.'

'Abbey, dit is níét het moment...'

'Lúíster nou, pap! Door die radar is iets op Deimos wakker geworden. Een heel oude, levensgevaarlijke buitenaardse machine. Waarschijnlijk een wapen.'

'Van alle krankjorume...'

'Páp!'

Hij zweeg.

'Een buitenaards wapen. Dat op de aarde ging staan schieten. Die meteoor die we een paar maanden geleden zagen, dat was het eerste schot. En die vertoning op de maan was het tweede salvo.'

In een paar woorden legde ze uit hoe zij samen met Jackie op zoek was gegaan naar de meteoriet, hoe ze het gat gevonden hadden, hoe ze kennis had gemaakt met Wyman Ford en wat ze hadden ontdekt.

Plotseling werd de ironische blik op haar vaders gezicht eerder sceptisch. Hij keek haar strak aan. 'En?'

'Dat schot op de maan was een demonstratie. Een waarschuwing.'

'En wat wou jij nu gaan doen?' informeerde Jackie.

De stuurhut werd door elkaar gerammeld door een windvlaag en de druppels sloegen tegen de ruiten. 'Ik weet dat het idioot klinkt, maar volgens mij kunnen we er een eind aan maken.'

Jackie keek ongelovig. 'Drie kletsnatte mensen aan boord van een schip in een storm voor de kust van Maine, zonder mobiele telefoon, en die gaan dan de wereld redden? Ben je geschift?'

'Ik heb een idee.'

'O, nee, niet wéér een idee,' steunde Jackie.

'Weet je nog van het aardstation? Die grote, witte bol op Crow Island? Weet je nog dat we daar met schoolreisje naartoe gingen? In die bol staat een schotel die door AT&T is gebouwd om telefoongesprekken naar Europa te sturen. Tegenwoordig wordt hij gebruikt voor satellietcommunicatie, het doorseinen van tv-programma's, internet en mobiele telefoon, dat soort zaken.'

'Nou en?' Jackie veegde het natte haar uit haar gezicht.

'Die richten we op Deimos, en dan sturen we die klojo een boodschap.'

Jackie keek Abbey aan. 'Wat, bijvoorbeeld? "Mijn grote broer komt je verrot slaan?"'

'De details moet ik nog uitwerken.'

89

Jackie lachte. 'Jij bent écht niet goed, weet je dat? We boffen al als we in deze storm de haven halen. Maar jij wou Muscongus Bay over om een bericht te versturen? Kan dat niet tot morgen wachten?'

'We hebben geen idee wanneer het wapen weer gaat vuren. En iets zegt me dat het volgende schot wel eens het einde zou kunnen zijn.'

'En hoezo denk je dat die buitenaardse machine Engels verstaat?'

'Het is een uitermate geavanceerd toestel en het staat al minstens twee maanden naar ons radioverkeer te luisteren. Sinds het wakker geworden is.'

'Als hij zo geavanceerd is, neem dan contact op via de radio.'

'Kom op, Jackie, even serieus. Als hij onze radio-oproep al kon onderscheiden van een miljard andere signalen, dan zou hij die nooit als officieel beschouwen. Wat we nodig hebben is een breed, sterk, krachtig signaal met een heldere boodschap. Iets wat eruitziet als een officiële mededeling van planeet aarde.'

Haar vader keek haar aan. 'Waarom laat je dat niet aan de overheid over?'

'Dacht jij dat de óverheid daar geschikt voor was? Ten eerste willen ze er helemaal niets van weten. Ofwel ze gaan eindeloos zitten vergaderen, ofwel ze gaan erop zitten schieten. En in beide gevallen is het einde verhaal. Bovendien denk ik dat de CIA een van de instanties was die ons dood wilde hebben. Zelfs Ford was bang voor die lui. We moeten dit in ons eentje doen. En we moeten het nú doen.'

'Als we naar Crow willen moeten we de getijdenstroom bij Ripp Island oversteken, en daarna nog drie mijl open water,' zei haar vader. 'Dat halen we nooit bij dit weer.'

'We móeten het halen.'

'En als we daar dan zijn,' vervolgde Jackie, 'dan slenteren we daar gewoon naar binnen en zeggen: "Hé, mag ik je aardstation even lenen zodat ik een bericht kan sturen naar de marsmannetjes?"'

'Als het niet anders kan gebruiken we geweld.'

'Waarmee? Een boothaak?'

Abbey keek haar aan. 'Jackie, volgens mij snap jij het niet. De aarde verkeert in staat van oorlog. En misschien zijn wij wel de enigen die dat weten.'

'Verdomme,' zei Jackie. 'Meeste stemmen gelden.' Ze keek naar Straw. 'Wat vindt u? Ik vind dat we naar Vinalhaven moeten.'

Abbey keek naar haar vader, met zijn bloeddoorlopen bleke ogen en zijn baard waar het water uit droop.

Hij beantwoordde haar blik. 'Abbey, weet je dit zeker?'

'Niet helemaal.'

'Dus het is meer iets van een gok?'

'Ja.'

'Het klinkt krankzinnig.'

'Weet ik. Maar dat is het niet. Toe papa, geloof me. Deze ene keer.'

Hij bleef een hele tijd zwijgen, knikte toen en richtte zich tot Jackie. 'We gaan naar Crow Island. Jackie, jij gaat op de uitkijk staan. Abbey, jij navigeert. Ik neem het roer.'

90

Zonder een moment te aarzelen duwde Straw de hendel naar voren, draaide aan het roer en zette koers, de storm in. 'Hou je vast,' zei hij.

Zodra ze buiten de beschutting van Devil's Limb kwamen werd de boot omringd door het gebrul van de hoge brekers. De regen kletterde in plakkaten tegen de ruiten en het schuim vloog door de lucht. De golven rezen op, met heftige pieken boven op grotere golven gestapeld, die op hun beurt weer voortraasden op de stuwing van diepe, angstaanjagende onderstromingen die af en aan liepen in een regelmatige cadans. Brekende koppen werden weggevaagd door winden met de kracht van een orkaan.

De storm kwam nu niet meer uit het oosten maar van schuin opzij, zodat de boot voorwaarts en opzij gedreven werd. Abbeys vader moest zijn uiterste best doen om de kurkentrekkerbeweging te compenseren. Continu moest hij het motorvermogen bijstellen. Iedere golf rees op onder de boot, smeet de boeg naar voren, tilde het schip steeds steiler omhoog terwijl haar vader op volle kracht vooruit probeerde te voorkomen dat de golf, als hij brak, de achtersteven onder water zou persen. Zodra de golf dan voorbij was, zakte de boot met de steven naar achteren en priemde de boeg de lucht in tot ze in het golfdal van de volgende golf zakten. Daar heerste dan even een griezelige stilte, tot de volgende golf hen weer opbeurde en de storm in tilde. Onder de geroutineerde stuurmanskunst van haar vader leek de boot een zeker ritme te krijgen, en de voorspelbaarheid van de manoeuvres had iets geruststellends. Abbey keek hoe ze de baai overstaken en eindelijk, toen ze de beschutte wateren van het Muscle Ridge-kanaal binnenvoeren, kalmeerde de zee.

'Abbey,' zei haar vader, 'ga eens onder dek kijken. Voorin staat de pomp bijna continu te draaien.'

'Oké.'

Ze klauterde het trapje af naar het vooronder en maakte het luik open om er met een lantaarn in te kunnen schijnen. Ze zag het water rondklotsen en toen ze wat dichterbij kwam, merkte ze dat het water tot ver boven de automatische pompschakelaar stond.

Ze leunde verder naar binnen en scheen met haar licht in het donkere water. Ze stak haar hand uit en tastte langs de kromming van de romp. Haar vingers vonden een barst, en daar voelde ze het water naar binnen stromen. Het was geen brede scheur, maar wel lang en wat erger was: door de kurkentrekkerbewegingen van de boot wrikten de twee stukken aan weerszijden langs elkaar heen zodat de opening langzaam maar zeker steeds breder werd. Het waterpeil steeg, hoewel de pomp onafgebroken stond te stampen.

Ze stak haar hoofd boven het vooronder uit. 'Het water loopt sneller naar binnen dan de pomp aankan,' zei ze.

'Dan gaan jij en Jackie hozen.'

Abbey pakte een plastic emmer van onder het aanrecht. Jackie ging bij de kajuitdeur staan en Abbey dompelde de emmer in het buiswater en gaf hem aan Jackie, die hem overboord leegde. Het was uitputtend werk, waar je kramp van kreeg. In het buiswater zaten motorolie en diesel, en binnen de kortste keren zaten ze er beiden onder en stonken ze ernaar. Maar het tij leek gekeerd te zijn: langzaam maar zeker daalde het waterpeil. Niet veel later kwam de lange barst in zicht.

'Geef me eens een rol van die waterdichte isolatietape,' zei Abbey.

Jackie gaf haar de rol aan en ze scheurde er een reep af. Voorovergebogen in het klotsende, stinkende buiswater veegde ze de glas-vezel droog met een oude lap. Toen plakte ze de barst af, eerst ho-rizontaal en daarna met verticale stroken. Ze bracht een paar lagen aan en drukte die goed vast. Het leek te houden. De pomp, die nog steeds op volle toeren draaide, kon het water nu op eigen gelegen-heid wegwerken en ze hoefden niet meer te hozen.

Jackie riep omlaag: 'Abbey, je vader wil je aan dek hebben. We varen de muistroom binnen.'

Abbey liep het trapje op naar de stuurhut. Ze waren de vaargeul uit en de golven werden weer hoger. Een eind verderop zag Abbey een reeks witte koppen waar de muistroom begon, karnend langs de riffen aan de noordzijde van het eiland. Het was een klassiek geval van gecombineerd tij, waarbij de stroom tegen de storm en het ge-tijde in ging zodat er gigantische golven, wervelingen en turbulentie ontstonden.

'Hou je vast,' zei haar vader, en hij gaf een extra dot gas. Toen de boot de stroom trof, minderde hij vaart en haar vader bleef met de gashendel werken om de stroming te compenseren. De zee duwde te-gen de achtersteven en de stroming wilde de *Marea II* over de boeg draaien, zodat de boot een hevige, onvoorspelbare schommeling maakte die Straw slechts met uiterste inspanning aankon. Hij smeet het roer van links naar rechts; zware golven spatten over de boeg en kletsten over het voordek, terwijl de zee de achtersteven ranselde en het water door de spuigaten naar buiten gutste. De boot huiverde onder de elkaar tegenwerkende krachten van wind en water.

Zwijgend stond haar vader aan het roer. Het vage schijnsel van de elektronische apparatuur baadde zijn gezicht in een spookachtig groe-ne gloed terwijl hij met zijn gespierde armen aan het roer stond te draaien. Het was een ongelijke strijd. Het water dat over de achter-steven sloeg kon niet snel genoeg wegstromen, en bij iedere golf die over het voordek sloeg, kwam het water aan boord hoger te staan.

'Jezus, volgens mij lopen we vol,' zei Jackie. Ze greep een emmer en wilde op weg gaan naar de achtersteven.

'Hier jij!' zei Straw. 'Dadelijk sla je overboord!'

De motor brulde en had moeite met het extra gewicht. De boot huiverde en vocht tegen de zee. Abbey hoorde het knersen en schra-pen van de gespleten romp. Het klonk niet goed.

Ze dook het trapje af, het vooronder in.

Ze maakte het luik los en zag dat de spleet weer opengebarsten was, erger dan tevoren, en dat het zeewater naar binnen gutste. Ze greep het tape en trok er een stuk af, probeerde dat over de scheur te plakken, maar die zat intussen weer onder water en het vorige stuk was losgescheurd. Er kwam zoveel water naar binnen dat er geen herstelpogingen mogelijk waren.

'Hozen!' riep haar vader.

'Het stroomt te snel naar binnen!'

'Dan zet je de voorste pomp achter neer! Jackie! Verplaats die pomp!'

Jackie dook benedendeks en kwam even later boven met de pomp, een rol slang en een stel kabels.

'Slang en kabels lossnijden,' zei haar vader. 'Rechtstreeks aansluiten op de accu en klemmen vastmaken, en de slang een patrijspoort uit.'

'Oké.'

De boot daverde kreunend door het water, terwijl Abbey en Jackie uit alle macht werkten om de pomp aan te sluiten. Binnen vijf minuten waren ze daarmee klaar en stak de slang uit een patrijspoort naar buiten.

De pompen gonsden. Het stijgende waterpeil beneden dek bleef even gelijk en leek toen zelfs te dalen.

'Het werkt!' gilde Jackie, en ze gaf Abbey een high five.

Op dat moment werd de romp met een daverende klap getroffen door een enorme golf, en Abbey hoorde een luid gekraak. Plotseling kolkte het water naar binnen, vol luchtbellen.

'O god.'

Vol afgrijzen keek ze toe hoe het water wervelend naar binnen gutste. Binnen enkele ogenblikken stond het vooronder vol en liep het water de kajuit binnen.

'Luik dicht!' schreeuwde Jackie.

Abbey klapte het luik op zijn plek en trok aan de hendels terwijl het water rond de randen kroop, en even later was het afgesloten. Maar dat hielp maar even. De drukschotten, waar kabels en slangen doorheen liepen, waren niet waterdicht en Abbey hoorde het brullende water de machinekamer in lopen.

'Aan dek!' hoorde ze haar vader roepen.

Ze krabbelden omhoog.

'Pap!' riep ze. 'We zinken...'

'Zwemvesten aan. Nu. Zodra het water boven de voorste schotten uit komt, valt de motor uit.'

Hij probeerde nog zo veel mogelijk vaart te maken en schoof de dieselhendel tot bijna ín het dashboard. De boot scheurde langs Ripp Island en Abbey ving een glimp op van het licht in het huis van de admiraal, dat even tussen de regenvlagen door schitterde. Hoewel de motor op volle toeren draaide, minderde de boot zienderogen vaart en begon hij slagzij te maken. De motor brulde van de inspanning.

'We zinken!' riep Jackie.

Er sloeg een golf over de reling, waardoor de boot nog schever in het water kwam te hangen. Hij zag geen kans zich weer op te richten en sleepte zich half kapseizend voort. De zwaarte van het binnenstromende water maakte het de motor extra moeilijk. Abbey keek naar de razende stroming van de zee, de enorme brekers die tegen de rotskust beukten; als ze zonken, zouden ze dat niet overleven.

Haar vader draaide aan het roer en richtte de boeg recht op de rotsen van Ripp Island. Nu ramde het water de achterzijde van het schip, en het water joeg over de reling heen. Een regen van vonken spatte over het motorpaneel heen. Met een luide knal doofde de verlichting van de complete apparatuur, en in de stuurhut hing plotseling een geur van verbrand isolatiemateriaal. Tegelijkertijd kuchte de motor, huiverde nog eenmaal krampachtig, en begaf het. Vanuit het vooronder kwam stoom opstijgen, met de stank van olie en diesel. De boot gleed verder, meer door de stroom dan door zijn eigen vaart, en de golven sloegen over de reling. De bliksem flitste en ze hoorden een daverende donderslag.

De boot draaide naar de beukende branding toe en de golven persten hem in de richting van de witte schuimkoppen.

'Meiden, op de boeg en klaarmaken om te springen!' riep haar vader.

De boot, die nu weerloos ronddobberde op de golven, zwenkte langs het uiteinde van de muistroom en een volgende breker greep hem bij de steven en trok hem mee de maalstroom in.

'Vooruit!'

Abbey en Jackie klampten zich vast aan lussen en aan de reling en kropen langzaam naar voren. De branding voor hen brulde als een honderdtal leeuwen en ze zagen een enorme, kolkende massa van wit water met enorme fonteinen die vijf en soms zelfs tien meter de lucht in spoten. Haar vader bleef in de stuurhut aan het roer staan en probeerde de boot recht te houden.

'Ik durf niet,' zei Jackie, haar blik strak op het water gericht.

'Je móét.'

Een nieuwe, enorme breker greep de achtersteven en sleurde de boot naar voren, en verder naar voren; en toen de kop krullend neerdaverde, werd de boot de schuimende branding in gedreven. Er was een gigantisch, wringend gekraak te horen, bijna een explosie, toen ze op de rotsen sloegen. Maar het dek hield het, en bij de volgende golf werd de boot opgeheven en langs het ergste deel van de branding meegevoerd. Met alweer een afgrijselijke klap dook hij omlaag. Nu brak zijn ruggengraat, en plotseling lag hij hellend in het water.

'Nú!' brulde haar vader.

Samen sprongen ze in het wervelende water, wanhopig op zoek naar vaste grond onder hun voeten. Er kwam een golf over de *Marea II* heen geslagen, maar de boot zelf ving de grootste klap op en ze hadden net genoeg tijd om zich omhoog te hijsen.

'Pap!' riep Abbey. Het was pikdonker en ze zag niets, behalve de vage, grijze omtrekken van de boot. 'Pap!'

'Hierheen!' gilde Jackie.

Abbey krabbelde half zwemmend, half glibberend tussen de rotsen in de branding door en even later stond ze boven op een grote steen. Ze zag een gestalte in het water, een arm, en daar kwam haar vader boven de golven uit. Hij zat met zijn arm om een rots heen geslagen.

'Pap!' Abbey krabbelde weer omlaag en greep zijn arm om hem naar een veiliger plek te helpen. Hijgend van de inspanning klommen ze de rotsen op naar een graslandje aan de kust. Daar bleven ze even in geschokt stilzwijgen zitten kijken terwijl de *Marea II*, hoog op de rotsen getild, vrijwel doormidden brak. De twee stukken werden de zee in gesleurd, waar ze walsend en wervelend op de ziedende golven werden meegevoerd; kussens en afval dansten mee op de golven. Ze keek naar haar vader, die naar het bijna vergane schip zat te kijken, maar de blik op zijn gezicht was ondoorgrondelijk.

Hij wendde zijn blik af. 'Iedereen in orde?'

Ze knikten. Het was een wonder dat ze het avontuur overleefd hadden.

'Wat nu?' zei Jackie, die haar haar stond uit te wringen.

Abbey keek om zich heen. Boven de bomen zag ze het landhuis; de ramen van de verdieping waren glanzend verlicht. Aan de andere kant van het veldje zag ze, door een scherm van bomen heen, de steiger en de inham van het eiland, waar een groot, wit jacht in een veilige hoek lag afgemeerd.

Jackie volgde haar blik. 'O nee,' zei ze. 'Geen denken aan.'

'We móéten wel,' zei Abbey. 'We moeten het proberen. Die bui-

tenaardse machine probeert onze aandacht te trekken, hij wil een reactie, en God weet wat hij doet als hij die niet krijgt.'

Haar vader kwam overeind. 'Vooruit dan maar. We nemen het
jacht.'

Ze stonden op en liepen het gras over naar de inham. De wind geselde de boomkruinen en het huis stond mager en langgerekt in de
gutsende regen. Ze liepen naar het eind van de pier. Er lag een sloep
bij de steiger; die duwden ze het water in en ze gingen aan boord.
Haar vader pakte de roeispanen en roeide uit alle macht. De sloep
ploegde door het woelige water van de inham en even later lagen ze
langszij het jacht. Hij sprong aan boord en hield de sloep vast terwijl hij de meisjes aan boord hielp. De kajuitdeur zat niet op slot.

De sleutel zat niet in het contactslot. Ze gingen op zoek, waarbij
Jackie een canvas-tas oppakte en op de kaartentafel leegkiepte. Geld,
gereedschap, een heupflacon whisky en de sleutels rinkelden op tafel.

'Kijk eens aan,' zei ze grijnzend.

Abbeys vader nam het roer en streek met zijn hand langs het motorpaneel om de zekeringen in te schakelen. Hij keek of er voldoende brandstof en olie in de tanks zat en stak de sleutel in het contactslot. Een voor een zette hij de motoren aan.

Die antwoordden met een diep, kelig grommen.

Abbey zag lichten flitsen op de pier. Honderd meter verderop kwamen mensen aanhollen, schreeuwend en gesticulerend. De steiger-
lichten floepten aan en verlichtten de haven alsof het een klaarlichte
dag was. Er klonk een pistoolschot.

'Trossen los!' riep Straw.

91

Het jacht was langer en zwaarder dan de *Marea II*, en daardoor aanzienlijk zeewaardiger. Met haar vader aan het roer rondde de boot
de pier en zette koers naar de zwalpende zee. Bliksemschichten priem-
den door de zware regen heen en het geluid van de donder mengde
zich met het brullen van de wind en de golven. De marifoon kwam
knetterend tot leven en een onverstaanbare maar onmiskenbaar razende stem klonk boven het overige lawaai uit.

Haar vader zette hem uit.

De boot raınde door een golf heen en dook het dal in. Abbey voelde haar maag omhoogkomen.

'Jackie, zet de apparatuur aan,' zei Straw met een gebaar naar de rij donkere schermen.

'Ik ga op zoek naar wapens,' zei Abbey.

'Wapens?' vroeg Jackie.

'We willen het aardstation overnemen,' zei Abbey. 'Dan hebben we wel een wapen nodig.'

'Kunnen we de zaak niet gewoon uitleggen?'

'Dat betwijfel ik.'

Abbey probeerde de deur naar de kajuit te openen, maar die zat op slot. Ze bracht haar voet omhoog en schopte, en nog een keer. Het dunne deurtje schoot open en op de tast liep ze de trap af, zich vastklemmend aan de leuning. Ze knipte het licht aan.

Enorme vlakken glanzend mahoniehout en teak strekten zich voor haar uit, met een designkombuisje vol fonkelende apparatuur, een eethoek met een reusachtige flatpanel-tv aan de wand en een deur naar een staatsiehut. Ze liep de kombuis in en begon laden open te trekken. Ze pakte de langste koksmessen die ze vinden kon en liep naar de staatsiehut. Die had een mahoniehouten lambrisering, zachte vloerbedekking, ingebouwde verlichting, een tweede – enorm – televisiescherm en een spiegel aan het plafond. Ze doorzocht de laden van het bureau, die voornamelijk vol seksspeeltjes en erotische hulpstukken zaten, en liep naar het nachtkastje.

Een revolver.

Na een korte aarzeling pakte ze het wapen.

De boot huiverde onder de klap van een golf, en er vloog van alles door de lucht en op de grond. Nog een holle dreun en een van de lampen schoot los en bleef aan zijn snoer bungelen. Abbey klampte zich aan de deurpost vast terwijl de boot steeds hoger rees, schijnbaar eindeloos hoger. Hierbeneden was dat veel griezeliger dan aan dek, want je kon niet zien wat er kwam. Maar toen de boot maar blééf rijzen, besefte ze dat dit de allergrootste golf was die ze ooit meegemaakt hadden.

Ze hoorde het gedempte brullen van de brekende golftop en zette zich schrap. Het leek wel of er een bom ontplofte; de boot werd met een krakende dreun opzij gesmeten, waarbij het geluid in de holle ruimte eindeloos versterkt werd en vergezeld ging van splinterend glas en rondvliegende voorwerpen. De hut bleef steeds meer overhellen, de laden vlogen open, foto's vielen van de wand, er stuiterde van alles door de lucht en even had Abbey het gevoel dat ze zouden kapseizen. Maar uiteindelijk zakten ze niet nog schever, en met een gekreun van spanning begon de boot recht te trekken terwijl hij met een misselijkmakende klap in het volgende golfdal plofte. Een angstaanjagend moment lang bleef het stil, en toen rees hij weer hoger, steeds hoger. Een tweede gedempte explosie, gevolgd door die wringende, wrikkende beweging. Er klonk een knal, en het tv-scherm spatte uiteen, waarna de scherven op de vloer ratelden en rondrolden als kiezelstenen.

Ze wachtte in de luwte van het volgende golfdal en sprong toen de treden weer op naar de stuurhut. Met een hand aan het roer griste haar vader de revolver weg en opende de cilinder. 'Geladen.' Hij klapte het wapen weer dicht en stak het in zijn broekriem.

'Die... die gaat u toch hopelijk niet gebruiken?' vroeg Jackie.

'Ik hoop van niet.'

92

Een halfuur later zag Abbey door de sluiers van regen heen tot haar enorme opluchting de lichten van het aardstation aan en uit knipperen. Het jacht, met gehavende bovenbouw maar nog steeds zeewaardig, ploegde de rustiger wateren van de beschut gelegen haven van Crow Island binnen. De grote, witte bol zelf kwam in zicht, verlicht door schijnwerpers en opdoemend te midden van een stel gebouwtjes op de kale, door de wind gegeselde kruin van het eiland.

Van een schoolreisje van jaren geleden herinnerde Abbey zich vaag dat een stel nerderige techneuten een verhaal hadden opgehangen over de taken van het aardstation en hoe ze op het eiland woonden en de boel draaiende hielden. Binnen in de enorme, witte koepel stond een gigantische gemotoriseerde parabole antenne die, herinnerde ze zich, kon roteren tot hij op een van een complete reeks telecommunicatiesatellieten was gericht. Hij was zelfs bruikbaar voor communicatie met ruimteschepen. Maar de voornaamste functie was het doorsturen van telefoongesprekken over zee. Althans, dat was wat ze zich herinnerde.

Ze hoopte dat de schotel op Deimos gericht kon worden. En dat Deimos in zijn baan rond Mars niet net aan de achterkant van de planeet stond, waar geen radiocontact met de aarde mogelijk was.

Het jacht minderde vaart toen het de haven in voer. Die lag goed beschut tussen twee hoge, rotsige landtongen die de haven leken te omhelzen. Een tweetal betonnen pieren, oud en gebarsten, stak onder het aardstation het water in. Er lagen een paar boten in de haven afgemeerd, maar de steiger voor het pontje was verlaten.

Haar vader nam vermogen terug en bracht het jacht naar de aanlegsteiger.

Abbey keek op haar horloge: vier uur. Ze keek op naar de enorme koepel.

'En, hoe gaat het bericht luiden?' informeerde Jackie.

'Daar ben ik nog mee bezig.' Hoe kon ze ook maar vermoeden wat het doel was van het buitenaardse wapen, als het al een wapen was, en wat het wilde?

'Als het een wapen is,' zei Jackie, 'waarom is de aarde dan niet allang vernietigd?'

'Misschien is het moeilijk om bewoonbare planeten als de aarde te vinden. Of misschien wilde hij het menselijk ras niet uitroeien maar was hij iets heel anders van plan. Misschien was dit een waarschuwing, om ons even bang te maken, ons van zijn macht te overtuigen, ons tot slaven te maken.'

'Slaven?'

'Wie zal het zeggen? Misschien is hun psychologie zo onnavolgbaar dat we haar nooit zullen begrijpen.'

De motoren sloegen achteruit terwijl het jacht huiverend tot stilstand kwam bij de steiger.

'Afmeren,' beval haar vader op gespannen toon.

Abbey en Jackie sprongen van boord en meerden de boot af. In de razende storm en de hoosregen stonden ze op de steiger. Abbey was zo doorweekt en zo koud dat ze amper meer iets voelde. Ze keek naar haar vader en Jackie en besefte dat ze er vreselijk bij liepen, met hun gezichten onder de vegen motorolie, hun kleren die stonken naar de diesel.

Ze keek op naar de koepel en voelde de paniek opkomen; wat moest ze zeggen? Wat kón ze zeggen om de aarde te redden? Plotseling kwam haar plan haar volslagen halfbakken voor, idioot zelfs. Wat dacht zij nou, dat ze die buitenaardse machine kon bepraten om de aarde te sparen? En bovendien: misschien verstond het ding niet eens Engels. Hoewel ze zelf dacht dat een zo geavanceerde machine beslist in staat moest zijn om gesprekken af te luisteren en te vertalen en interpreteren wat hij te weten kwam.

Hoe dan ook, het was de moeite van het proberen waard, als ze maar kon verzinnen wat ze zeggen moest.

Haar vader stak het pistool weg. 'Hou je aan mijn aanwijzingen, blijf rustig – en blijf vriendelijk.'

93

Kromgebogen tegen de storm baanden ze zich een weg naar het einde van de pier, en over de asfaltweg naar de gebouwen op het hoogste punt van het eiland. De wind huilde, de bliksem flitste en het geluid van de donder mengde zich met het gedaver van de branding op de kustlijn tot één onafgebroken gebrul.

De weg liep geleidelijk aan omhoog, en na een tijdje kwam het aardstation in het zicht. Het station lag op het hoogste punt van het eiland, een grote, witte koepel boven een stel sjofele gebouwen van gasbetonblokken met een zendmast en een stel microgolfantennes. Het aardstation was beslist geen wonder van moderne technologie; het zag er eerder droevig en verwaarloosd uit, en het ademde een sfeer van verlatenheid en eenzaamheid. De koepel zat onder de vochtstrepen en de huisjes waren slecht onderhouden; de weg erheen was overwoekerd en zat vol kuilen. Ooit waren de gebouwen witgekalkt geweest, maar door de stormen waren ze zo gebeukt en geranseld dat de verf deels weggespoeld was en het ruwe beton blootlag. Er stond een grote quonsethut, aan één zijde open, vol roestige apparatuur, stapels metalen balken, zandhopen en verweerd timmerhout. Onder het station, in een beschutte holte, stonden een paar huisjes en iets wat een recreatiezaal leek. Rondom de huisjes stond een stel magere, kromgegroeide sparren, de enige bomen op het eiland, die enige beschutting boden maar de boel er niet vrolijker op maakten.

De weg splitste zich en ze namen de tak die naar het aardstation leidde. In de cementen sponning zat een roestige metalen deur met het opschrift GANG; de eerste twee letters waren weggevaagd door het weer. Het geheel werd verlicht door een schelle tl-balk die een doods licht over het sombere landschap wierp. Abbey stak haar hand uit en voelde aan de klink. Op slot. Ze drukte op de knop van een deurbel in een verroest metalen plaatje.

Niets.

Ze drukte harder op de knop, maar hoorde binnen geen gerinkel en ging uiteindelijk over op bonzen. Uit het roestige rooster naast de deur klonk een statisch geknetter, even later gevolgd door een blik-kerige stem. 'Wat is er Mike, ben je je sleutel weer vergeten?'

Abbey sprak in het roostertje: 'Wij zijn Mike niet. We hebben schipbreuk geleden in uw haven. We komen om hulp vragen.'

'Wat? Wie is daar?'

'WE HEBBEN SCHIPBREUK GELEDEN,' gilde Jackie in de microfoon, ieder woord luid en duidelijk uitsprekend.

'Holy shit.' Meteen vloog de deur open. Er stond een kalende, graatmagere man van een jaar of vijftig op de drempel, met de laat-ste droevige slierten haar rond zijn kale schedeldak samengebonden in een lange, dunne paardenstaart. 'Grote goedheid! Schipbreuk? Kom binnen, kom binnen!'

Ze liepen een bedompte ruimte binnen, dankbaar voor de warm-te. Een oude buis-tv stond in de hoek, het scherm was vol geluidlo-ze sneeuw. Op tafel lagen de resten van een middernachtelijk maal: wikkels van repen, een stel colablikjes en een koffiebeker, samen met een paar beduimelde boeken: Eliots *Het barre land*, *Onderweg* van Jack Kerouac, en Joyce' *Finnegans Wake*.

'Gaat het wel?' vroeg de bewaker, bijna stamelend van de opwin-ding. 'Is jullie boot gezonken? Ga zitten, ga zitten! Koffie?'

'Het gaat alweer,' zei Abbeys vader, en hij stak zijn hand uit. 'Mijn naam is Straw. Onze boot ligt in de haven.'

'Koffie, ja, lekker,' zei Jackie met luide stem.

'Oké, komt eraan.'

Ze gingen aan de metalen tafel zitten en de man liep bedrijvig naar een koffiepot op een warmhoudplaatje en schonk bekers vol, die hij dampend en wel naar de tafel bracht, samen met een kannetje melk en een bak suiker. Dankbaar laadde Abbey enorme hoeveelheden sui-ker en melk in haar beker, roerde en dronk.

'Wat waren jullie in vredesnaam aan het doen met dat noodweer?' vroeg de man.

'Dat is een lang verhaal,' antwoordde Abbeys vader, terwijl hij in zijn koffie roerde.

'Zal ik de kustwacht bellen?'

'Nee, we zitten nu veilig. Doe maar niet. Ze komen hier toch niet heen voordat de storm is gaan liggen.'

'Van alle noordoosters die ik hier heb meegemaakt,' zei de kerel, 'is dit wel een van de ergste. Zeker voor de zomer. Jullie mogen van geluk spreken dat jullie het overleefd hebben.'

'Wie zijn er verder nog op het eiland?' vroeg Straw tussen neus en lippen door.

'Ik, en drie anderen: twee technici en een communicatiespecialist. We wonen in die huisjes hieronder.'

'Met gezinnen?'

'Er zijn hier geen gezinnen. We werken in ploegendiensten van drie maanden. Drie maanden hier, drie maanden aan land. Dit is mijn vierde jaar. Het betaalt geweldig en je krijgt de kans even bij te komen van het jachtige leven. Lezen. Nadenken. Trouwens, ik ben Fuller. Jordan Fuller.' Hij stak een magere hand uit, en ook de meisjes stelden zich nu voor.

Abbeys vader hield zijn beker in beide handen. De regen kletterde tegen de ruiten. Zelfs hier, zo hoog op het eiland, hoorde Abbey het gedempte daveren van de branding op de rotsen in de diepte.

'Dus je zit hier vanavond helemaal in je eentje op het station?' vroeg haar vader, al roerende.

'Nee, op het station zit een technicus. Ik ben hier meer voor de veiligheid. Doctor Simic zit op het station.'

'En wanneer wordt hij afgelost?'

'Zij. Om zeven uur.'

'Wij zouden doctor Simic graag even spreken,' zei Abbey.

'Sorry.' Fuller schudde zijn hoofd. 'Dat mag niet. Verboden toegang.'

'Toe nou,' zei Abbey met een lachje. 'Ik ben daar al twee keer geweest. Met schoolreisjes.'

'Tja, dat is iets anders. We krijgen heel wat schoolgroepen. Maar normaal gesproken mag er niemand naar binnen. De deur wordt te allen tijde op slot gehouden.'

'Maar hij kan toch zeker wel open?' vroeg Abbeys vader, terwijl hij opstond.

'Natuurlijk wel. Hoezo?'

Haar vader haalde het pistool uit zijn zak en legde het voorzichtig op tafel, zonder het los te laten. 'Dan verzoek ik u om hem nú open te maken.'

94

In de Situation Room stond de president al ongeduldig te wachten. Op de schermen aan de wand flakkerden de beelden van CNN, MSNBC, FOX en Bloomberg.com met het geluid uit: beelden van de maan, pratende astronomen en de groeiende chaos in de wereld veroorzaakt door wijdverspreide stroomuitval en computerstoringen.

Ford liep achter de anderen aan naar binnen en ze bleven staan tot de president zou gaan zitten. Maar dat deed hij niet. De flatpanelschermen schakelden over naar de videoconferentie en de beelden van generaals, kabinetsleden en anderen floepten aan.

'Oké,' zei de president. 'Wat hebt u bereikt?'

Lockwood knikte naar een assistent en op het grootste scherm in de zaal verscheen een afbeelding van de machine op Deimos.

'Wat u hier ziet, meneer de president, is een foto die op 23 maart van dit jaar door de Mars Mapping Orbiter is gemaakt. Dit is een object dat in een diepe krater op de Marsmaan Deimos verborgen staat. In de Voltaire-krater. Eerst wat achtergrond: Mars heeft twee kleine maantjes, Phobos en Deimos, genoemd naar de Griekse goden van de angst en de paniek. Beide lijken recentelijk verworven steroïden te zijn – en met recent bedoelen we dan een half miljard jaar. Hun vrijwel cirkelvormige omloopbanen hebben de astronomen lange tijd voor een raadsel gesteld, want ze zijn er nooit achter gekomen hoe Mars die twee asteroïden in identieke, perfecte banen kan hebben gevangen, tenzij er een derde hemellichaam bij betrokken was, dat een deel van de hoekige impuls van de twee andere heeft weggenomen en vervolgens spoorloos verdwenen is. Maar dat is de astronomen altijd als een hoogst onwaarschijnlijke gebeurtenis voorgekomen.'

'Wat heeft dit met de huidige situatie te maken?'

'Meneer de president, er is een idee ter sprake gekomen dat Phobos en Deimos misschien op kunstmatige wijze in omloop gebracht zijn.'

'Aha. Gaat u verder.'

Lockwood schraapte zijn keel. 'Het voorwerp dat u op de foto ziet, en dat wij de Deimos-machine hebben genoemd, is duidelijk niet van natuurlijke herkomst. Volgens ons is het gebouwd door een onbekende, buitenaardse beschaving. Volgens ons is dit de bron van de gammastraling die de MMO heeft opgepikt. En we geloven ook dat dit voorwerp op 14 april jongstleden een hoeveelheid vreemde materie op de aarde heeft afgestuurd, gevolgd door een groter stuk op de maan, afgelopen nacht. Daarbij is zoals u weet Tranquility Base vernield. In dat opzicht lijkt het een wapen te zijn.

Een eerste analyse van oppervlakte-erosie ten gevolge van micro-meteoroïden en de laag regoliet eromheen duidt op een leeftijd tussen honderd en tweehonderd miljoen jaar. Alle satellieten die we in een baan rond Mars hebben en die op Deimos kunnen worden gericht, worden momenteel opnieuw geprogrammeerd.

Deimos heeft de vorm van een mismaakte aardappel; hij roteert niet als een normale planeet, hij tuimelt een beetje. Het is duidelijk dat de Deimos-machine alleen kan vuren als de Voltaire-krater op de aarde is gericht. En aangezien het een diepe krater is, komt het behoorlijk nauw met de oriëntatie. Dat gebeurt niet vaak, en niet op regelmatige tijden.'

'En?'

'In april, op de nacht van de inslag van het vreemde deeltje, was dat het geval. En de eerstvolgende keer dat de planeten op één lijn stonden, was vannacht. U hebt gezien wat er met de maan gebeurd is.'

'Wanneer staan ze weer op één lijn?'

'Over drie dagen.'

'Wanneer komen de satellieten in positie rond Deimos?' vroeg de president.

'In de komende paar weken,' zei Lockwood.

'Waarom duurt dat zo lang?'

'De meeste hebben hulp nodig van de zwaartekracht en van hun eigen snelheid. Ze hebben de brandstof niet om op afroep waar dan ook heen te kunnen racen.'

'Is het niet mogelijk,' vroeg de president, 'dat een herpositionering van onze satellieten rond Deimos wordt opgevat als vijandige manoeuvre?'

'De satellieten zijn klein, fragiel en overduidelijk onbewapend,' antwoordde Lockwood. 'Maar inderdaad, het gevaar bestaat dat alles wat wij doen, wat het ook is, verkeerd wordt opgevat. We hebben hier te maken met een buitenaardse redeneertrant, ook al betreft het buitenaardse kunstmatige intelligentie. En misschien is de machine wel kapot. Werkt hij niet goed meer.'

De inlichtingenspecialist vroeg: 'Die "vreemde materie", die naar u zegt is afgevuurd op de aarde, wat is daar zo gevaarlijk aan? Wat doet dat spul precies?'

Lockwood antwoordde: 'Dat is een vorm van materie die reguliere materie bij aanraking omzet in vreemde materie. Zoiets als Midas, die alles wat hij aanraakte in goud veranderde.'

'En waarom is dat zo gevaarlijk?'

'Om te beginnen zou de aarde krimpen tot iets ter grootte van een basketbal. En ten tweede is vreemde materie niet stabiel. Onze planeet zou dus met zo'n kracht exploderen dat het hele zonnestelsel uit elkaar geblazen wordt, waarbij vreemde materie in de zon gedreven wordt, die dan explodeert zodat onze hele hoek van het zonnestelsel de effecten ondervindt.' Zijn diepe, rauwe stem leek onheilspellend door de zaal te weerkaatsen.

'Waarom is de vorige dan door de aarde heen gegaan zonder ons te vernietigen?'

'Dat was een hele kleine, en hij had een enorme snelheid. Hij heeft enige materie omgezet, maar die materie is eraan vast blijven plakken en het geheel is verdwenen toen het klompje uit de aarde uittrad. Daarom was er ook geen enorme explosie van stenen, magma enzovoort toen het klompje naar buiten kwam. Geen schokgolven. Het was zoiets als een heet mes door de boter. Volgens onze geologen is het door het vacuüm ontstane gat meteen weer dichtgesmolten. Maar op de maan was een veel groter stuk afgeschoten. Het ging te snel om de maan te converteren, maar het was wel zo groot dat er een enorme schokgolf ontstond, die op de maan beukte alsof die een gong was en die een stroom puinbrokken omhoogslingerde.'

'Dus het enige wat dit buitenaardse voorwerp hoeft te doen,' zei de inlichtingenspecialist, 'is nog zo'n brokje op de aarde richten en we zijn er geweest.'

Er viel een lange stilte. 'Verder nog vragen?'

Niemand zei iets. Ten slotte merkte de president op: 'Waarom? Waarom worden we aangevallen?'

'Dat weten we niet. We weten niet eens of dit wel een aanval was. Misschien was het wel een vergissing. Een bug in het programma. Er is zelfs gesuggereerd' – hij zweeg even – 'dat de Deimos-machine onze planeet al een tijdje in de gaten houdt, dat hij radio- en tv-uitzendingen heeft opgepikt en geanalyseerd. Misschien is hij tot de conclusie gekomen dat wij een gevaarlijke soort zijn, die geëlimineerd dient te worden. Of misschien is hij hier neergezet door een hyperagressief buitenaards volk dat alle vormen van intelligent leven in ons zonnestelsel wil uitroeien. Om ieder probleem zogezegd in de kiem te smoren. Maar het kan ook zijn dat hij net wakker is geworden. Het eerste schot, op 14 april, was maar drie weken nadat Deimos is beschenen met radarstraling van de Mars Mapping Orbiter.'

De president ijsbeerde heen en weer voor het scherm waarop de Deimos-machine te zien was. 'Enig idee wat die bollen zijn, of die buis daar?'

'Geen flauw benul.'

Nog meer geijsbeer. 'Oké, wat is de aanbeveling van het comité? Wat gaan we hier in vredesnaam aan doen?'

'Meneer de president, we hébben geen aanbeveling.'

Een korte, geschokte stilte. 'Dat is iets heel anders dan ik verwachtte,' zei hij uiteindelijk geërgerd. 'Ik had gevraagd om advies over de actie die we moeten ondernemen.'

Lockwood schraapte zijn keel. 'Sommige problemen liggen zover buiten onze ervaring, zijn zo onvoorstelbaar, dat het onverantwoord zou zijn om wat dan ook te "adviseren". Dit is zo'n probleem.'

'Maar u kunt toch zeker wel iets verzinnen om dat ding te overmeesteren? Een kernbom, wat dan ook. Generaal Mickelson?'

'Meneer de president, ik ben militair. Het is mijn instinct om te vechten. Ik ben begonnen met argumenteren voor een militaire oplossing. Maar doctor Lockwood heeft me ervan overtuigd dat een agressieve zet gevaarlijk was. Zelfs het práten over agressie kan al een nieuwe aanval veroorzaken. Misschien kan de Deimos-machine op de een of andere manier onze gesprekken volgen.'

'Dat is onacceptabel.'

'Die machine kan ons binnen een fractie van een seconde vernietigen. We kunnen geen kant uit. We staan machteloos. Een militaire respons kost jaren van planning voordat er iets gelanceerd kan worden, en dat zou veel te veel opvallen, ook al vonden de voorbereidingen in het striktste geheim plaats. Uiteindelijk zouden we dan iets de ruimte in moeten schieten, en dat zou er negen maanden over doen om Mars te bereiken. We kunnen ons niet voorstellen dat die machine daar gewoon blijft zitten wachten tot hij getroffen wordt.'

De president keek naar de directeur van de NASA. 'Negen maanden? Klopt dat?'

'Minimaal. En de eerstvolgende keer dat we iets groots kunnen lanceren in de richting van Mars is over bijna twee jaar.'

'Jezus.'

'Het enige wat we kunnen doen,' zei Mickelson, 'is meer informatie vergaren over het voorwerp, en dan dus behoedzaam en niet agressief.'

'Daar hebben we geen tijd voor,' zei de president. 'U zei net dat hij overmorgen weer kan vuren. Dat ding hangt als een zwaard van Damocles boven onze hoofden!'

Mickelson spreidde zijn handen.

De president vloekte hardop, van zijn onaangedane houding was niets meer over. 'Heeft er verder nog iemand een slim idee?'

Ford stond op.

'Wie bent u?'

'Wyman Ford, voormalig CIA. Ik ben undercover naar Cambodja gestuurd om de inslagkrater te onderzoeken – of liever gezegd de uittredeopening.'

'Aha. U bent degene die die mijn hebt opgeblazen.'

'Meneer de president, het is geen probleem dat alleen de VS aangaat. De hele wereld moet zich hiermee bezighouden. We moeten onze meningsverschillen opzijschuiven. We moeten al onze technologische krachten bundelen, de beste en slimste koppen hieraan zetten, we moeten volledig open kaart spelen. En dat bereiken we alleen als iedereen weet waar we hier mee te maken hebben. De wereld móét dit weten.'

Meteen klonk er een geroezemoes van protest. De president maande hen met handgebaren tot stilte. 'Dus u vindt dat er nog niet genoeg paniek gezaaid is? Hebt u geen tv gekeken?'

'Jawel.'

'Door de enorme elektromagnetische puls van die inslag is een groot deel van de elektriciteits- en computernetwerken van de wereld bezweken. We krijgen berichten van zelfmoordaanslagen in het Midden-Oosten en een bloedbad onder de christenen in Indonesië. En in ons eigen land drommen mensen bijeen in kerken in afwachting van de Wederkomst. En dan wilt u nog wat extra paniek zaaien?'

'Zonder paniek gebeurt er niets.'

'Dit kan uitlopen op een kernoorlog.'

'Dat risico moeten we nemen.'

'Dat risico wíl ik niet nemen,' zei de president kortaf. 'De informatie openbaar maken is geen optie.'

'Niet alleen is het wel degelijk een optie,' zei Ford, 'maar binnenkort is het een feit. En daar moeten alle aanwezigen in deze zaal op voorbereid zijn.'

En hij begon uit te leggen wat hij met de vaste schijf had gedaan.

95

Fuller kwam langzaam en met zijn blik strak op het pistool gericht overeind. Zijn gezicht was een masker van schrik en verwarring. 'Wat is dat...?'

'Rustig maar,' zei Straw. 'Er hoeven geen gewonden te vallen. Doe uw handen omhoog en sta op. Geen heldendaden.'

De bewaker hief beide handen.

'Abbey, pak zijn wapen.'

Abbey probeerde haar bonzende hart tot bedaren te brengen. Dit was nog enger dan bij zwaar weer aan boord van die boot zitten. Ze stak haar hand om de bewakers rug heen, maakte een drukknop los en haalde een revolver uit de holster rond zijn middel. Daarna trok ze een knuppel uit zijn riem, plus iets wat haar een spuitbus pepperspray toescheen.

'Waar zijn jullie in vredesnaam mee bezig?' vroeg Fuller met gedempte stem.

'Het spijt me echt, maar dadelijk wordt alles duidelijk.' Straw bleef met zijn hand op het pistool zitten. 'Momenteel doet u wat wij zeggen, rustig en beheerst. Het is voor de goede zaak. Het klinkt misschien vreemd, maar ik kan u verzekeren dat wij aardige mensen zijn.'

De bewaker grimaste en keek hen om beurten aan. 'Aardig? Jullie zijn zo gek als een deur.'

'En nu doet u die deur open en stelt u ons voor aan doctor Simic. En van nu af aan herhaal ik niets meer, Fuller, dus luister goed en doe wat ik zeg.'

Abbey keek bevreemd op. Zo had ze haar vader nog nooit gezien: zo rustig en doelbewust. Het was gewoon griezelig.

'Juist.' De bewaker draaide zich om, toetste een code in een blokje op een bedieningspaneel en deed de deur open. Ze stapten een gang van cementblokken binnen, die uitkwam in een enorme ruimte, net een hangar, onder de koepel. In het midden stond een reusachtige parabole schijf op een roestig staketsel van ijzeren balken. Het dreunen van de regen en het beuken van de wind vulden de ruimte met een kreunend geluid dat griezelig aandeed, alsof ze in de buik van een enorm beest zaten.

Op een bureaustoel met wieltjes zat een vrouw voor een rij ouderwets aandoende computers, meters, knoppen en oscilloscopen. Ze lette niet op hen; ze was een computerspel aan het spelen op een iMac aan het einde van de rij apparatuur.

'Jordan!' zei ze, en ze stond verbaasd op. 'Wat is dat nou? Bezoekers?' Simic was een slanke, verrassend jonge vrouw met een waterval van bruin haar, zonder make-up en met diepgrijze ogen. Ze droeg een strakke zwarte spijkerbroek en een katoenen streepjesblouse, die haar op de een of andere manier een studentikoze uitstraling gaven.

'Eh... Sarah? Die vent heeft een pistool,' zei Fuller.

'Een wát?'

Haar vader bewoog even met de revolver. 'Een pistool,' zei hij.

'Wat is dat nou?' Simic maakte een sprong achteruit.

'Rustig maar,' zei Straw. 'U bent doctor Simic, stationsmanager?'

'Ja... inderdaad,' stamelde ze.

'Weet u hoe die schotel bediend wordt?'

'Ja.'

'Sorry dat we zomaar binnenvallen, maar het kan niet anders.' Hij richtte zich tot Abbey. 'Zeg maar tegen doctor Simic wat je van plan bent.'

96

Simic keek Abbey met een onaangedane blik in haar grijze ogen aan. 'Moet dit soms een grap verbeelden?' vroeg ze.

'Nee, dit is serieus,' zei Abbey. 'U moet de schotel voor me richten.'

Simic dacht even na en zei toen: 'Oké.'

'U gaat hem op Deimos richten. U weet wel, Deimos, een van de manen bij Mars? Dat kunt u toch?'

Simic sloeg haar armen weer over elkaar. De blik van verbazing op haar gezicht trok weg en maakte plaats voor iets vijandigs. 'Misschien.'

'Ja of nee? Ik neem aan dat u de coördinaten van Deimos' huidige positie van het internet kunt plukken.'

'Als je me nou eens vertelde wat er aan de hand is...'

Straw hief het pistool en richtte het omhoog. 'Doctor Simic? Ik verzoek u antwoord te geven en precies te doen wat zij zegt. Begrepen?'

'Jazeker.' Simic vertrok geen spier en bleef onaangedaan staan kijken. 'Ik kan de schotel op Deimos richten. Als je me nu vertelt wat je precies wilt, kan ik je beter van dienst zijn.'

Daar dacht Abbey even over na. Het was de moeite waard.

'Hebt u gezien wat er gisteren op de maan gebeurd is?'

'Die asteroïde-inslag?'

'Dat was geen asteroïde. Het was niet eens iets van natuurlijke herkomst. Het was een waarschuwingsschot. Een teken van macht.'

'Maar... wie zat daar dan achter?'

'Een tijd geleden heeft de Mars Mapping Orbiter foto's gemaakt van een apparaat op de kleinste Marsmaan, Deimos. Een apparaat dat daar al tijden staat, misschien van vóór homo sapiens op aarde verscheen. Gebouwd door een buitenaards ras. Die machine heeft veel weg van een wapen, en dat wapen heeft het schot op de maan gelost. Het was geen normale asteroïde, het was een stuk vreemde materie, een soort antimaterie. U hebt gezien hoe het eruitzag: het projectiel is dwars door de maan heen geschoten en aan de andere kant weer naar buiten gekomen.'

Simic keek haar aan en slikte moeizaam. Haar grijze ogen stonden sceptisch.

'Twee maanden geleden,' vervolgde Abbey, 'heeft dat apparaat ook al een schot gelost, op de aarde. Dat is hier rakelings langsgevlogen en op Shark Island ingeslagen. Het is dwars door de aarde heen gegaan en in Cambodja naar buiten gekomen.'

'Hoe komen jullie aan al die... informatie?'

'We hebben toegang tot geheime overheidsgegevens van de National Propulsion Facility.'

Simic knipperde met haar ogen. 'Eerlijk gezegd klinkt dat verhaal volslagen krankzinnig en absurd, en ik twijfel aan jullie geestvermogens.'

'Dat zal best,' zei Abbey. 'Maar intussen gaat u wel mooi die schotel op Deimos richten zodat ik een bericht naar dat buitenaardse apparaat kan sturen.'

Simic' mondhoeken beefden even. 'Een bericht? Wou je hem béllen?'

'Zo'n beetje.'

'En wat wou je dan zeggen?'

Het moment van de waarheid was aangebroken. Ze werd overmand door een gevoel van vermoeide paniek. Wat wilde ze zeggen? De lange, eindeloze nacht flitste voor haar geestesoog voorbij. De

307

aanval op het eiland, de achtervolging, het doodgriezelige gevecht bij
Devil's Limb, de vlezige klap toen de boeg de moordenaar trof en
hem in de kolkende oceaan naar een zeemansgraf stuurde.

En plotseling wist ze precies wat voor bericht ze moest sturen. Het
antwoord lag besloten in de gebeurtenissen van die nacht. Zo simpel was het, zo logisch. Zo volmaakt. Of, misschien: zo rampzalig.

97

Abbey stond achter Simic toen die met haar Mac online ging en een
aantal databases afzocht op zoek naar realtime-gegevens over Deimos' baan rond Mars.

'Mars staat aan de hemel en Deimos draait ervoor langs,' zei ze.
'Ideale omstandigheden voor het, eh… bericht.' Ze typte nog wat, en
daarna krabbelde ze met de hand een stel berekeningen op een vel
papier. Ze kopieerde de hemelcoördinaten en liep met het briefje naar
een oud toetsenbord met een loodzwaar scherm.

'Hoe wou u het aanpakken?' vroeg Abbey.

'Simpel. Ik tik de hemelcoördinaten in en dan berekent de computer de werkelijke positie in de hemel en richt de schotel erop.' Ze
tikte nog even met haar lange vingers op het toetsenbord; op het
scherm werd om een wachtwoord gevraagd, en dat voerde ze in. Na
een tijd stond ze op, liep naar een grijs paneel vol schakelaars en
haalde er een aantal over. Even gebeurde er niets. En toen begon de
enorme schotel met een hoog gekners van metaal en een gonzen van
elektromotoren bijna onmerkbaar langzaam omhoog te draaien over
geoliede tandwielen. De in elkaar grijpende wielen en het knersen
van metaal schalden door de koepel en overstemden zelfs de geluiden van de storm. Er verstreken enkele minuten; toen bleef de schotel plotseling, met een *klonk!* stilstaan. Simic typte nog wat op het
toetsenbord, las een reeks cijfers af en leunde achterover.

'Oké. Hij staat op Deimos gericht.'

'En hoe stuur ik nu een bericht?'

Simic dacht even na. 'Wij gebruiken een speciale frequentie om
rechtstreeks met communicatiesatellieten te communiceren. Voornamelijk als ze gekalibreerd moeten worden, hoewel we die frequentie
ook gebruikten toen wij als een van de aardstations contact onder-

hielden met de Saturnusmissie. Ik neem aan dat we dat kanaal kunnen gebruiken.'

Ze zweeg even. Abbey meende heel even een glimp van medeleven, of zelfs belangstelling, te ontwaren op het sceptische gezicht.

'Wou je een bericht inspreken, of eh... op papier zetten?'

'Ik wil iets schrijven. Als hij antwoordt, kunt u dat dan opvangen?'

'Als hij antwoordt...' Ze zweeg. 'Het lijkt me dat zo'n "buitenaards voorwerp" slim genoeg moet zijn om te reageren via dezelfde frequentie, met dezelfde ASCII-code. Ervan uitgaand, uiteraard, dat hij Engels kan lezen en schrijven.' Ze schraapte demonstratief haar keel. 'Neem me niet kwalijk, maar... zijn jullie een of andere cultreligie?'

Abbey keek haar strak aan. 'Nee, hoewel ik begrijp waarom u dat denkt.'

Simic schudde haar hoofd. 'Het was maar een vraag.'

'Kunt u een eventueel antwoord opvangen?'

'Ik zal de computer instellen voor dubbele transmissie. Als er dan een bericht terugkomt, wordt het op die printer daar afgedrukt. Dan hebben we papier nodig.' Ze keek naar Fuller. 'Geef eens een stapel aan van die kast daar, wil je, Jordy?'

'Oké.'

'Ik pak het wel,' zei Jackie, en ze liep langs Fuller heen om de la te openen. Ze haalde er een dikke stapel papier uit en gaf die aan Simic.

'Dat lijkt me genoeg voor een buitenaardse *Oorlog en vrede*,' zei Simic droog, terwijl ze het papier in de printerlade legde.

'Als u het bericht verstuurt,' zei Abbey, 'zet hem dan op vol vermogen. Mars is heel wat verder weg dan een comsat in een baan rond de aarde.'

'Dat begrijp ik,' zei Simic. Haar vingers vlogen over het toetsenbord, ze controleerde de schakelaars en knoppen op de oude metalen kast, stelde een paar meters bij en leunde achterover. 'Het is zover.'

'Mooi.' Abbey pakte een stukje papier en krabbelde er vier woorden op. 'Hier is het bericht.'

Simic pakte het op en bleef er een hele tijd naar kijken. Ze hief haar grijze ogen en keek Abbey aan. 'Weet je zeker dat dit verstandig is? Als wat jij zegt waar is, lijkt me dit een uitermate gevaarlijk of misschien onfortuinlijk bericht.'

'Ik heb mijn redenen,' zei Abbey.

'Oké.' Ze draaide zich om op haar stoel en bracht haar vingers tot boven het toetsenbord. Zo bleef ze even zitten wachten. Plotseling knikte ze eenmaal en typte het bericht van vier woorden. Ze drukte op ENTER en stond op, stelde een paar meters bij, inspecteerde een oscilloscoop en haalde nog een schakelaar over.

'Bericht verzonden.' Ze leunde achterover in haar stoel.

De seconden tikten voorbij. De hele ruimte werd gevuld door de herrie van de storm. 'Nou,' zei Fuller, met een stem die droop van het sarcasme. 'De telefoon gaat wel over, maar er neemt niemand op.'

'Mars is hier tien lichtminuten vandaan,' zei Abbey. 'We moeten twintig minuten wachten op antwoord.'

Ze merkte dat Simic haar nieuwsgierig en met iets van respect opnam.

Abbey hield haar blik gevestigd op een oude klok die boven de computer hing te tikken. Ze stonden allemaal roerloos te wachten: haar vader, Jackie, Fuller. De storm rammelde aan de oude koepel. Hij klonk zo mogelijk nog erger dan voorheen, als een monster dat aan het dak klauwde en trok in zijn niet-aflatende pogingen binnen te komen. Terwijl ze keek hoe de wijzers van de klok over de wijzerplaat kropen, kwam de twijfel weer opzetten. Het bericht sloeg nergens op, was misschien zelfs gevaarlijk. God weet wat het los zou maken. En bovendien zouden ze gelazer krijgen omdat ze gewapenderhand een overheidsinstelling hadden bezet. Haar vaders nieuwe boot lag op de bodem van de oceaan en hij zou het het zwaarst krijgen voor de rechtbank, want hij was de leider, hij had het wapen. Een misdrijf. Ze had haar leven verknald, dat van haar vriendin en dat van haar vader. Voor een bericht dat niets zou uithalen en dat misschien wel een afgrijselijke, onbedoelde uitwerking zou hebben.

De tweede wijzer kroop eindeloos rond de wijzerplaat.

Misschien had Jackie gelijk. Misschien hadden ze het probleem aan de overheid moeten overlaten. Ford zat in Washington en was ongetwijfeld bezig de hele zaak op te lossen. Bovendien was het een krankzinnig bericht. Het plan was té simpel, het kon nooit werken. Dit is inderdaad een volkomen krankzinnige boodschap. Wat had haar bezield?

'De twintig minuten zijn voorbij,' merkte Fuller met een blik op zijn horloge op. 'En E.T. belt nog niet naar huis.'

Op dat moment begon de oude printer te ratelen.

98

Ford legde de hele toestand uit, van begin tot eind, behalve waar hij de computerschijf naartoe gestuurd had. 'U doet hier allemaal alsof dit een binnenlandse veiligheidscrisis is,' zei hij. 'Maar dat is het niet. Het is een crisis die de veiligheid van onze planeet betreft. We moeten op een andere manier gaan denken. En daarom heb ik de schijf, de échte, naar de pers gestuurd, met dvd's als back-up van diezelfde informatie naar een aantal persbureaus en organisaties. Dat is niet meer tegen te houden. Maar u kunt zich er wel op voorbereiden. Ik heb het zo geregeld dat u drie dagen hebt voordat het nieuws bekend wordt. U hebt drie etmalen om u voor te bereiden, om contact op te nemen met regeringsleiders, om een samenhangende reactie te verzinnen. Inderdaad, de wereld zal in paniek raken. En die paniek zult u nodig hebben. Alleen in tijden van grote crisis gebeuren er grootse dingen. En nu hebt u uw crisis. Maak er gebruik van.'

De adviseur voor binnenlandse veiligheid, Manfred, stond met een betrokken gezicht op. Zijn blik was ijzig, zijn lippen waren opgetrokken zodat zijn kleine, witte tandjes zichtbaar waren. 'Voor alle duidelijkheid: u hebt dit geheime materiaal naar de pers gestuurd?'

'Ja. En niet alleen naar de pers.'

Manfred maakte een snel gebaar naar de twee marechaussees bij de deur. 'Neem deze man in hechtenis. En achterhaal wie die gegevens heeft. Deze informatie mag niet worden vrijgegeven.'

Ford keek naar de president, maar die ondernam niets om de arrestatie tegen te houden. Terwijl de militairen op hem afkwamen, nam Lockwood plotseling het woord. 'Volgens mij moeten we bespreken wat Ford zegt. Dit mogen we niet direct onder tafel vegen. We bevinden ons op onbekend terrein.'

De adviseur, Manfred, keek hem aan en zei met kille, afgemeten stem: 'Doctor Lockwood, juist ú zou toch moeten weten wat het woord "geheim" betekent.' Hij benadrukte zijn woorden met een ruk aan zijn dasknoop.

De marechaussees namen Ford elk bij een arm. 'Komt u maar mee.'

'U vervalt in het oude spel,' zei Ford zachtjes. 'Luister, mensen: de aarde wordt aangevallen. Dat wapen kan ons in een oogwenk vernietigen. Overmorgen kan Deimos ons weer onder schot nemen. En ditmaal misschien wel serieus. Dan is straks iedereen dood. Uitgestorven. Weg.'

'Bespaar ons die verhalen. Neem hem mee!' krijste Manfred.

Ford keek naar de president en zag tot zijn ontzetting dat diens gezicht een masker van besluiteloosheid was. Lockwood, onder de indruk van de uitval, zweeg. Niemand zou het voor hem opnemen. Niemand. Maar goed, gedane zaken namen geen keer. Overmorgen zou het feit wereldkundig worden gemaakt.

De twee militairen trokken hem in de richting van de deur, en Manfred kwam achter hen aan. Toen ze de deur uit liepen en de gsm-vrije zone verlieten, begon Fords telefoon te rinkelen.

Hij nam op.

'Pak hem die telefoon af,' zei Manfred vanaf de drempel.

'Meneer, uw telefoon?' vroeg een van hen. Hij stak zijn hand uit.

'Wyman?' klonk de stem door de telefoon. 'Met Abbey. We zitten op het aardstation op Crow Island. We hebben een bericht naar Deimos gestuurd. En we hebben antwoord.'

'Meneer, uw telefoon. Nú!' De militair stak er zijn hand naar uit.

'Wacht even!' riep Ford, maar de man greep het toestel, wrong het uit zijn hand en klapte het dicht. Zijn collega schoof Ford in de richting van de lift.

'Wacht even!' riep Ford, terwijl hij zich omdraaide naar Manfred. 'Ze hebben bericht ontvangen van de Deimos-machine!'

Manfred sloeg met een dreun de deur van de Situation Room dicht. De marechaussees, die intussen gezelschap hadden gekregen van een stel agenten van de geheime dienst, sleepten Ford mee naar de lift.

'Dit is een ernstige vergissing,' begon Ford, maar hij zag aan hun onbewogen gezichten dat praten zinloos was.

De liftdeur ging open en hij werd naar binnen geduwd. De lift steeg op naar de begane grond en daar leidden ze hem de lobby in en naar buiten, waar een arrestantenwagen klaarstond. Op dat moment bleef een van de geheim agenten staan, bracht zijn hand naar zijn oortelefoon en luisterde.

Zonder een spier te vertrekken keek hij Ford aan.

'U moet terug naar boven, meneer.'

Toen hij weer in de Situation Room kwam, stond de president aan het hoofd van de tafel met naast zich een Manfred wiens gezicht bijna paars aangelopen was van woede.

'Wat is dat met dat bericht? Ik wil weten waar je het in godsnaam over hebt.'

'Het schijnt,' zei Ford, 'dat mijn assistente een bericht heeft gestuurd naar de buitenaardse machine op Deimos en dat ze antwoord heeft gekregen.'

'Hoe kan dat?'

'Via het aardstation in Muscongus Bay, op Crow Island.'

Stilte. 'En hoe luidde het bericht?' informeerde de president.

'Dat weet ik niet. Mijn telefoon is in beslag genomen. Mag ik voorstellen om terug te bellen zodat we daarachter komen?'

'Dit is bespottelijk...' begon Manfred, maar de president legde hem met een geërgerd gebaar het zwijgen op.

De president wees op de telefoon bij zijn elleboog. 'Bel maar. We zetten het gesprek op speakerphone.'

De bewakers lieten hem los. Een assistente gaf hem een briefje met daarop het nummer van het aardstation. Ford liep naar de tafel, pakte de hoorn en toetste het nummer in.

Wat, vroeg hij zich af toen het toestel begon te rinkelen, had Abbey nu weer gedaan?

99

In de verte klonk het geluid van een rinkelende telefoon over de luidsprekers in de Situation Room. Eenmaal, tweemaal ging het toestel over, daarna werd met een haastige stem opgenomen.

'Aardstation Crow Island.'

'U spreekt met Wyman Ford,' zei Ford. 'In de Situation Room van het Witte Huis.'

Stilte. 'U spreekt met doctor Sarah Simic, technisch directeur van aardstation Crow Island. Ik heb eh... behoorlijk verbluffend nieuws voor u.' Haar stem klonk rustig, maar met een kleine trilling.

'Zegt u het maar,' zei Ford. 'Wij luisteren.'

'Ik geef u even Abbey Straw, want zij heeft het contact gelegd. Zij zal u de zaak uitleggen. Maar één ding wil ik u zeggen. Dit is legitiem. We hebben het eindeloos geverifieerd.'

Even later kwam Abbeys stem door de luidspreker, hoog en nerveus. 'Hallo?'

'Abbey?'

'Wyman? Kut, man, moet je nou horen...'

Snel onderbrak Ford haar. 'Ik zit hier in de Situation Room van het Witte Huis, Abbey, met de president, en iedereen kan je horen via de speakerphone.'

'O.' Stilte. 'Sorry voor mijn onparlementaire taalgebruik.'

'Wat is er?'

'We hebben via het aardstation een bericht naar Deimos gestuurd.'

'Waarom?'

'Dat weet je best! Met die schoten wilde het buitenaardse ding ons iets duidelijk maken. Ons iets vertellen. Het wilde kennelijk antwoord krijgen, het probeerde een reactie los te maken. Anders had het ons toch net zo goed met het eerste schot kunnen uitroeien? Nee: dit was een klassiek schot voor de boeg, om in nautische termen te spreken.' Ze zweeg even. 'Het leek me dat we maar beter konden antwoorden, anders kon het volgende schot wel eens het laatste zijn.'

'Wat was het bericht?'

'Eerst wil ik het even uitleggen. Sta er maar eens bij stil. Een schot voor de boeg. Waarom doet een schip zoiets? Om een ander schip stil te leggen, tot overgave te dwingen, zodat ze kunnen enteren. Toch? Dus leek me dat het apparaat dat ook wilde. En daarom heb ik het bericht gestuurd dat hij wilde horen.'

Stilte.

'En dat was...?' vroeg Ford.

'Net wat ik zei. Wat doe je na een schot voor de boeg? Dan geef je je over. Dus heb ik het volgende bericht gestuurd: WE GEVEN ONS OVER.'

Een lange, geschokte stilte. 'O, mijn god,' zei de binnenlandse veiligheidsadviseur. Mickelsons gezicht trok wit weg.

'En het antwoord?'

'Dat zal ik woord voor woord voorlezen. Het was een beetje verward. OVERGAVE AANVAARDING. WACHT. WIJ KOMEN.'

'Je hebt je overgegeven?' donderde de president. 'Je hebt je overgegeven namens de Verenigde Staten van Amerika?'

'Wie staat daar zo te gillen?'

'Ik ben de president.'

'O. Sorry. Nee, u snapt het niet. Natuurlijk geven we ons niet over. Verdorie, dat is wat schepen aan de lopende band deden in de tijden van de grote zeeslagen. Ze deden net of ze zich overgaven, en dan bliezen ze de tegenstander volkomen onverwacht finaal uit het water zodra ze geënterd werden. We geven onszelf wat meer tijd, dat is het gewoon. Tenzij God zojuist de snelheid van het licht heeft veranderd, zal het jaren duren voordat die buitenpost op Deimos ons bericht heeft doorgeseind naar zijn eigen planeet. En dat móét hij wel doen, als ze van plan zijn te komen. Het duurt twintig, dertig jaar voordat ze hier zijn, misschien wel eeuwen, afhankelijk van hoeveel lichtjaren dat geteisem hiervandaan zit. Dat bericht heeft ons zojuist de tijd bezorgd om ons voor te bereiden, ons te bewapenen en ons schrap te zetten voor de invasie.'

'"Invasie" zei je?' vroeg Mickelson.

'Ja. Invasie.'

Een daverende stilte.

'U dacht toch zeker niet echt dat we ons overgaven, hoop ik?' zei Abbey. 'Geen sprake van. We gaan véchten.'

EPILOOG

De zon was ondergegaan, de zee was kalm en de lucht leek beschilderd met sterren. Abbey stond aan het eind van de pier in Round Pond uit te kijken over de donkere haven. De witte vissersboten die er voor anker lagen deinden allemaal in dezelfde richting met het tij mee, alsof ze zorgvuldig waren gerangschikt door een onzichtbaar wezen. Een licht briesje deed het water even rimpelen en sloeg het tuigage van een grote zeilboot tegen de mast met een ritmisch getinkel dat over het water echode als een tikkende klok.

Wyman Ford stond naast haar.

'Hier had ik mijn camera neergezet,' zei Abbey, 'en toen kwam dat ding voorbij.'

Ford knikte. Met over elkaar geslagen armen stond hij over zee uit te kijken.

'Het begon als een fel licht achter de kerk, zonder enig geluid erbij, en daarna kwam het in de lucht voorbijflitsen met een reeks donderslagen. En vervolgens verdween het achter Louds Island, daarzo.'

'Dus zo is het begonnen,' zei Ford. 'Onvoorstelbaar wat er sindsdien allemaal gebeurd is.' Hij haalde zijn armen van elkaar en draaide zich om. 'Ik ben hier omdat we je een baan willen aanbieden. We hebben behoefte aan mensen als jij, met jouw inzicht. Jouw intelligentie. Voor wat er te gebeuren staat.'

Abbey voelde een blos opkomen.

'Dankzij jou,' vervolgde Ford, 'hebben we tijd om ons voor te bereiden. Tijd waarin jij nog nuttiger kunt worden door een studie te volgen. Ga terug, maak je studie af, dan krijg je van ons een baan.'

'Ik ben van Princeton getrapt. Wie gaat me nu nog een beurs geven? Ik ben bankroet.'

Fords hand verdween in zijn zak en kwam tevoorschijn met een witte envelop. 'Princeton. Volledige beurs.'

'Hoe...?'

'Een paar contacten aangesproken.' Hij hield haar de envelop voor.

Ze aarzelde.

'Neem maar aan. We hebben alle heldere geesten nodig die we krijgen kunnen. Er wacht ons een enorme taak.'

Ze pakte de envelop aan. 'Dank je.'

Hij glimlachte, en hield iets anders in de lucht: een sleutel aan een kettinkje, waar hij even mee schudde.

'Wat is dat?'

'De sleutels van de *Marea III*.'

Sprakeloos nam ze ze aan.

'Het leek niet meer dan eerlijk,' zei hij. 'Na alles wat er gebeurd is. Met de complimenten van de president. Een nieuwe ditmaal, een dertien meter lange Stanley, afgemeerd in Boothbay Harbor. Je zult erheen moeten om hem hierheen te krijgen. Als verrassing voor je vader.'

'Dank... dank je.' Abbey voelde een brok in haar keel schieten.

'Je hebt al twee boten van je vader tot zinken gebracht. Denk je dat je deze drijvende kunt houden?'

Ze knikte.

Hij zweeg even en keek weer uit over zee. Even later zei hij: 'De wereld is veranderd. Ja, er zijn nog steeds revoluties, zelfmoordaanslagen, krankzinnige sekten. De islamitische wereld staat in brand. Maar het ziet ernaar uit dat de rest van de wereld een nieuwe weg is ingeslagen. China en India doen mee, en brengen hun beste, knapste koppen mee. De Russen doen mee, en Europa. De Japanners, Israël en Korea zijn geweldig. Het ziet ernaar uit dat er een periode aanbreekt van openheid en samenwerking, althans binnen het grootste deel van de wereld. En daar kun jij deel van uitmaken... daar zúl jij deel van uitmaken.'

Abbey knikte.

'En dan heb ik nu een stukje geheime informatie voor je. Héél erg geheim. Wil je het horen?'

Abbey keek naar Ford. Die stond nog steeds met zijn blik op zee gericht – of liever, op de sterren.

'Wat moet ik daarvoor doen?'

'Wat je daarvoor moet doen, is het geheim bewaren. En dat is moeilijk. Dat zul je begrijpen als je het hoort.'

'Je weet dat ik een geheim kan bewaren.'

'Vorige week heeft een van de satellieten die rond Deimos cirkelen toevallig een enorme uitbarsting van radioruis van de machine onderschept. Zonder enige twijfel een bericht.'

'Is dat bericht ontcijferd?'

'Nee. En dat zal ook wel nooit gebeuren – het zag er zwaar versleuteld uit. Maar het belangrijkste was niet wát er in dat bericht stond, maar waar het naartoe ging.'

'Waar dan?'

'Het was gericht op de restanten van een stelsel in het sterrenbeeld Corona australis, in het Zuiderkruis, bekend als RXJ. Al tientallen jaren zijn astronomen op de hoogte van het bestaan van RXJ. Heel mysterieus. Het is een bron van intense gammastraling, omringd door een enorme wolk van uitdijend stof: het enige wat over is van een gigantische supernova van zo'n twaalf miljoen jaar geleden.'

'Wat is daar dan mysterieus aan?'

'RXJ is een van de voornaamste kandidaten voor wat astronomen een "quarkster" of een "vreemde ster" noemen.'

'Een vreemde ster?'

'Precies. Een bal van vreemde materie, de overgebleven kern van een supernova. Die supernova heeft het originele zonnestelsel rond de oorspronkelijke zon van RXJ doen verdampen. En de complete omgeving is gesteriliseerd door de intense stoot gammastraling. Het kan op natuurlijke wijze zijn gebeurd. Maar het kan natuurlijk ook iets... onnatuurlijks geweest zijn.'

Abbeys hoofd tolde van de mogelijke gevolgen. 'Wou je zeggen dat er onmogelijk enig leven over kan zijn in het gebied waar het bericht naartoe gaat?'

'Inderdaad. Niet binnen een straal van minstens tien lichtjaren. De machine heeft een bericht gestuurd naar een van de doodste, meest door straling onveilig gemaakte uithoeken van de melkweg.'

'Maar... waarom? Wat betekent dat?'

Ondanks de schemering zag Abbey de glinstering in Fords ogen toen hij haar strak aankeek. Hij zei niets, en wachtte zwijgend tot het besef daagde. En plotseling begreep Abbey het. Volkomen.

'Dus die buitenaardse machine heeft een bericht gestuurd naar zijn thuishaven,' zei ze langzaam. 'Maar er zal nooit antwoord komen.'

Ford knikte. 'Wie het ook waren, ze kunnen allang niet meer antwoorden.'

DANKWOORD

De auteur dankt Lincoln Child, Eric Simonoff, Bob Gleason, Tom Doherty, Matthew Snyder, Bobby Rotenberg, Claudia Rülke, Jon Couch, Selene Preston en Isaac Preston voor hun zeer gewaardeerde hulp.